D1129205

UNION GÉNÉRALE D'ÉDITIONS
8, rue Garancière - Paris VIᵉ

*Du même auteur
dans la même collection*

LÉGENDES D'AUTOMNE, n° 1682

FAUX SOLEIL

L'histoire d'un chef d'équipe américain
Robert Carvus Strang racontée à
Jim Harrison

PAR

JIM HARRISON

Traduit de l'américain
par Brice MATTHIEUSSENT

10|18

CHRISTIAN BOURGOIS ÉDITEUR

Titre original:

Sundog

© Jim Harrison 1984.
© Christian Bourgois Éditeur 1987
pour la traduction française.
ISBN-2-264-01154-8

pour Russell Chatham

« L'éternité est amoureuse
des productions du temps. »

WILLIAM BLAKE,
Le Mariage du ciel et de l'enfer.

NOTE DE L'AUTEUR

Pendant trois ans ce projet a suscité les doutes les plus graves, le moindre n'étant pas de savoir si le personnage central du livre est toujours vivant. Mais il s'agit seulement de l'incertitude la plus récente parmi une longue liste de questions qui ne trouveront jamais de réponse adéquate. A dire vrai je n'ai rien à quoi me raccrocher, mais les efforts inconscients de mon personnage m'ont peu à peu fait comprendre que d'emblée je n'aurais jamais dû m'accrocher à quoi que ce soit. Il s'agit là d'une attitude peu naturelle. La fluidité et la grâce sont tout. Le mage contemporain James Hillman nous a dit que l'hypothèse d'une lumière au bout du tunnel a surtout profité à l'industrie pharmaceutique.

Toute dénégation est bien sûr suspecte. A quoi bon me soucier d'avoir été dupé ? De ce point de vue, les romanciers sont de fieffés imbéciles — ils écoutent les paroles d'un individu sans prêter beaucoup d'attention aux motifs qui le poussent à s'exprimer ; ainsi, mes efforts pour écrire un livre qui soit « vrai » comptent sans doute parmi mes inventions les plus fausses. Peut-être ne faut-il pas chercher la véritable histoire de Robert Corvus Strang dans le millier de pages qui sont la transcription d'entretiens enregistrés dont j'ai tiré ce livre. Je n'ai décidé que récemment d'inclure dans son histoire mes propres observations relatives aux événements de ces cinq mois — peut-être les cinq derniers de sa vie.

Pour des raisons de lisibilité, j'ai dû écarter des informations extrêmement techniques concernant la construction des barrages hydroélectriques et les grands projets d'irrigation dans le Tiers Monde. J'ai également éliminé certaines idiosyncrasies de langage que Strang acquit en parlant à la radio dans les régions les plus reculées du monde, lequel ne rétrécit pas aussi vite que je l'avais d'abord cru. Si je lui demandais d'épeler *Azula*, il me répondait « Alfred, Zèbre, Ursula, Lion, Alfred », ou quelque chose d'aussi loufoque.

Tout commença au vestiaire d'un club de Palm Beach, deux lieux aussi invraisemblables l'un que l'autre. Je passais l'hiver en Floride pour essayer de me remettre d'un divorce, retrouver un semblant de santé et écrire un livre sur la cuisine du gibier avec un ami qui habitait sur place. A quarante-cinq ans, je souffrais de très douloureuses crises de goutte. Une clinique de luxe me gavait de jus de fruits, d'élixirs d'herbes et de glandes animales, puis me plongeait dans les tourbillons d'une piscine pour la somme invraisemblable de mille dollars par jour, plus les faux frais. Après plusieurs heures de ce régime, je m'éloignais d'un pas chancelant pour rédiger une recette de notre livre, disons un foie gras, des huîtres Bienville, des colombes grillées ou des canards-faisans rôtis, assortis de fromages et de fruits pour ajouter une note diététique au menu. A

Palm Beach la richesse, comme la pauvreté, semblent brouiller les frontières, si bien que le spectre visible se limite à la torpeur de la mi-distance. Pourtant, même les maladies imaginaires exigent des traitements spécifiques. Seulement plus tard, quand le projet de ce livre m'a fait frôler la banqueroute, j'ai retrouvé ma santé.

Retour au vestiaire, le genre de vestiaire qui passerait pour un salon à Grosse Pointe[1]. Une demi-douzaine d'hommes entre quarante et soixante ans se désaltéraient après des parties de tennis interrompues par la pluie. En qualité d'observateur extérieur, je vis leur discussion tourner à la querelle. Un jeune homme de bonne famille déclara que la vie l'ennuyait, puis un vieux et sage nabab lui rétorqua : « Sans doute parce que tu as pris ta retraite avant d'accomplir quoi que ce soit. Quand es-tu sorti de cette ville pour la dernière fois ? » L'homme plus jeune répondit que l'année passée il avait été à Beverly Hills, Aspen, Palm Springs, Deauville et séjourné un mois au Carlyle de New York. « Tous ces endroits n'en sont qu'un seul », aboya le vieux nabab. « Peut-être, mais la télévision ne donne pas vraiment envie de sortir de chez soi. » Le vieux se leva en approuvant d'un hochement de tête, et tout le monde parut soulagé. Après tout, la colère témoigne d'un manque de politesse. Alors il dit : « La télévision ne s'écarte jamais des autoroutes à moins qu'il y ait une explosion quelque part. Le monde n'est pas censé être un lieu séduisant. Tu devrais rencontrer l'homme qui fut mon gendre. Comparés à lui, vous êtes des fats et des connards. Y compris vous. » Il pointa son index sur moi ; la panique fit bourdon-

_____

(1) Ville du Michigan. (N.d.T.)

ner mes tempes. Je redoute tellement la critique que
je ne lis les articles concernant mes livres que
lorsqu'un ami m'a assuré qu'ils sont élogieux. « J'ai
lu vos bouquins. Ils sont lisibles, mais vous devriez
essayer d'écrire à propos de quelqu'un qui a vraiment accompli quelque chose. » Là-dessus, il
s'éclipsa en sifflant un air et un type me demanda
ce que signifiait le mot *fat*. Naturellement, dans
l'heure qui suivit j'entamai des recherches sur son
ancien gendre auquel il m'avait comparé si défavorablement.

Cette petite prise de bec me sembla triviale et
stupide, d'autant que les lecteurs aiment à se sentir
supérieurs aux riches et à leurs problèmes ostensiblement artificiels. En l'occurrence, ils ne me
concernent pas. Cet après-midi-là marqua pour moi
le début douloureux d'un long voyage de retour
vers la Terre, même si mon arrivée devait être
ridicule. Plutôt que de relever aussitôt le défi,
j'écrivis quelques lettres à ce gendre, Robert Strang,
qui ne répondit à aucune. Sur une carte, je découvris que l'aéroport le plus proche de son lieu de
résidence dans la péninsule nord du Michigan se
trouvait à Sault Ste. Marie, à une centaine de milles
de mon objectif.

Reportant à plus tard ce projet, je partis à Key
West pour ma période annuelle de pêche au tarpon,
qui fut sévèrement entachée de gloutonnerie, de
beuveries, de sédatifs contre la goutte et autres
excès qui me tinrent éveillé pendant de longues
nuits tropicales, ainsi que j'en avais l'habitude
depuis plus de dix ans. Mais tous ces adjuvants
n'avaient plus beaucoup d'effet sur moi, si bien que
je passai trois jours assis dans une chambre obscure
en écoutant le grincement des palmes contre la
façade. Je reçus alors une carte postale de Strang,

un paysage de neige, qu'on m'avait fait suivre de Palm Beach. En réponse à mes notes désordonnées, il écrivait seulement : « Je ne pige rien à ce que vous racontez. Robert C. Strang. » J'étais alors si désespéré que sa condamnation sans appel suffit à me lancer dans l'aventure.

Avant d'achever cette brève introduction, j'aimerais remercier de nombreux médecins et ingénieurs civils, ainsi que certaines entreprises impliquées dans des projets de construction internationaux, même si leur aide ne fut pas décisive pour comprendre notre homme. Je suis cependant reconnaissant au docteur Bryce Douglas qui m'a signalé l'existence, au Musée Botanique de l'Université de Harvard, d'une brochure de Richard Evans Schultes qui porte ce titre impressionnant : « *De Plantis Toxicariis E Mundo Novo Tropicale Commentationes I* ». Cette brochure inclut une description de la plante *Aristolochia medicinalis*, remède vénézuélien contre l'épilepsie et les crises similaires qui m'a aidé à mieux comprendre la personnalité unique de Strang. Qu'il soit vivant ou non, cela est évidemment invérifiable bien que crucial. Je dois en définitive me contenter d'avoir connu un homme totalement affranchi de l'esclavage des conventions.

CHAPITRE I

Je partis donc lentement vers le nord, traversant
des douzaines de printemps différents, voyageant à
travers ses frondaisons nouvelles, m'arrêtant çà et là
pour l'attendre et rassembler mon courage. J'étais
sur le point de donner à ma vie une orientation
totalement différente, de frayer une voie inédite. Je
remontais d'habitude vers le nord en suivant la côte
est jusqu'à New York, puis en juin je rejoignais
notre maison près de Sag Harbor. Ma femme
partait avant moi en avion, car elle ne partageait
pas mon goût pour les longs trajets en voiture. Mais
j'avais maintenant perdu notre modeste appartement new-yorkais et la propriété de Sag Harbor à
cause du divorce — non, *perdu* est inexact, car dans
un accès de générosité je les avais abandonnés à ma
femme, au grand dam de mes avocats et de mon
comptable. Elle fut stupéfaite mais heureuse, d'autant qu'un précédent mariage lui avait donné un
garçon et une fille maintenant adolescents. Bizarrement, mes raisons tenaient au souvenir malheureux d'un déménagement de Marquette à East

13

Lansing, dans le Michigan, alors que j'avais douze ans. Cette expérience m'avait profondément marqué, et comme j'aimais ces enfants et que j'avais relu récemment le grand Dostoïevski, j'étais devenu à la fois serein et pointilleux. Mais tel n'est pas le sujet de mon récit, et à l'avenir je tenterai de limiter au minimum les intrusions de ma biographie personnelle.

Sur un coup de tête, j'avais acheté une de ces grosses voitures tout terrain à quatre roues motrices, et je me sentis un peu bête pendant les sept heures de trajet entre Key West et Palm Beach. Plus tard, décidai-je, je pourrais ajouter à ma garde-robe quelques chemises à carreaux, une paire de bottes, sans oublier un chapeau à plume. J'avais dû rester trois jours de plus à Key West, le temps de faire installer une conduite assistée sur mon véhicule, car mes orteils droits atteints par la goutte étaient incapables de contrôler la pédale de l'accélérateur.

J'avais échangé quelques lettres avec le vieux magmat sus-mentionné — j'ai promis de ne pas citer son nom par égard pour ses relations politiques et financières haut placées. A l'époque, cela me parut une précaution superflue, mais ensuite, quand la situation devint explosive, voire grotesque, ma promesse prit tout son sens. Quoi qu'il en soit, notre nabab m'avait proposé de passer dîner chez lui, invitation que j'avais espérée à cause de la réputation de sa table. La véritable raison de son invitation tenait à sa fille, l'ancienne épouse du mystérieux héros, qui était de passage pour une semaine ; son père pensait qu'elle pourrait me fournir quelques informations. J'étais mal disposé envers elle, car elle n'avait pas répondu à la lettre que je lui avais envoyée, mais ma curiosité s'éveilla quand j'appris qu'elle travaillait comme médecin

14

spécialisée dans la médecine tropicale pour l'Organisation mondiale de la Santé.

« Ma conviction la plus profonde est qu'il y a bien plus que cela », lança-t-il derrière un petit nuage tourbillonnant de fumée de Havane.

« C'est le moins qu'on puisse dire. Mais vous ne comprendrez rien à rien en vous tenant à vos positions respectives », répondit-elle. Bien que de toute évidence elle aimât son père, c'était une femme mauvaise. Elle avait réussi à m'ignorer d'une manière que je ne pouvais ignorer. Fiévreux, j'étais devenu presque incapable d'apprécier la nourriture et le vin. Je sentais l'urgence d'abattre de nouveaux atouts afin de remplacer ceux qu'elle avait apparemment méprisés. Je m'escrimai pour trouver une réplique adéquate.

« Toute personnalité ne s'entoure-t-elle pas d'un certain nombre d'écrans protecteurs ? Vous prétendez que votre père et moi ignorons un univers qui se trouve au centre de vos préoccupations. C'est peut-être vrai. Malheureusement, dans la panoplie des attitudes humaines, la plus blessante est celle de la supériorité morale. »

« Absolument ! » s'écria-t-elle en riant. « Je déteste ça. C'est cette ville qui m'y contraint. »

« Voilà pourquoi je ne comprends pas que vous refusiez de parler de votre ancien mari. J'ai raconté à votre père que, lorsque je chassais ou pêchais au Costa Rica, en Ecuador, en Afrique, n'importe où, j'ai rencontré des individus de ce calibre, et leur énergie me fascine. Les gens comme moi se demandent rarement qui va construire un immense barrage dans la jungle ou aménager l'irrigation de milliers d'hectares dans le désert. J'ai simplement proposé d'écrire quelque chose sur cet

15

homme, disons pour *Vanity Fair*, le *New Yorker* ou *Atlantic*, parce qu'il nous serait bénéfique de considérer cet aspect... »

« Vous devriez emmener avec vous quelques mannequins de Giorgio Armani, elles se baladeraient sur un barrage, Scavullo les prendrait en photo avec une jambe posée contre une turbine ou en compagnie d'ouvriers brésiliens basanés. »

« Vous ne me laissez aucune chance. » J'étais passablement écœuré.

« Mais je crois être juste. Tout cela me paraît de la foutaise. Nous sommes devenus comme les Français. Tout doit être *incroyable* ou *bizarre*[1]. La moindre information un peu originale suscite des coups de téléphone de vingt minutes pendant que le bain coule. Une petite distraction avant d'aller se coucher. Les individus de votre espèce sont accros à la nouveauté, pas à la réalité. »

« Vous êtes la plus invraisemblable salope que j'aie jamais rencontrée. » Je descendis mon Calvados et m'étranglai. Le père rugit de rire, ses poings s'abattirent sur la table. Je me mis à étouffer. La pièce s'assombrit lentement, comme si l'on avait poussé le curseur d'un rhéostat, puis mon visage tomba dans le sorbet à la poire et le fromage de chèvre. Je sentis à peine leurs mains sur mes épaules quand, avec l'aide d'un maître d'hôtel noir, ils me transportèrent sur le divan. Je retrouvai l'usage de la vue en même temps qu'une sueur froide glaçait mon corps. Elle sortit de la pièce en courant avec dans les yeux une certaine inquiétude.

« Je suis désolé », dis-je en essayant de me lever, mais mes bras engourdis ressemblaient à du caoutchouc.

---

(1) En français dans le texte.

« Ne parlez pas. Evelyn est dure avec les gens, pour ne pas dire plus. »

« Je suis tellement navré. »

Elle revint avec une trousse de médecin et l'ombre d'un sourire. J'avais trop peur pour être en colère, et elle s'était adoucie au point de devenir séduisante. Elle vérifia attentivement mon rythme cardiaque et ma tension ; quand elle se pencha au-dessus de moi, je découvris ses seins. Sa poitrine opulente semblait hors d'atteinte pour un écrivain usé.

« Je ne veux pas vous inquiéter, mais vous êtes en très mauvaise santé. Un pouls anormalement élevé, une tension préoccupante, et au moins quinze kilos de trop. » Sa main s'abattit sur mon ventre. « Le fric que vous avez dépensé pour votre goutte suffirait à faire vivre un village africain. » Là-dessus, elle m'administra un tranquillisant et m'interdit un pousse-café. Deux poignées de main amicales m'envoyèrent au lit.

Le lendemain matin j'étais seul dans la maison avec les domestiques. Pour mon plus grand plaisir, le majordome me servit un copieux petit déjeuner et m'apporta le *New York Times*, le *Wall Street Journal*, le *Washington Post* et, pour corser le tout, le *Miami Herald*. Il y avait aussi une enveloppe de la part d'Evelyn, que j'ouvris aussitôt.

Père m'a reproché mes vacheries d'hier soir en me rappelant que ce fut la raison de l'exil de ma mère à Rancho Mirage pour un bronzage à vie. Je ne sais que dire de ce cher Strang. Je l'avais rencontré plusieurs fois, puis je l'ai mieux connu en soignant sa schistosomiase. Ne l'ai pas revu depuis son accident, mais le diagnostic des médecins de son entreprise n'est pas bon. De plus, le remède à base d'herbes qu'il a essayé pour

17

soigner ses crises d'épilepsie bénigne, par ailleurs
totalement contrôlées, n'a fait qu'aggraver son état.
Depuis vingt-cinq ans il a eu une bonne douzaine de
maladies tropicales, et son organisme est au bout du
rouleau.

Tout cela ne vous avancera guère. Tâchez de le
lancer sur ce qu'il appelle la théorie et la pratique des
fleuves. Maintenant, un potin : Strang comprend
mieux les femmes que tous les autres hommes que j'ai
connus.

Je suis venue vous voir tôt ce matin : vous serriez
votre pénis comme un orphelin de sept ans. Si vous
voulez tenir jusqu'à cinquante ans, suivez à la lettre le
régime ci-joint.

Con amore,
Evelyn

Ce régime requérait l'abnégation d'un Gandhi,
d'une Sœur Thérésa, d'un Gautama Bouddha —
d'un être menu, basané, dépourvu d'ego. Je décidai
malgré tout de le suivre et sautai le déjeuner, que
je remplaçai par un fantasme sexuel long comme le
bras où figurait la brave doctoresse Evelyn. Si je
n'étais pas un gentleman, je pourrais vous fournir
une kyrielle de détails. J'étais si échauffé que j'allai
chercher une bouteille de Labégorce dans mes
réserves. Le vin anéantit toutes mes bonnes résolu-
tions si bien que je quittai l'autoroute au sud de
Mâcon et suivis un chemin de terre rouge jusqu'au
Home Folks Barbeque, incontestablement la meilleure guinguette de barbecue de tous les Etats-
Unis. Naturellement, j'avais inconsciemment pro-
grammé ce déjeuner depuis le matin. Malgré toute
la publicité qui entoure notre niveau de vie, je crois
que le quotidien américain a perdu une certaine
chaleur. J'ai toujours soutenu que la *cuisine min-*

18

ceur[1] est l'équivalent moral du foxtrot. Quand j'étais descendu vers le sud en janvier, je m'étais arrêté au *Home Folks* pour commander une énorme quantité de plats à emporter. J'avais fait tomber un peu de sauce indélébile sur les dalles de marbre de ma location à Palm Beach, et ces taches m'avaient coûté plusieurs milliers de dollars prélevés sur ma caution. Une sauce pour le moins piquante, généreusement versée sur les travers de porc et les côtes de bœuf. A ne pas confondre avec ces béchamels à la gomme qui accompagnent les bébés hamsters décorés comme des sapins de Noël qu'on sert à New York, capitale des plus absurdes engouements culinaires. Bizarrement, Docteur Evelyn semblait me regarder à travers la surface brillante de la sauce, et je réclamai un sac en papier.

En traversant la frontière entre l'Ohio et le Michigan, je perdis une fois encore le fil de ma quête et jugeai absurde mon entreprise. Le bel après-midi de mai s'assombrit avec l'arrivée d'un front nuageux septentrional, bien annoncé par la radio, mais que je n'attendais pourtant pas. J'imaginai le Michigan comme une énorme moufle déformée flottant dans les eaux hostiles et glacées des Grands Lacs. Au-dessus du détroit de Mackinac, il y avait seulement la péninsule nord, sans doute la région la moins connue des Etats-Unis. En cette époque où les moindres recoins de la terre ont été découverts et redécouverts un nombre incalculable de fois, l'ignorance qui entoure le nord du Middle West a des raisons évidentes : le pays est relativement dénué de charme, et avec la Sibérie il détient le record du climat le plus inhospitalier de la terre.

---

(1) En français dans le texte. (N.d.T.)

Peut-être passerai-je voir ma mère avant d'aller dans le Montana. Ou à Paris.

Mon sang ne fit qu'un tour quand je vis un setter irlandais, un grand mâle, trotter d'un pas allègre sur la ligne jaune, comme si la route 75 avait été construite pour lui. Au passage de ma voiture, il fit un brusque écart vers les voies qui descendaient au sud, et aussitôt un immense semi-remorque le percuta de plein fouet, le projeta violemment en l'air et hors de ma vue.

Un bon kilomètre passa avant que je ne retrouve mon souffle. Mon existence rétrécit aux dimensions de l'autoroute grise balayée par le vent, tous mes sens s'immergèrent dans la laideur du paysage brouillé. C'était ce qu'un ami, ancien lieutenant d'infanterie au Vietnam, appelait « la vieille chute d'organe » — instants cruciaux où l'on perd tout sentiment d'un destin individuel. Une seconde, ce chien avait été le setter irlandais de ma jeunesse, même si celui-ci était mort au pied de mon lit par une nuit d'hiver. Et qu'était devenue la timide rouquine que, jeune homme, j'avais aimée à New York ? Merlin avait inventé le yo-yo, qui illustre à merveille ces sautes d'humeur, avant de retourner sagement dans la fange de l'histoire. Sinon, nous aurions organisé pour Merlin un procès dans le style de celui d'Eichmann, et le monde aurait été pour une fois attentif.

Je passai trois jours désarmants avec ma mère, consacrant le plus clair de mon temps à me documenter sur la péninsule nord et à examiner des cartes, vice merveilleusement absurde. Quand un chat domestique ne sait que faire, il s'assoit et attend. Nous fîmes la visite de rigueur au cimetière, car je serais absent le jour du Mémorial. (J'étais toujours absent le 30 mai.) Mais d'abord, à l'aube, nous allâmes observer les oiseaux, sans doute la passion maîtresse de ma mère. Je m'étais inquiété de son vieillissement, mais pus à peine soutenir son allure quand nous partîmes à la recherche des premières fauvettes migratrices. Ces oiseaux minuscules, que le monde remarque rarement, l'obsédaient. Nous atteignîmes le cimetière avant l'ouverture des grilles et restâmes dans la voiture à boire le café que nous avions emporté dans un thermos, en attendant le gardien. La terre avait retrouvé sa merveilleuse couleur vert pâle après l'orage. Un jardinier pataud qui portait une étiquette où je lus « Bert », arriva avec les clefs et s'écria à notre intention : « Les vers sont pour le premier oiseau arrivé », phrase que ma mère trouva très drôle et que je jugeai de mauvais goût. Elle aperçut une mésange près de la tombe vieille de dix ans autour de laquelle elle avait planté un pommier sauvage et un oranger de montagne, qui étaient en fleurs. Mon père avait été botaniste et j'avais bien failli connaître une kyrielle d'arbres et de plantes. J'étais gêné d'avoir faim.

« Allons prendre le petit déjeuner », dit-elle. Elle était toujours au fait des aspects concrets de l'existence : la mort, les vers, la nourriture, Mozart, et les oiseaux dans son sanctuaire privé.

Ma mère me réveilla avant l'aube, convaincue depuis toujours qu'un voyage doit commencer le plus tôt possible dans la journée. Nous étions régulièrement les premiers à arriver aux pique-niques, aux matches de base-ball et dans les aéroports. Mes yeux étaient rouges et je me sentais vaseux car j'avais passé une partie de la nuit à relire des notes en buvant une pinte de whisky de secours. Le whisky avait accompli la tâche pour laquelle il était conçu — plusieurs heures de grâce durant lesquelles on se sent de nouveau convaincu de sa viabilité en tant qu'être humain ; sa propre histoire reprend forme et l'on retrouve la grâce de savoir ce que l'on fait.

Après un bol de céréales aux fruits — j'avais bêtement partagé avec ma mère le régime d'Evelyn —, nous sortîmes par la porte de derrière. Notre guet devait être pour moi une brève séance d'adieu aux oiseaux épiés. Il y avait un bec-fin qui construisait son nid au fond de la cour. Un oiseau minuscule, qui évoquait une souris ailée couleur de boue. Nous nous mîmes alors en embuscade dans une clairière près d'un marécage pour observer une bécasse mâle et son vol nuptial. Ma mère me dit qu'ils accomplissent cette danse du soir jusqu'à l'aube pendant deux mois de printemps. Je l'observai attentivement, surtout parce que j'avais mangé ces oiseaux en France. J'appris à ma mère leur nom français.

« Quelle honte, mon fils. Songe qu'ils dansent toute la nuit par amour, mois après mois. Tu as certainement négligé les projets de Dieu pour ta vie. Tu as divorcé deux fois, ta santé s'en va à vau-l'eau. Et par-dessus le marché, tu manges ces oiseaux si mignons. Je t'aime encore, mais ce n'est pas toujours facile. »

Elle m'embrassa sur la joue, puis observa de nouveau la bécasse qui s'élevait dans le ciel en tourbillonnant avec de bizarres petits cris dans la lumière matinale, avant de plonger vers le sol en une incroyable spirale virevoltante. Je lui souhaitai bonne chance. De mon absurde véhicule j'adressai un signe d'adieu à ma mère, qui ne se retourna pas. Puis je me souhaitai bonne chance.

CHAPITRE II

La boule qui pesait sur mon estomac et ma poitrine, mélange de céréales et de nervosité, disparut après la traversée de Grayling quand je franchis le quarante-cinquième parallèle, frontière légendaire séparant le nord et le sud. Il faisait un temps clair et frais ; l'immense paysage de forêts moutonnantes évoquait une toile bigarrée aux centaines de nuances vert pastel, les cimes des grands arbres étaient malmenées par une forte brise qui soufflait du nord-ouest. Le vent dévoilait l'envers pâle des feuilles et faisait dévier ma voiture en terrain découvert. J'écoutai les notes que j'avais enregistrées sur mon dictaphone japonais, puis en ajoutai quelques autres. Grâce au whisky, de longs passages étaient pleins d'un optimisme loufoque.

———————————

Bande 1 : Elle est allée se coucher après sa litanie habituelle de sages conseils. Je suis dans le bureau de papa, je regarde les vitrines en verre qui abritent les spécimens botaniques et les deux rangées de livres, sans que cela éveille particulièrement mon intérêt. Je me sens vaguement stupide à mon âge d'être ici avec un grand verre de whisky sur la piste de plus en plus chaude de Robert C. Strang. Le père d'Evelyn m'a donné une chemise contenant le résumé de sa carrière, après avoir poliment biffé ses rémunérations successives. Ce n'est pas le cas dans l'industrie du livre et du cinéma, où les chiffres, généralement gonflés, sont à la disposition de tout un chacun. Né à Engadine, Michigan, en 1935. Education limitée à la maternelle et au primaire à cause d'attaques dues à un accident. Epilepsie bénigne maintenant totalement jugulée par le *Tagonet* et d'autres médicaments. Après une demi-heure de lecture, je remarque qu'il n'a jamais pris de vacances entre 1953 et 1983. Bon Dieu. A commencé par travailler pour son frère aîné, un entrepreneur, sur le pont de Mackinac. A vingt ans, il participe à la construction d'écoles et de missions au Kenya pour la *United Nazarene Mission* — jamais entendu parler de ça —, puis il part pour le Soudan sur un projet d'irrigation à côté du Nil Blanc. Ensuite, à Amritsar pour un autre projet d'irrigation confié à une entreprise suisse, puis à Hyderabad sur un projet de contrôle des inondations. Hospitalisé pour dysenterie amibienne, il rentre se faire soigner à Miami. Puis il va à Baja, Californie, afin de travailler sur le Réservoir de La Paz, un barrage au Costa Rica, d'autres barrages au Pérou, au Venezuela, au Brésil, devient juste après trente ans une sorte d'homme providentiel pour l'entreprise***, interdiction de démasquer l'identité de notre magnat. Pendant deux ans en Ouganda il travaille sur un projet de barrage pour les Français, puis plie bagages à l'arrivée d'Amin. Retour au Venezuela après une escale d'un an en Hollande pour travailler sur leur immense digue baptisée Projet Delta. De nouveau au Brésil pour le barrage Tucurui sur le fleuve Tocantius. Les deux dernières années aboutissent au désastre dans l'arrière-pays vénézuélien. Seigneur. Le vieux Pasternak disait qu'il fallait beaucoup de volume pour emplir une vie d'homme. Un autre verre de whisky et un coup d'œil au réfrigérateur. Un jambon portant une étiquette Ne Pas Toucher. En ai mangé un morceau sans me gêner. De retour dans le bureau, je me reproche une tache de gras de jambon sur la plaque de verre posée sur la table. Que faire de ces incroyables toiles d'araignée sur la carte du monde ? Pas grand-chose pour l'instant. Je songe à mes voyages plutôt mornes, exception faite de mes expéditions erratiques de pêche et de chasse. Chasser la colombe dans une villa de Colombie, pêcher à côté d'hôtels de luxe en Ecuador et au Costa Rica, — ce n'est pas tout à fait la même chose. De même la chasse au coq de bruyère au Kenya, quand vos vêtements et vos bottes sont réchauffés par un indigène dans l'aube glacée. Je lis ensuite que des chèques sont régulièrement expédiés par le bureau de Houston à Emmeline Strang, à Manistique, Michigan, et à Allegria Menquez Strang, à Puntarenas, au Costa Rica. Aucun envoi à Evelyn, pour des raisons évidentes. Deux enfants d'Emmeline, un d'Allegria. Une image m'envoie brusquement valser, si bien que je bois une bonne rasade. Ce fut contre ce bureau, à dix-sept ans, que je faillis faire l'amour à la première fille que j'ai aimée, « faillis » car elle était méthodiste et gardait donc ses sous-vêtements. Mon père et ma mère étaient à une convention à Ann Arbor. Plus de vingt-cinq ans plus tôt, Sheila se tortillait contre moi, et nous nous écroulions dans le fauteuil. Elle se demandait si elle risquait de tomber enceinte à travers ses sous-vêtements. Je lui apportai une serviette et elle se nettoya méticuleusement, sous mes yeux.

Il y avait un petit embouteillage à l'approche du pont du détroit de Mackinac, et dans ma rêverie de

Sheila je faillis emboutir un break, donnant un coup de volant pour bifurquer vers une sortie comme si depuis longtemps j'avais prévu ce changement de direction. Dans un bar-restaurant, j'appris que le pont était temporairement fermé à cause de la tempête. On le rouvrirait dès que le vent serait descendu en dessous de cinquante nœuds. Je ressentis une soudaine claustrophobie dans ce lieu bondé. Il était improbable qu'aucun des corpulents chauffeurs de camions, ouvriers du bâtiment, chasseurs et pêcheurs lût des romans. Non qu'ils s'en fissent un devoir, mais à l'exception d'une serveuse boulotte aux yeux affolés, il n'y avait pas un visage amical. Je sortis et marchai contre le vent jusqu'au rivage en regardant le détroit. Les vagues étaient énormes, la section centrale suspendue de l'immense pont oscillait un peu dans mes jumelles. Le sable piquait mon visage, je ressentais une intolérable solitude. J'étais peut-être né dans cette région, mais je ne m'y sentais pas chez moi. Je ne pouvais pas davantage imaginer Strang travaillant sur ce pont que moi écrivant quoi que ce soit sur un type comme lui. Nous vivons apparemment dans de petites arènes inapprochables, seulement reliées par le fragile sentiment nominal d'un langage qui ne nous est pas réellement commun.

Une autre violente saute d'humeur, mais — surprise — celle-ci positive : de retour dans mon véhicule, je descendis une bouteille de Bordeaux puis dormis assez longtemps. A mon réveil, je remarquai le pont toujours fermé. Un groupe de gars du nord observaient mon véhicule avec envie. Ils voulurent savoir si j'avais un treuil d'une ou deux tonnes. Je l'avais fait installer pour pouvoir hisser hors de l'eau mon bateau de pêche au tarpon à Key West. Si vous laissez un treuil fixé sur la remorque de votre bateau, quelqu'un aura vite fait de vous le voler pour le troquer contre de la came dans cette île-paradis. J'allai boire quelques verres au bar avec ces types frustes et amicaux. Originaires de Detroit, ils montaient vers le nord pour pêcher la truite dans les torrents. Après un certain nombre de tournées, ils admirent que, lorsqu'ils étaient fatigués de battre la campagne à la recherche de torrents à truites, ils faisaient une pause-coca, c'est-à-dire s'arrêtaient pour sniffer une grosse ligne de cocaïne. Je fus amusé d'apprendre cette nouvelle pratique de la communauté des pêcheurs.

Le truc vraiment excitant fut la traversée du pont, où mon esprit résolu ressentit de nouveau la peur. Je pouvais à peine rester sur ma file à cause du vent qui malmenait ma voiture, mon estomac et mon cœur bondissaient dans ma gorge, la sueur perlait autour de mes oreilles. Les eaux tumultueuses semblaient au moins à un mile en dessous de moi. Je lançai un cri au type dans la guérite à l'autre bout, puis accélérai. Je prenais une sorte de plaisir à avoir peur dans autre chose qu'un avion — un jet de l'Aeroflot exécutant une pirouette en bout de piste à Leningrad, un moteur en flammes au-dessus du Sahara. La seule autre vraie peur dont je me souvins était liée à un voyage avec une danseuse classique à la Dominique dans les Iles du Vent. Elle avait un de ces physiques improbables à la Degas, avec des fossettes au-dessus des fesses de chaque côté de la colonne vertébrale. Partis en balade pour découvrir la flore et la faune, nous nous étions perdus à la nuit tombée, et elle ne cessait de bavasser à propos du terrible fer de lance qui, selon moi, fréquentait seulement l'île de la Martinique. Au crépuscule elle m'avait convaincu. Nous finîmes par tomber sur une route où, à en croire ma danseuse herpétologue, ces vipères géantes se promenaient la nuit. Sur sa demande, je renvoyai cette petite sotte chez elle dès le lendemain matin.

Alors que le jour tombait, vers neuf heures du soir sous cette latitude, j'étais à une heure de route du village d'Innisfree — nom conçu afin de dissimuler son identité. Je m'arrêtai pour pisser dans un fleuve gigantesque, puis le traversai en saluant d'un coup de chapeau une grue cendrée dans les sureaux. De l'autre côté du fleuve, la route s'enfonçait dans un énorme marais de quelque trente miles de large, et il n'y avait presque plus de circulation. Un temps, cette absence de voiture me donna le vertige, comme si j'avais été abandonné. Apparemment le jeudi soir au mois de mai personne ne va nulle part dans la péninsule nord, et de fait où pourrait-on bien aller ? Peut-être dans le Michigan schizoïde de la zone urbaine de Detroit où l'Ouest mythique est ressuscité avec plus de six cents meurtres par an et de nouveaux rituels, non pas le duel-éclair face à face, mais l'assassinat anonyme et sordide ; puis en remontant du Michigan inférieur, on pénètre dans la péninsule nord, terres désertes couvertes de forêts et de roc, région si dense et désolée qu'il devint pour moi évident que le survivaliste le plus endurci ne pourrait y survivre.

Maintenant je roulais droit vers la demi-boule rouge du soleil ; d'immenses corneilles en quête de charognes semblaient balayer la route. Dans un moment de confusion, je me rappelai que ma mère m'avait dit d'observer les corbeaux qui apprécient les climats septentrionaux. Mon trouble tenait à un sentiment de déjà vu, au garçon de douze ans qu'on emmenait vers l'est, puis vers le sud, en 1953, vers une maison lointaine qu'il ne désirait pas et où il ne se sentirait jamais vraiment chez lui ; ce garçon

irritable et outré regardait ce même marais par-
dessus le siège arrière de la voiture, et comme il a
dû refouler les souvenirs de ses douze premières
années au point de ne plus comprendre leur langage qui sourdait malgré tout faiblement vers la
surface, mais saturé d'ironie et d'une sophistication
feinte. Maintenant les corbeaux, les canards sur le
marais, les oies qui battaient des ailes pour se poser
au loin, le raton laveur mort et le soleil couchant,
la route elle-même se frayaient un chemin maladroit mais tenace à travers le paysage des trente
années écoulées, les abandonnant comme des cli-
chés mal exposés. Il y avait le passé, puis le présent.

Innisfree, qui existait à peine, défiait les lettres
de son nom sur la carte. Me fiant toujours aux
apparences, je négligeai de vérifier le nombre
d'habitants. Sous un unique lampadaire — une des
routes du croisement était couverte de gravillon —
il y avait un motel qui serait encore fermé pendant
une semaine, un hôtel à charpente en bois où je vis
une seule lumière jaune allumée derrière, une terne
combinaison de station-service et de magasin, un
bar bien éclairé avec une camionnette et un camion
de bois garés devant. Autour de ce « centre », je
distinguai une douzaine de maisons modestes as-
sorties des inévitables caravanes aux multiples
accessoires clinquants. Sinon il y avait seulement la
pluie drue et le rugissement de ce que je savais être
le lac Supérieur là-bas dans la nuit. Tout cela
plongé dans les ténèbres dégageait une aura de
roman gothique bon marché. Peut-être une petite
fille, possédée par des démons ou autre chose,
dévorerait mes pneus à l'aube. Je me mis à tambou-
riner sur la porte de l'*Idylwild Hotel*, mon seul
havre dans la tempête. Une femme d'âge mûr au

type scandinave m'ouvrit. Elle était si froide que je n'aurais pas été autrement surpris de la voir sortir une hachette de sous sa robe pour la ficher dans mon front. Elle tira sur la poignée avec une violence inouïe.

« Quesse vous voulez ? »

« Une chambre pour la nuit. S'il vous plaît. »

« Vous avez réservé ? »

« Non, mais je prendrai la chambre pendant une semaine. » Je brandis un billet de cinquante dollars.

« Vous auriez dû téléphoner. J'suis fermée pour la nuit. »

« Mais je ne connaissais même pas votre nom. » Elle ne m'avait toujours pas laissé entrer.

« Je sais vraiment pas pourquoi je paie aussi cher les pages jaunes. » Elle baissa les yeux vers mes bagages luxueux qui commençaient à se mouiller. « Vos valises sont en train de prendre la pluie. La prochaine fois arrivez plus tôt ou bien dormez dans vot' voiture. »

« Merci. »

J'entrai en poussant un soupir de soulagement. Personne ne pourrait plus me mettre dehors. Cédant à une inspiration grandiose, j'achetai une demi-douzaine de magazines de cul sur un présentoir.

« Les chasseurs et les pêcheurs achètent ce genre de revue. Nous autres, on dépense pas un sou pour ça. »

Désespéré, je regardai quinze dollars de derrières joufflus et de fentes béantes. Peut-être trouverais-je quelques articles. « Demain matin j'aimerais que vous m'indiquiez le chemin du bungalow de Robert Strang — »

« Hors de question », me coupa-t-elle. « Il

30

refuse de voir personne, sauf les spécialistes que sa compagnie lui envoie. Z'êtes pas médecin, ça se voit. »

« Et pourquoi donc ? »

« J'ai jamais vendu une seule de ces saletés de revues à un médecin. Ils viennent dans la région pour les beautés naturelles. »

Je sortis quelques dossiers de ma mallette Buitoni au fermoir en cuivre. « Il est très important que je voie M. Strang demain matin. Il y a une somme d'argent considérable en jeu. »

Elle regarda mes dossiers d'un air dubitatif, et je remarquai qu'elle portait des lunettes à cause des marques rouges de part et d'autre de l'arête de son nez. Elle sortit une carte à grande échelle, m'accompagna jusqu'à ma chambre, puis dit : « Bonsoir, et gare aux punaises », trait d'esprit que ma mère répétait jusqu'à la nausée.

Ce fut une nuit que je devais me rappeler avec un sentiment poignant, mais sans le moindre regret. L'insomnie ouvre la porte à des souvenirs dont on a perdu la trace ; elle se moque du bon sens qui nous possède à midi ; tous les efforts que nous faisons pour canaliser nos pensées détournent notre énergie et matérialisent des visages inachevés, des corps asexués ; nous réapprenons que nos esprits sécrètent pièges, nœuds et lutins, nous retrouvons la marche à reculons de la mort, les ponts qui s'achèvent à mi-chemin et restent suspendus au-dessus du vide, ceux qui n'ont pas réussi à nous aimer, ceux qui nous ont irrévocablement blessés, volontairement ou pas, même ceux que nous avons blessés et qui poursuivent leur existence dans la prison de nos regrets. Le passé se nourrit d'une nuit

31

d'insomnie, qu'il réduit à l'essence terrible et distordue de tous les êtres que nous avons rencontrés.

Ces pensées m'abandonnèrent à la contemplation de mon réveil de voyage et à l'écoute de la tempête qui faisait rage sur le lac Supérieur, du vent qui possédait le coffre rauque du plus grand lion du Kenya, celui qui avait rugi dans la lumière des phares de notre Land-Rover, sa tête massive et sa crinière pleines de sang.

Alors j'entendis un hurlement strident qui glaça mon cœur. Je bondis vers la fenêtre, dont je serrai le rebord pour dominer le vertige dû à la soudaineté du mouvement. Le bar fermait, on distinguait la lune au-dessus du lampadaire, et son reflet sur les déferlantes qui s'écrasaient contre le brise-lames du port. D'abord je ne vis personne, puis il y eut un autre cri, et une femme suivit un homme corpulent dans le cercle de lumière. Je ne distinguais pas leurs visages, mais la voix de la femme était dure et sonore.

« Je sais que t'as sauté ma petite sœur — espèce de fils de pute — »

Elle bondit et le gifla. Il continua de marcher le long de la ligne centrale de la route à travers le village.

« J'en ai la preuve. Elle-même me l'a dit. "J'ai baisé avec lui, Charlene, que comptes-tu faire maintenant ?" »

Charlene lança un puissant coup de pied dans le cul de son mari et l'attrapa par les cheveux. Il réussit à poursuivre sa marche, maintenant à la lisière des ténèbres.

« T'as tringlé ma petite sœur, espèce de suceur de bite, et moi j'vais baiser avec tous les gars que j'connais. Et puis j'te couperai peut-être la queue pendant qu'tu dormiras. Tu vas le regretter. »

Il avait disparu dans l'obscurité de la route quand je l'entendis gueuler, puis la femme réapparut dans le cercle de lumière aussi vite qu'une biche. A quoi ressemblait donc la sœur de Charlene pour que ce crétin feigne une douleur éternelle ?

L'adrénaline qui avait envahi mon corps me poussa à relire mes notes. Plus de dix ans s'étaient écoulés depuis mon dernier travail vaguement journalistique, et ce projet me semblait de plus en plus irréaliste. Au début de ma carrière, j'avais interviewé un certain nombre de vedettes du sport et de la politique, et j'avais beaucoup de mal à décider lesquels produisaient l'effet émétique le plus violent — les athlètes narcissiques, dont l'un se battait souvent sous la douche après un combat victorieux, jusqu'à ce qu'une blessure le fasse redevenir le gamin de huit ans qu'il avait toujours été ; ou bien ces perroquets androïdes qui se font passer pour des fonctionnaires. Je gâchai une importante interview en déclarant : « Je vais tout faire pour avoir votre peau, monsieur, en vous traitant d'escroc, de menteur et de trou du cul. » La brève jubilation de la victoire ne compensa malheureusement pas les années de salles de rédaction imbibées d'alcool et de titres médiocres.

Au milieu de cette nuit d'insomnie, je commençai à me demander si Strang ne devrait pas bénéficier de la grâce de ses gestes privés. Il avait vécu et travaillé dans un univers que seuls ses habitants connaissent. Sans doute le monde lui-même ne se réduit-il pas à la simple collection, à la juxtaposition de tout ce que nous lisons à son sujet. Le *New York Times*, *Newsweek*, le *Time* de New York, NBC, CBS, ABC, PBS à New York et Washington. Chaque été nous découvrons la photo d'un fermier dans un champ de maïs du Middle

West détruit par la sécheresse. Voilà pourquoi j'avais passé tant d'années sur la côte est — « nous » étions tous là. Le cinéma et les divertissements télévisés venaient du rêve de l'autre côte. Maintenant se posait la question urgente de retrouver un lieu qui soit le mien.

Ce fut ma curiosité presque naïve qui me fit rester en ville cette nuit-là, puis les semaines et les mois suivants. Vers quatre heures du matin, dans une accalmie de la tempête, je tentai d'élucider les mystères évidemment banals de la personnalité. Une vague teinture de littérature psychanalytique suffit pour comprendre à quel point l'idiosyncrasie nous caractérise. Les catholiques et les bouddhistes tantriques ont été assez sages pour s'accommoder de cette luxuriance du tempérament humain ; les protestants doivent maîtriser leurs aspirations hérétiques. Ils pratiquent le culte de l'amélioration de soi et malmènent leurs pauvres âmes comme on façonne une pièce sur l'enclume. De fait, nous sommes tous différents, même si chacun affirme le contraire. Il y a cette inévitable, cette incroyable diversité de perceptions et de sensations, ces menus fragments d'expérience qui forment un tout que ne décrit pas nécessairement une unité symétrique, mais l'urgence de la vie elle-même.

Je posai un oreiller sur mes yeux dans le vain espoir de dormir. J'assistai alors à un film intense et privé que seul un professionnel aurait aimé voir. Puis j'entendis un coq lancer son cri, pour la première fois autant qu'il m'en souvienne, et je faillis fondre en larmes. Une porte claqua, un moteur diesel démarra. J'allai nu à la fenêtre et regardai un camion de bois sortir de la ville. Dans les premières lueurs de l'aube, le monde virait au rouge au-dessus du brouillard qui stagnait sur le lac qu'on pouvait aisément prendre pour une mer ou un océan. Je m'habillai rapidement avant de pénétrer dans cet étrange univers. J'adressai un signe d'adieu à une fesse moqueuse de papier glacé qui louchait vers moi. Bizarrement, elle semblait plus attirante que la veille au soir.

CHAPITRE III

Ce fut le genre d'aube dont on se souvient avec un sourire sur son lit de mort. Le ciel rougeoyait comme si la forêt avait pris feu. Je conduisais à travers des bancs de brume rose, traversai en sens inverse le fleuve de la veille où se posait le reflet livide du ciel. Les bas-côtés et les petites clairières de la forêt étaient couverts de cornouillers blancs en fleur, autour desquels le brouillard s'enroulait et se levait comme un voile de satin blanc. J'arrêtai la voiture et frissonnai en imaginant que j'étais peut-être mort et qu'il s'agissait d'une sorte de vie *post mortem* conçue par Bosch et Magritte, infiniment moins vulgaires que Dali ; ou bien d'une existence vécue à l'intérieur d'un coquillage aux couleurs brillantes dont il était impossible de sortir.

Suivant les instructions de la carte, je quittai le gravillon de la route pour m'engager sur un chemin après avoir parcouru exactement 15,2 miles. Je découvris une pancarte peu amicale : ENTRÉE INTERDITE — LES CONTREVENANTS SERONT ABATTUS A VUE. Le chemin étroit et boueux traversait une dépression marécageuse où poussaient des mélèzes ; l'eau d'un petit torrent en crue coupait la chaussée. Je passai en position quatre roues motrices, puis démarrai avec un à-coup qui propulsa ma tête en arrière et fit brusquement tomber sur elle la fatigue accumulée de la nuit blanche. Je découvris une petite clairière couverte d'une pâle mousse bleuâtre qui me parut idéale pour dormir. Je n'avais jamais autant manqué de sommeil depuis mes années d'étudiant ou les rares fois où je m'étais drogué aux médicaments. Cela créait une distorsion similaire aux effets de la faim que j'avais connue à la fin de mon adolescence à New York où, adepte néophyte de la vie de bohème, je m'étais infligé ce que Rimbaud exigeait du poète, un « dérèglement de tous les sens ».

Le chalet de Strang était plus spacieux que je ne m'y attendais : il y avait d'abord un portail ouvert, en bois, un bosquet de sapins, puis une vaste clairière au bord du fleuve. C'était une grande maison en rondins à l'ancienne mode, avec un porche grillagé sur deux côtés, et une énorme cheminée de pierre d'où s'élevait un filet de fumée amical. L'air sentait la rosée, les fleurs, la fumée, le bacon et le café. Une camionnette déglinguée, couverte de boue, était garée devant la porte.

Le seul problème était qu'il n'y avait personne. Je jetai un coup d'œil dans le chalet obscur et vis seulement des braises rougeoyantes dans l'âtre. Je portai ma mallette jusqu'au fleuve ; sur une petite plate-forme, un fauteuil vide était absurdement installé face à l'eau. Je m'y assis, contemplai le fleuve et ouvris ma mallette. Le ruban liquide semblait merveilleux, et ma mallette stupide, déplacée, si bien que je la fermai et m'endormis en pensant comme George Sand que l'humanité se divise entre les gens qui désirent habiter des palais et ceux qui préfèrent les chalets.

Il y eut d'abord la chaleur du soleil sur mon visage, la démangeaison des piqûres de moustique, les croassements des corbeaux au-dessus de ma tête, une voix douce. Elle me dit ensuite que mes ronflements avaient irrité les corbeaux et les avaient tous deux inquiétés alors qu'ils arrivaient de l'aval du fleuve. Ils avaient d'abord pensé à un ours qui aurait plongé la tête dans la poubelle. Quand j'ouvris les yeux, je découvris une fille ravissante : taille moyenne, plutôt mince, cheveux et yeux foncés, peau olivâtre. Derrière elle, un gros labrador jaune nageait à contre-courant avec effort ; chaque fois qu'il tentait d'aboyer, les vaguelettes l'étouffaient. Juste derrière le chien, un homme baignait dans l'eau jusqu'aux cuisses, appuyé sur un châssis en aluminium à trois côtés, le genre d'accessoire fourni aux personnes très âgées ou invalides. Il tenait une canne à pêche en bambou légère et flexible. L'allure générale de l'homme m'inquiéta : ses cheveux étaient de longueur moyenne, mais semblaient totalement hirsutes ; ses yeux couleur noisette, mais froids, bien que cette impression s'avérât ensuite erronée. Il réussissait à donner l'impression d'un homme à la fois débordant d'une vitalité extraordinaire et gravement malade : les séjours sous les tropiques avaient maculé sa peau comme d'un enduit couleur bronze terni ; sa convalescence lui avait fait perdre trop de poids, sa maigreur mettait en évidence une musculature sèche, noueuse. Je le savais un peu plus vieux que moi, mais je n'ai jamais vu un homme qui paraissait si totalement « usé » par la vie.

« Pouvons-nous vous aider, monsieur ? Vous êtes l'écrivain ? » demanda-t-elle.

« Qui veux-tu que ce soit ? Nous vous avons pris pour un foutu ours. Voici ma fille Eulia. Elle est venue du Costa Rica pour veiller à ce que son vieux père ne meurt pas tout seul. Je vous serre la main dans une seconde. »

La ponctuation est la mienne, car sa voix avait tendance à monter sur les fins de phrase pour se ruer vers la suivante. Il hissa littéralement ses jambes hors de l'eau, puis se jeta sur la berge. Eulia se baissa pour retirer les bottes qui montaient jusqu'aux hanches, et je découvris sur chaque jambe un lacis compliqué de broches. Puis le gros chien jaune s'ébroua, s'allongea à côté de Strang pour lécher son cou et nicher son museau dans l'épaule de l'homme, qui se laissa faire.

« Eulia, ma chérie, je suis prêt à offrir cent dollars contre une tasse de café au rhum et une autre pour l'écrivain s'il n'a pas fait vœu de tempérance. »

« Cela me va parfaitement. Votre pancarte "Interdiction d'entrer" m'a un peu surpris. »

« Ce n'est pas la mienne. Cet endroit appartient à l'aîné de mes frères, Ted. Il s'est retiré en Alaska. Il fuit le monde depuis que sa fille s'est fait attaquer à Detroit par une bande de jeunes voyous. Elle m'a écrit au Brésil qu'elle a réussi à surmonter ça en passant un mois entier dans la grande église de Detroit où elle est organiste. Elle est restée assise sur son tabouret pendant un mois à jouer du Bach, presque sans dormir. Je vous ferai écouter une de ses bandes. »

Eulia franchissait la porte de la véranda avec le café. Entendant les derniers mots de Strang, elle fit demi-tour pour enclencher une bande. Je sursautai malgré moi quand la musique explosa dans la clairière, s'ajoutant au murmure du fleuve.

« Ça surprend, pas vrai ? Evidemment, Bach n'a pas consolé Esther de s'être fait violer, sa musique l'a simplement aidée à surmonter l'épreuve. Racontez-moi une expérience vraiment désagréable qui vous soit arrivée. »

« Donnez-moi une minute... » Sa question m'avait pris au dépourvu. J'acceptai le café d'Eulia ; son front était ridé par le souci. « Eh bien hier, je me suis senti bouleversé parce que mes parents ont déménagé de Marquette à East Lansing quand j'avais douze ans. On ne peut pas comparer ça à ce qu'a subi votre nièce, mais ça m'a fait assez mal. »

Il s'était hissé sur un coude pour boire son café, et maintenant il détournait ses yeux fermés sous le coup de la douleur.

« Ce genre de situation est évidemment dramatique. J'imagine parfaitement ça. Mais la pire souffrance que je constate aux Etats-Unis est d'un autre ordre. Ici les gens souffrent terriblement sans savoir pourquoi. Ils souffrent parce qu'ils vivent sans énergie. Ils n'arrivent à rien. On dirait des infirmes. C'est la véritable source secrète de leur angoisse. Si vous trouvez moche une cheminée d'usine, regardez donc une cheminée d'où ne sort aucune fumée. Ces gens se sont piégés eux-mêmes avec l'aide du gouvernement et des grandes compagnies. Nous avions quelques jeunes Polonais de Detroit au Brésil, des soudeurs et des métallos ; jamais vu des bûcheurs pareils. Comme ils avaient peur des serpents, je leur ai apporté un petit anaconda pour leur prouver que ces bêtes sont parfois adorables, mais l'un d'eux a chié dans son froc avant de tomber dans les pommes. »

41

Il riait tandis que je me penchais pour mettre en marche mon magnétophone.

« Ça ne vous dérange pas ? »

« Absolument pas. Je ne comprends pas pourquoi vous et vos semblables vous intéressez à ce que je raconte. Autrefois, certaines· entreprises nous demandaient de permettre à la CIA de nous cuisiner quand nous avions séjourné dans un coin qui les intéressait. Je restais avec un type dans une chambre d'hôtel et il branchait un magnétophone comme celui-ci. J'avais travaillé sur un barrage au Costa Rica, dans le bassin de l'Amazone ou encore au Nicaragua. Le type me posait des questions et je répondais de mon mieux. Souvent il n'était pas d'accord, même s'il n'avait jamais mis les pieds là-bas. Je lui disais alors : je ne connais rien à la politique, je me contente de vous livrer mes observations. Vos ouvriers costaricains se plaignent-ils de leur gouvernement ? Je répondais qu'ils parlaient rarement de leur gouvernement parce qu'ils en ont presque toujours eu un bon. Mon père était peut-être un vieil écervelé, mais il partageait à sa façon l'opinion de Thomas Jefferson, pour qui le gouvernement est un mécanisme destiné à nous permettre de vivre librement... Mais vous savez tout cela. Je ne crois pas pouvoir vous apprendre quoi que ce soit. »

« Comment vous y preniez-vous avec les types de la CIA ? »

« Oh, je les ai mis plusieurs fois en boîte, et ensuite ils ont cessé de me casser les pieds. J'ai inventé une guérilla que j'ai baptisée Géronimo. Comme j'ai lu beaucoup de choses sur les Indiens, j'ai prêté à ce groupe révolutionnaire imaginaire toutes les caractéristiques des Apaches Mescaleros.

Méfiez-vous, je raconte parfois des histoires à dormir debout. »

De nouveau, il commença de m'inquiéter. Il se mit à chantonner, à fredonner des syllabes incohérentes en suivant la musique de Bach, plutôt bien à mon avis, mais son regard s'était absenté. Eulia prit rapidement la tête de Strang sur ses genoux et tenta de le calmer. Elle posa un doigt sur ses lèvres pour m'intimer le silence. Le bras droit de Strang se contractait et se tordait ; il arracha une grosse motte de terre tandis que sa voix s'enflait. D'une façon très poignante il était devenu la musique, sensation que nous avons tous approchée, mais pas avec cette violence. Eulia se courba pour embrasser passionnément sa bouche, étouffer son chant. Ce n'était pas le baiser d'une fille à son père ; la sueur inonda brusquement mon front et mon cou. Par bonheur, l'enregistrement de Bach s'arrêta, mais le baiser se prolongea. Je me levai et fis le tour du chalet avec la chienne. Un magnifique petit serpent inoffensif prenait le soleil près du tas de bois. Je me penchai pour l'examiner de plus près, mais la vieille chienne bondit et le dévora. Je commençai à regretter d'être là. Je décidai de retourner vers la berge et de m'excuser pour la journée, ou pour toujours.

Strang avait retrouvé ses esprits. Eulia lui chantait une comptine espagnole quand je m'approchai pour prendre congé.

« Excusez-moi. » Se tournant vers moi, il se dressa sur un coude au-dessus des cuisses d'Eulia. « Evelyn vous a probablement dit qu'avant mon accident j'ai absorbé un médicament un peu spécial. J'étais à court de pilules, il ne me restait plus qu'une semaine à tirer, je me suis donc rabattu sur une potion locale. Parfois ce n'est pas très malin. Ils avaient un problème de dérivation au Venezuela, sur le Rio Kuduyari. Cela représentait un mois de boulot, mais je me suis retrouvé à court de pilules. Les Indiens Kubeo ont une racine astringente qu'ils pulvérisent, nomment *dakootome* et administrent aux gens qui ont des crises semblables à mon épilepsie. Après coup, la compagnie a embauché quelques médecins et botanistes pour déterminer les effets de cette *Aristolochia medicinalis*, comme ils l'appellent, quand un individu en absorbe une dose trop forte. Cela peut conduire à la folie et à la paralysie. Avec rémission ou non. Ils ne savent donc toujours pas si l'état de mes jambes est dû à ma chute ou à l'herbe, même si celle-ci est évidemment responsable des aberrations de mon esprit, mais — »

« Ce doit être terrible », l'interrompis-je pour essayer de le calmer.

« Bien sûr. Mais je me dis que c'est mon cerveau, mon cœur ou mon âme, ou Dieu sait quoi. C'est un peu comme si j'avais un monstre dans la tête qui m'emmenait partout, parfois à mon corps défendant. » Voilà qu'il riait de nouveau, et Eulia semblait désespérée. « Que connaissez-vous à l'irrigation et aux barrages ? Probablement rien. J'ai quelques livres pour vous, si vous désirez toujours discuter avec moi. »

Il saisit les barres d'aluminium qui l'aidaient à marcher, et d'un seul mouvement fut debout. Nous nous dirigeâmes vers le chalet pendant qu'il continuait de parler.

« Autant régler nos affaires tôt le matin, car j'ai tendance à déconnecter vers midi. Ensuite je dois ramper. Voici quelques semaines, un médecin de Ann Arbor est venu m'examiner, il s'est mis en tête

44

de me faire ramper, activité qui est censée restructurer mon cerveau et mon corps pour la marche, si vous voyez ce que je veux dire. »

J'avais entendu parler de ce traitement et marmonnai quelques paroles rassurantes. Il me donna une pile de livres. Le chalet semblait habité par une multitude d'animaux et d'oiseaux empaillés ; les balustrades et les fauteuils étaient couverts de fourrures diverses. Seule la cuisine bien équipée était rassurante. On aurait dit l'antre délirant d'un taxidermiste à moitié cinglé, intuition qui se confirma par la suite en la personne de Karl, le frère de Strang.

« J'adore marcher à quatre pattes. » D'un geste brusque, Eulia saisit sa main, comme si elle redoutait quelque chose de désagréable. « Eulia m'emmène chaque jour en voiture dans un endroit intéressant. J'étudie en ce moment un torrent. Moi et la chienne, nous allons le remonter jusqu'à sa source. J'ai toujours eu un faible pour les torrents et les fleuves. Une région est déterminée par l'écoulement des eaux. J'aime regarder l'eau couler. Son spectacle m'apaise profondément. Je nageais très souvent la nuit, aussi, mais l'état de mes jambes me l'interdit. Quand j'étais petit garçon, je nageai une nuit en essayant de rattraper un plongeon imbrim, mon oiseau préféré. Le plongeon ne cessait de se déplacer en riant. C'était magnifique avec les aurores boréales qui drapaient le ciel à la vitesse de la lumière. Elles m'aidaient à voir où allait le plongeon, même si je le savais déjà par son rire. »

Il s'immobilisa brusquement, comme pétrifié. Eulia me raccompagna jusqu'à la porte. « S'il vous plaît, ne revenez pas », me dit-elle. « Vous allez aggraver sa maladie. Il s'excite beaucoup trop. »

Quand je partis au volant de ma voiture, ma respiration retourna à la normale. J'étais trempé de sueur, j'avais besoin de boire un verre, de manger quelque chose, de faire une longue sieste.

CHAPITRE IV

De retour à l'hôtel, je me lavai pour le déjeuner — geste évidemment superflu — et appelai notre nabab — que nous nommerons désormais Marshall — à Palm Beach. Il était d'humeur joyeuse, comme s'il avait poussé au désespoir un écrivain pas totalement inconnu, désormais piégé au fin fond des Etats-Unis.

« Le vrai problème est que sa fille du Costa Rica m'a dit de ne pas revenir. »

« Strang n'a pas la moindre fille au Costa Rica. Il a une fille dans la Navy, mais elle est en Italie avec les troupes de l'OTAN. Jolie, dodue comme Emmeline, une gamine formidable nommée Aurora, quel horrible prénom pour une fille. »

« J'ai cru comprendre qu'il aimait les aurores boréales. » Je gagnai du temps pour surmonter mon désarroi : la fille unique de Strang n'était pas Eulia. « Quel est le diagnostic pour son histoire de drogue ? »

« Pas de nouvelles pour l'instant. Une compagnie pharmaceutique suisse, dont je suis actionnaire, essaie de déterminer les effets de la plante. Ma fille vous envoie son dossier médical. Je ne veux pas que vous renonciez. Franchement, je le connais depuis presque vingt ans, bien que superficiellement au début, mais j'aimerais bien percer à jour le bonhomme. »

Quand j'eus raccroché dans la cabine publique de la rue, je levai les yeux vers le soleil et réfléchis aux pouvoirs de manipulation des très riches. Je m'étais toujours senti professionnellement sûr de moi, mais un homme m'avait traité de fat, et ajouté que mes romans étaient « lisibles », sans doute le moins dithyrambique des éloges : puis, à la recherche d'une activité quelconque, j'avais pensé à une série d'articles sur la vie réelle, sur les gens qui accomplissent quelque chose dans le monde, mais dont on ne parle jamais. Des années auparavant, pour une somme mirobolante, j'écrivis un scénario pour un milliardaire sur les chevaux pur sang. Le milliardaire ne me dit jamais grand-chose, ni avant ni après mon travail, sauf cette phrase : « Faites en sorte que notre cheval gagne. » Peut-être avait-il seulement besoin d'une lecture nouvelle. Quand on possède des centaines de millions de dollars, on peut commander un scénario comme d'autres vont acheter un livre dans une librairie. Et Marshall obtiendrait le sien gratuitement.

Le déjeuner au bar me remonta le moral : aiglefins frais à volonté. J'en avalai cinq avec de la bière froide. La serveuse aux proportions respectables m'apprit que le record était de vingt-trois poissons, engloutis par un bûcheron de deux cents kilos, tandis que le record féminin était de dix-sept poissons. Un acteur me confia un jour que c'est seulement dans le Middle West qu'on considère la suralimentation comme un acte héroïque. Quoi qu'il en soit, mon père a toujours soutenu que le poisson était un excellent aliment pour le cerveau, si bien que je me sentis convenablement lesté pour un après-midi studieux, réservant ma soirée pour l'exploration des environs.

———————————

BANDE 2 : les livres de Strang sont presque autant de culs de sac : *Manuel d'Engineering des Barrages* par Golze, *Principes et Pratiques de l'Irrigation* par Hansen, Israel-sen et Stringham. Le troisième livre, *Croissance et Forme* par D'Arcy Wentworth Thompson, est le seul à peu près accessible au non-initié. L'auteur se demande pourquoi les objets de la terre présentent telle ou telle forme, une question qui ne m'est bien sûr jamais venue à l'esprit. Mais quelle idée formidable ! Ma seule observation scientifique digne de ce nom est que je rêve davantage quand la lune croît que lorsqu'elle décroît. Mais les rêves constituent sans doute une matière désordonnée en comparaison des causes qui ordonnent la forme des objets animés ou inanimés. Vingt pages de lecture me donnèrent évidemment la migraine — je ne suis pas habitué à des textes aussi ardus. C'est le milieu de l'après-midi et je me demande si Strang rampe dans les taillis à la recherche de ses jambes. Cette pensée n'a rien de pathétique, car l'homme lui-même n'a rien de pathétique. J'ai été frappé par son amabilité foncière envers moi, envers sa fille, envers la chienne, et cela après avoir été intimidé par son aspect et ses commentaires sur l'énergie. Mais je suis tellement sensible aux critiques implicites que je pourrais me faire ballotter par la vie comme un œuf perpétuelle-ment intact. Quand je suis rentré à l'hôtel après le déjeu-ner, j'ai observé un groupe de jeunes nymphettes qui jouaient à des jeux sur ordinateur, dont l'un faisait un boucan de tous les diables. Derrière son comptoir, la patronne a tiqué en remarquant mon regard, mais peu importe. Qu'aurais-je pu dire à ces filles ? « Quelle est votre couleur préférée ? » J'ai la nette impression d'être en pays étranger, la conviction que cet endroit brouille mes repères habituels. Bizarre que le monde que nous croyons connaître, le monde que nous avons appris à l'école, n'existe plus. Nous pensons en colons. Le nord du Middle West est peut-être un autre pays, comme le nord-est des Etats-Unis, le Sud profond, la Floride, le Sud-Ouest, la Californie ou le Nord-Ouest. Pourquoi liraient-ils ici le *Detroit Free Press* alors que Detroit est à quatre cents miles ? D'ailleurs, la plupart ne le lisent pas. Je commence à ressentir fortement cette dissociation. De retour dans ma chambre, j'ai découvert mes magazines de cul méticuleusement empilés à côté de mon oreiller. J'y ai vu comme une plaisanterie. Il suffit que je plisse les yeux pour que le lac Supérieur cristallin devienne les Caraïbes. Comme j'ai apporté deux caisses de vin, mes problèmes majeurs seront la nourriture et le sexe. Ce sont naturellement les problèmes de beaucoup de gens sur terre. Cette marche avec mes compagnons d'infortune me procure un vague sentiment de communauté. Si je touchais une des nymphettes d'en bas, un père enragé me balancerait une balle de fusil de chasse. Eulia rampe-t-elle parfois à travers les fougères et sur les berges des torrents ?

———————

Surpris par une longue sieste, j'ai découvert à mon réveil une belle fin de soirée printanière. Fait une promenade le long de la plage du port pour m'aiguiser l'appétit. Un petit roquet m'a suivi et je n'ai pas cessé de lui lancer des bouts de bois. A dire vrai, je me suis senti stupidement touché par ce chien qui voulait jouer avec moi. Quand il m'a suivi jusque sur les marches du bar, je lui ai acheté un hamburger cru, mais quand je suis sorti le chien avait disparu. Que faire du hamburger ? Je l'ai glissé dans la poche de ma veste de chasse.

Malheureusement, le menu du dîner était strictement identique à celui du déjeuner — je sentis que j'allais m'installer dans un chalet équipé d'une cuisine. J'avais à peine entamé la chapelure de mon premier poisson quand Eulia entra d'un pas vif dans le bar et se figea devant ma table sans un mot. Je me levai si rapidement que je renversai ma bière. Son visage était sombre, des larmes de colère brillaient dans ses yeux.

« Ne tenez aucun compte de ce que je vous ai dit. Venez à l'aube. Mais s'il vous plaît, ne le fatiguez pas trop. »

Avant que je n'aie pu répondre, elle sortit en courant. J'étais si troublé que je touchai à peine à la nourriture. Eulia portait les mêmes vêtements sport à la mode que ma déplaisante danseuse classique. Je commandai alors le premier d'innombrables doubles whiskies et passai la soirée à parler de tout et de rien avec le barman-propriétaire dont l'insatiable curiosité fit de moi un conteur insatiable. Je me levai pour partir à la fermeture, mais il m'adressa un coup d'œil tel que je compris qu'un conseil ou un pronunciamiento allait suivre.

« Méfiez-vous de ces Strang. Pour un rien, ils jouent les gros bras. Je ne connais pas Robert parce qu'il était toujours à l'étranger. Ted a pris une claque et s'est installé en Alaska, à cent miles de l'habitation la plus proche. Quant à Karl, il est au quartier de haute sécurité de la prison de Marquette. Je préférerais avoir aux trousses une équipe de football au grand complet plutôt que Karl tout seul. »

« Pourquoi est-il en prison ? » L'alcool et ces allusions à la violence me brouillaient les idées.

« Ce n'est certainement pas à moi de vous le dire. »

Là-dessus, il tourna les talons et entreprit de faire ses comptes.

CHAPITRE V

J'arrivai chez Strang à six heures tapantes, les sens émoussés comme après chaque cuite. La camionnette n'était pas là, mais j'aperçus Strang assis dans le fauteuil au bord du fleuve. J'en conclus qu'Eulia était partie quelque part, puis réprimai une dangereuse déception ; peu de gens sinon les authentiques étudiants de l'amour, au nombre desquels je me compte, savent reconnaître les premiers signes désagréables, presque hostiles. Strang ne se retourna pas quand j'approchai de lui, bien que la chienne battît frénétiquement de la queue.

« Vous auriez dû arriver quelques minutes plus tôt. Trois loutres sont passées devant la maison à la nage en exécutant des cabrioles comme si l'univers était un gigantesque cirque. J'aimerais présenter une loutre à un marsouin. Ils s'entendraient comme larrons en foire. »

« Pourquoi donc ? » Je m'assis à côté de la chienne qui aimait les serpents, et enclenchai le magnétophone.

« J'ai lu que moins un animal doit se dépenser

pour assurer sa pitance, plus il est joueur. La vie est assez facile pour les loutres et les marsouins, qui sont des exceptions. »

« J'ai remarqué que vous n'avez jamais pris de vacances. Aimez-vous jouer ? » Je tentais ma chance.

« Oh, quelles conneries. Les humains n'ont rien à voir avec ça. On peut seulement tirer des animaux des conclusions très approximatives. Mon travail était un jeu dans la mesure où il m'a toujours procuré un immense plaisir. »

« Marshall m'a dit que vous descendiez en rappel le long des barrages. »

« Je cherchais les fissures dues à la pression de l'eau. Les barrages se fissurent exactement comme la coque des bateaux, sauf qu'on ne peut pas les laisser atteindre le stade de la pompe de fond de cale. » L'idée le fit rire à gorge déployée. « Je détestais attendre les échafaudages suspendus, alors j'ai emprunté cet équipement d'alpiniste à un ingénieur. C'était formidable. Je rebondissais à ma guise comme une chèvre ou un oiseau. J'avais des bottes de sept lieues ! » Il se tourna alors vers moi et me sourit comme à un ami perdu de vue depuis longtemps. « Eulia est partie à Marquette m'acheter des genouillères. J'ai sacrément usé mes genoux et mes pantalons avec toutes ces balades à quatre pattes. »

« Puis-je vous demander si vous avez bien rampé hier ? »

Sans raison évidente, la chienne se laissa glisser dans le fleuve.

« Vous pouvez le dire que j'ai bien rampé. Je suis allé si loin que j'ai eu un mal de chien à revenir. Eulia pleurait. Elle a reconnu qu'elle vous avait dit de ne pas remettre les pieds ici, je lui ai répondu que c'était mal élevé. Rien ne me dérange, sinon mon cerveau. »

« Avez-vous vu quelque chose d'extraordinaire ? Combien de temps avez-vous rampé ? »

« Pendant cinq heures environ. Je n'ai jamais eu aussi faim depuis des semaines. Eulia m'a préparé une sorte de paella et je me suis endormi sur un coussin devant le feu. J'ai rêvé du jour où la famille au grand complet, tous les sept, nous sommes allés pique-niquer parce que la vieille Plymouth de papa allait franchir le seuil fatidique — vous savez, les cent mille miles. Eulia aimerait trouver un autre chien, car Miss ici présente a peur de tout, sauf des oiseaux. J'ai refusé, alors elle m'a donné une machette que je peux attacher sur mon dos avec une ficelle. Oui, j'ai vu une chose extraordinaire. Je me suis retrouvé nez à nez avec un faon qui n'était pas né depuis vingt-quatre heures. J'ai vu un ourson qui allait charger, si bien que j'ai battu en retraite. J'ai vu deux geais bleus qui luttaient. On est si lent à quatre pattes qu'on a tendance à se réfugier dans le passé et l'on retrouve d'étranges souvenirs qui sont parfois effrayants. Il y avait une fille quand j'avais douze ans, la fille la plus adorable que j'aie jamais connue... »

Il s'interrompit alors pour inspirer goulûment l'air.

« Qu'y a-t-il ? »

Cette amorce de conversation m'avait échauffé, j'espérais ne pas perdre Strang au bout d'une demi-heure. Mais je devais tenir compte de l'absence d'Eulia : je n'aurais absolument pas su quoi faire s'il avait eu une crise.

« J'ai simplement vu une image désagréable. J'étais dans les bois par une froide journée venteuse de la fin octobre, près de sa maison, près de la cabane où elle habitait avec ses parents et sa sœur. Je les regardais charger leurs affaires sur la plate-forme d'un camion. Quand ils eurent presque fini, elle entra dans la maison, puis en ressortit par la porte de derrière. Elle me rejoignit dans les bois et m'embrassa pour me dire adieu. Elle savait que j'étais là parce que nous avions un signal — un croassement de corbeau. Je me suis retrouvé exactement au même endroit. J'espère que je ne vous fais pas tourner en bourrique avec mes histoires. »

« Pas du tout. Cela m'intéresse. » J'essayai vainement de ne pas adopter le ton du psychiatre. Devinant mes pensées, il rit.

« J'ai dû parler à pas mal de gens de cette espèce qui tentaient de trouver quelque chose pour contrer les effets de mon auto-médication. »

Nous fîmes une pause, allâmes dans le chalet préparer un petit déjeuner. Il se campa devant le poêle, cuit adroitement quelques truites de torrent avec des œufs brouillés, réchauffa des tortillas cuisinées par Eulia. Il parla à bâtons rompus des avions à réaction des sociétés, de la politique en Amérique centrale, des machinations des plus grosses entreprises du bâtiment qui faisaient la une des journaux. L'étendue de ses lectures me stupéfia. Mais après tout, selon la biographie que m'avait fournie Marshall, il était autodidacte.

« Le fait est qu'il faut lire des livres pour s'empêcher de grimper aux murs. Tous les chantiers sont isolés, comme une sorte d'énorme camp de chasse ou de forage pétrolier, un camp militaire sans la moindre guerre en vue. Bien sûr, nous avons tous les films et les vidéocassettes de sports disponibles, mais ça devient lassant à la longue. Il y a donc toujours une bande de lecteurs voraces parmi l'équipe technique, dont je fais partie malgré moi, car je ne possède aucun diplôme d'ingénieur. Un ami à moi fondit en larmes quand l'hélico ne lui livra aucun paquet de livres. Il se saoula et balança un bulldozer dans le fleuve. »

« Il a été viré ? »

« Bien sûr que non. Tout le monde a trouvé ça très drôle. »

Nous eûmes une longue conversation bizarre à propos du *Don de Humboldt* de Saul Bellow. Humboldt incarnait apparemment la conception de l'écrivain selon Strang, ainsi que Thomas Wolfe. Parler de livres l'amena à exprimer une conception décourageante de la personnalité : nous nous accomplissons pour des raisons spécifiques dont nous-mêmes décidons. Autrement dit, nous sommes déjà, à tout moment, ce que nous souhaitons être. Cette vision pessimiste engendra quelques considérations du genre : fort peu de gens sont capables de se situer de manière sensée à un moment donné. Il trouvait cela merveilleux ; je réussis à soutenir le choc de son humeur socratique.

« Vous ne semblez pas savoir au juste ce que vous faites ici, n'est-ce pas ? »

« Bien sûr que non. J'avais l'intention de faire du journalisme. D'écrire sur un sujet que je n'avais jamais traité. »

« Très bien, mais vous aurez besoin de quelques noms pour alimenter votre article. Je vous sens plutôt soucieux quant à l'évolution de la situation. A la façon dont vous mangez, je devine que vous vous inquiétez à cause du problème nourriture en ville. A la façon dont vous regardez ma fille, je devine que vous vous demandez quand vous allez tirer un coup. Exact ? »

« C'est là une des limites du journalisme free-lance. »

Mes oreilles bourdonnaient ; si je n'avais pas le teint mat, j'aurais rougi. « Comme je suis d'un tempérament actif, je ne passe pas mon temps à regretter mes décisions. Quand j'agis au lieu de ruminer, je suis à l'abri du regret. Et vos regrets à vous ? » Piètre tentative pour détourner la conversation de mon propre cas.

« Les regrets habituels, comme la fois où j'étais dans les bois avec cette fille. Je crois sincèrement que nous sommes seuls responsables de notre autodestruction. » Il fit un geste vers son corps brisé. « Ce fut vers 1942 que je poussai mon frère Karl à éclairer ma lanterne à propos de l'épilepsie bénigne. Mon père refusait de m'envoyer à l'école pour des raisons à lui. Karl, de cinq ans mon aîné environ, faisait tout pour être un mauvais garçon, comme tant de gamins de prêcheurs, mais je l'aimais et il était mon héros. A la bibliothèque scolaire, il déchira une page, la page 654 de la *Britannica* de 1929, qui était médicalement dépassée, ce que j'ignorais. L'article disait que, lorsqu'on avait ma maladie, on perdait au moins vingt ans de sa vie. Karl ajouta que ce n'était pas trop moche quand on y pensait, et qu'il m'apprendrait à enfoncer la pédale des gaz. Ce qu'il fit à sa façon. On peut dire qu'il affronta bille en tête le problème de ma longévité. Je devais avoir sept ans, et lui douze à l'époque. Karl jouait les simples d'esprit à l'école pour qu'on lui fiche la paix ; il détestait l'école, mais son cerveau débordait de toutes sortes de théories. Il a peut-être hérité cette tournure d'esprit de papa, qui fut, un jour, invité comme prêcheur à Negaunee dans un temple plein de mineurs luthériens finlandais. Il les harangua pendant des heures et convainquit un grand nombre de fidèles que les Finlandais étaient la tribu perdue d'Israël qu'on

58

cherchait en vain depuis si longtemps. Les livres préférés de Karl étaient ceux de Richard Halliburton — vous savez, *The Royal Road to Romance, The Complete Book of Marvels*. Nous partions toujours en balade dans les endroits les plus reculés de la forêt, à la recherche des temples perdus des anciennes tribus indiennes. Bref, Karl se concentra sur ce qu'il appelait les équations destinées à rendre mon existence vivable. Comme selon la *Britannica* je mourrais sûrement à quarante-cinq ans, je devais accélérer tous les processus ; les autres le prenaient pour un rustre, mais il était plein de compassion, du moins envers moi. J'ai suivi toutes ces règles, écrites selon un code tiré d'une bande dessinée, jusqu'au jour où on m'a volé mes valises à Hyderabad. J'ai seulement commencé à comprendre l'Inde quand — »

« Pourriez-vous me parler de ces règles ? » Je dus l'interrompre, car je crée sans cesse des règles, des codes d'honneur, des programmes, des obligations et des interdictions, des procédures calvinistes d'auto-humiliation (sans d'ailleurs le moindre résultat tangible).

« Bien sûr. C'étaient en partie des bêtises de gamin, du style trente pour cent de sommeil en moins, trente pour cent d'exercice en plus, davantage de chasse, de pêche, d'aventures et de voyages, davantage d'argent et de sexe — Karl était une sorte d'obsédé sexuel. »

« Avez-vous suivi ce programme ? » J'avais une de ces vagues gueules de bois qui rendent séduisants ces diktats adolescents.

« On dirait bien que oui. Je suis plutôt lessivé, vous ne trouvez pas ? J'ai quarante-six ans, et il paraît que j'aurai la chance de voir mon quarante-septième anniversaire. Je suis donc dans les temps. »

« Pourriez-vous me dire comment vous régliez le problème sexuel dans la jungle, le désert ou ailleurs ? » Je désirais beaucoup aborder ce chapitre, en songeant à la lettre d'Evelyn.

« C'est facile. Vous pensez à autre chose, vous vous concentrez uniquement sur le travail. Une fois par mois environ vous avez une permission de sortie ; alors, si vous voulez, vous pouvez prendre du bon temps. Ce n'est pas comme dans ce pays, où les problèmes réellement banals de l'amour et de la mort s'embourbent. C'est en partie de la faute de vous autres. Un article sur la véritable nature des femmes sera sûrement aussi inexact qu'un autre sur la véritable nature des hommes. D'un pays à l'autre, les femmes sont assez différentes. Presque partout, elles ont consolidé leur pouvoir. Une femme futée, ou une Noire, une Indienne, doit aller tard un soir dans le Lincoln Monument, quand il n'y a personne, et s'envoyer en l'air. Vous comprenez ce que je veux dire ? »

« Je crois. »

Je marquai un temps, en essayant de trouver un stratagème pour le ramener vers le sexe.

« Vous voulez que je parle de mes expériences sexuelles parce que vous avez la gueule de bois et que les idées vous ennuient pour l'instant. C'est ça ? »

« Absolument. N'est-ce pas l'activité qui nous laisse le plus perplexes ? » Je le sentais commencer à céder.

« Peut-être. D'abord, vous sortez de la jungle. Mettons que vous soyez à Caracas, ou à Baranquilla, ou à Panama City, ou à San José au Costa Rica. Vous ressemblez à un chasseur qui découvre

60

un nouveau territoire. Vous ne buvez pas trop, car l'alcool est surtout un sédatif qui fait perdre l'élasticité et le ressort. Vous connaissez probablement quelques personnes, et vous rencontrez une femme, de préférence pas dans un bar ni un lieu public, car la méfiance risquerait alors de compromettre toute l'affaire. Vous vous rappelez ce que vous a dit votre sœur aînée Laurel un soir de Nouvel An, quand elle s'était saoulée avec du cherry de fabrication maison. Vous aviez treize ans ; sur le porche de derrière vous regardiez la neige tomber, et elle a dit : Corvus — elle m'appelait par mon deuxième prénom —, ne sois pas comme Karl. Si tu es gentil, bon et honnête avec une femme, et si elle-même n'est pas trop paumée, tu auras tout l'amour dont tu as besoin. Je lui demandai ce qui se passerait si elle était paumée, sans trop savoir ce qu'elle voulait dire. Alors il faudra que tu acceptes le drame si tu veux l'aimer, mais je te conseille vivement de changer de crémerie. Voilà tout ce que Laurel m'a dit. Quoi qu'il en soit, vous l'emmenez au cinéma, à l'opéra, voir un ballet ou un musée. Vous lui offrez des fleurs, vous l'invitez à dîner. Assurez-vous d'aller dans le meilleur restaurant. Alors vous saurez à un regard ou un geste si vous allez faire l'amour avec elle. Cela n'a rien de mécanique, de toute façon vous aimez faire tout cela, surtout après des mois passés dans la boue et la jungle, le ciment, les machines hurlantes et l'épuisement. En d'autres termes, vous trouvez ça délicieux, ou, comme dit la Bible, vous jubilez. Vous allez chez elle ou à votre hôtel, et vous l'embrassez. Vous embrassez la plante de ses pieds nus, ses orteils, ses oreilles, son cou et son menton, ses genoux et le pli de ses genoux, son ventre, ses fesses, son sexe, ses seins, ses aisselles et ses cuisses, puis de tout votre cœur vous léchez ces endroits, inlassablement. Vous profitez des instants de repos pour brosser ses cheveux, car vos sœurs vous ont appris cela. Vous écoutez attentivement ce qu'elle dit, et elle vous écoute. Vous continuez le plus longtemps possible, aussi longtemps qu'elle le désire, car vous venez de pénétrer dans sa vie, et elle ne veut peut-être pas tout vous en livrer. »

Après cela je ne savais plus comment poursuivre, si bien que nous restâmes silencieux à regarder les frondaisons de l'autre côté du fleuve. Une branche d'aulne partiellement submergée s'enfonçait puis remontait par à-coups. Ma première impression d'envie presque amère disparut et j'observai la branche dériver au fil de l'eau. Un groupe de corbeaux s'envolèrent de leur repaire en direction du delta et croassèrent avec une feinte colère à notre vue. La chienne cherchait son déjeuner de grenouilles dans les roseaux, son corps tremblait comme si sa vie en dépendait. Les yeux de Strang étaient clos ; non sans pitié je regardai ses jambes emprisonnées dans leurs broches, les muscles mous et tordus, le trou déchiqueté dans l'un des genoux. Je l'imaginais descendant une avenue de Caracas dans un costume tropical, une señorita au bras, ou peut-être une señora dévoyée. Il était plein d'énergie et de curiosité, vassal à demi affamé qu'on emmenait dans la cuisine du château devant un festin Renaissance. Je me demandai alors combien d'hommes de son calibre existaient de par le monde, qui construisaient des barrages ou participaient à de grands projets, des hommes ignorés de leurs semblables, folles bêtes de somme du progrès. La chienne renonça brusquement à sa chasse à la grenouille pour s'élancer vers l'allée en aboyant.

« Mon esprit débordait d'une telle passion que

je me suis endormi. Ce doit être Eulia. Je parie que vous n'avez pas lu les livres que je vous ai prêtés. »

« J'essaie. »

Nous nous retournâmes pour regarder Eulia virer dans la cour avec un aplomb latin et manquer de peu la table de pique-nique. Eulia s'agenouilla pour caresser la chienne. L'éclair des cuisses sous la jupe me rappela avec une force désagréable le sujet de notre conversation. Elle nous lança un sourire et sortit quelques paquets de la camionnette.

« Je suppose, messieurs, que vous avez conversé doctement et que Robert a réglé tous les grands problèmes du monde. » Elle s'accroupit à côté de son fauteuil pour le regarder déballer un paquet de protège-genoux. Le visage de Strang rayonnait de plaisir. Comme tous les membres des grandes familles défavorisées, il adorait offrir et recevoir des cadeaux, aussi modestes soient-ils.

« Je vois, à tes yeux, que tu t'es mal conduit. Ton corps est plein de poison... »

Elle courut vers le chalet puis revint avec une bouteille de rhum pleine d'un liquide vert et d'herbes, et un petit verre. Entre-temps, Strang avait essayé ces genouillères que portent certains joueurs de basket, et faisait très rapidement le tour de la pelouse à quatre pattes.

« Buvez immédiatement ! » Dans le verre qu'elle me tendait, le liquide vert semblait pire que du Pernod. « Allez, buvez ça tout de suite. C'est une vieille recette de ma grand-mère. »

« Je ne suis pas sûr de vous faire confiance, et encore moins à votre grand-mère. » Lâchement, je ne pus m'empêcher de prendre un ton libertin.

« Seuls les êtres faibles ont besoin de confiance. Cela va de pair avec l'envie, la jalousie, la paresse. Je constate que vous n'avez pas de *cojones*. »

Comme de bien entendu, je bus le liquide saumâtre en une seule longue gorgée. Strang se hissa sur son fauteuil, puis tapota ses genouillères avec satisfaction.

« Elles sont formidables, Eulia. » Quand je toussai, il secoua la tête en me regardant. « Mon vieux, vous allez en voir de toutes les couleurs. Vous finirez par retrouver le plancher des vaches, et votre gueule de bois se sera évaporée, mais il vous manque quelques gènes d'Amérique centrale pour affronter cette potion magique. Du rhum cent-cinquante-et-un mélangé à diverses herbes, dont une bonne quantité de boutons de cannabis résineux. »

« Mais je n'aime pas la drogue », fis-je d'une voix plaintive.

Je restai assez agréablement assis pendant une heure environ avant de retrouver le moindre rudiment de motricité. C'est une erreur que d'essayer de lutter contre la narcose ou l'énergie maléfique qui rôde parfois dans les circonvolutions cérébrales. Il faut faire avec, comme disent les jeunes, attitude qui enlève tout sens au concept angoissant de choix. Je connus une somnolence mielleuse, quelque part entre De Quincey et Thoreau : une minuscule mésange à tête noire, le plus courageux des oiseaux, se posa un instant sur ma chaussure, et nous échangeâmes des regards qui, bien que niais, n'en furent pas moins profonds. Être à la fois la musique et la danse n'est pas expérience si commune. La potion eût-elle été d'un octave plus forte, j'aurais paniqué. J'étais si occupé à suivre mes pensées — plus exactement, mes images — que je ne me

64

retournai même pas quand ils s'éloignèrent pour les contorsions thérapeutiques de Strang à quatre pattes. Je me sentais ému et débordant d'affection envers Strang et Eulia, qui luttaient contre une désintégration apparemment inévitable. Il n'y a rien de tel qu'une jupe d'été avec des cuisses en dessous, n'est-ce pas ? Je posai au fleuve cette question muette, tandis que la jupe réelle se levait sur les ailes de l'imagination prosaïque et qu'Eulia marchait sur les hauts-fonds du fleuve, aussi gracieuse et admirable qu'un héron bleu. Je sentais la froideur de l'eau sur ces jambes brunes. Peut-être pourrais-je la sauver d'un ours vorace ; peut-être m'en serait-elle reconnaissante ?

Ce fut l'envie de manger qui me tira de cette étrange sieste éveillée. Après tout, il s'agit de la raison sublimée pour laquelle bon nombre d'entre nous quittent le Middle West. Même Boswell, gastronome et bon mangeur, apprécierait Zabar's, Manganaro's, la folie de Dean & Deluca's. Pour un jeune poète du Middle West, la découverte de l'ail peut être aussi poignante que celle de Rimbaud ou de Federico García Lorca. L'art dépourvu de sensualité s'étiole en doctrine épiscopale. Mais la nourriture est encore une sorte de nouveauté non marchandable, un signe de décadence en Amérique : Nader, Nixon, Reagan, les membres du Congrès, mangent à la même table sinistre.

Enfin capable de me mouvoir, je filai en ville pour me retrouver devant l'inévitable menu d'aigle-fin. Je me sentais déjà lié à Strang, sans parler d'Eulia, et désirais donc trouver un chalet avec cuisine.

BANDE 3 : Ai pris mes quartiers sur une lagune formée, d'après ce qu'on m'a dit, lorsque l'estuaire du fleuve a changé d'emplacement lors d'une gigantesque tempête. Selon un livre relatif à l'histoire locale, j'ai remarqué qu'au cours d'un siècle et demi, des centaines d'hommes sont morts sur le lac au mois de novembre. La question qui vient aussitôt à l'esprit est la suivante : pourquoi ces types ne restaient-ils pas à terre en novembre ? C'est probablement la même aberration avec les cerfs qui ne se souviennent apparemment pas du novembre de l'an passé, quand des milliers de leurs semblables se sont fait tuer. Les historiens sont des crétins quand ils ne nous rappellent pas que la mémoire elle-même est une denrée rare sur terre. Dans l'un de mes restaurants préférés de New York, un serveur prétendument anarchiste soutient que, comme les politiciens ont rarement vu quiconque mourir, la mort est pour eux seulement temporaire, comme au cinéma, et la guerre un simple problème de rhétorique. Je résiste à l'envie d'appeler ce restaurant pour me faire envoyer quelques produits de base par l'express de nuit. Ma mère a glissé dans mes bagages un de ces livres de cuisine genre tiers monde, spécialisé dans les fibres végétales, ce qui évoque aussitôt l'image de militants de la contre-culture faisant bouillir ou griller des tapis. Strang offre une leçon magistrale d'acclimatation à la mort, leçon dont j'ai décidé de profiter. Nous avons tous constaté le phénomène du vieux et grotesque sculpteur, peintre, écrivain, inventeur, entouré d'un essaim de belles femmes. S'agit-il d'une sorte de vibration ineffable ? En tout cas, c'est extrêmement irritant pour les hommes plus orthodoxes qui désirent être récompensés de leur labeur, des besognes fastidieuses et banales, même si celles-ci les ont conduits au succès. Et certains, comme moi, qui ne se sentent pas vraiment engagés envers quoi que ce soit, trouvent ce phénomène extraordinairement curieux. Les épouses de ces créatures étonnantes sont souvent paisibles mais cyniques, telles des reines dans la ruche. Dans l'autre camp (j'ai toujours détesté l'expression « le sexe faible »), les actrices célèbres jouissent des mêmes privilèges. Strang a une attention particulière pour la vie, c'est là une banalité. Il la prend au sérieux, mais avec légèreté. L'idée de cette légèreté m'interdit les civilités que j'aime, un bon repas, une femme arrivée et aigrie avec qui échanger quelques caresses. Il y a peu, j'ai essayé de me plonger dans le manuel de Strang concernant les barrages ainsi que dans une brochure luxueuse que Marshall m'avait donnée et qui louait l'expérience de son entreprise dans la supervision de projets géants. Il avait fallu dix ans et trente mille hommes pour construire tel barrage au Brésil. Marshall me dit avec mépris que la plupart des gens n'ont pas la moindre idée de l'origine de l'électricité. C'est presque aussi vrai de la nourriture, lui répondis-je. Pourtant, maints individus cultivés trouvent désagréable que l'une et l'autre aient une quelconque origine. Que des fleuves soient détournés ou contenus, que des animaux soient tués, cela crée un agacement d'ordre philosophique. Des modifications trop rapides de l'esprit aboutissent au vertige. Certains mots, tels que *satori*, *épiphanie*, ou cette vieille scie : *conversion*, me vinrent à l'esprit. Ce bossu mécontent et danois de Kierkegaard affirme que « la pureté de cœur consiste à vouloir une seule chose ». Là-dessus, je me prépare à aller danser au bar, qui a annoncé un orchestre *live*, et non un groupe mort. J'ai mangé une soupe de lentilles fibreuse, des choux, de l'ail ; j'attends de me sentir mieux malgré des rots qui suffiraient à gonfler le Hindenburg. Qui sait si la soirée ne m'accordera pas un intermède romantique ? Je suis prêt à parier le contraire, mais mes semblables ont souvent vu leurs prophéties se réaliser. Je crois que je ne verrai jamais une vache sans pouvoir résister à l'envie de tresser une phrase autour du malheureux animal.

Bande 3 suite. Trois heures du matin. Un mot pour

les sages. Suis descendu au bar où j'ai dû danser parce que tout le monde dansait. Trempé de sueur. Lutte avec une femme de mon âge dans une voiture. Elle a eu l'avantage. Ai vomi ma soupe dans la lagune. Le patron du bar a dansé avec les serveuses sur le bar ; l'une d'elles est tombée sans se blesser. Mange un hamburger cru au poivre noir.

CHAPITRE VI

Une autre aube, une autre piste qui nous prit par surprise. Je compris beaucoup plus tard que c'était l'orage tonnant, encouragé par le chant d'Eulia dans la cuisine. Elle jouait si doucement d'une guitare à douze cordes que, lui tournant le dos pour faire face au feu, nous aurions juré que la musique venait de la forêt. Quand, à mon arrivée, j'avais trouvé Strang en train d'examiner son baromètre avec ravissement, je m'étais rappelé avoir pensé sombrement en quittant mon chalet que d'immenses montagnes noires semblaient barrer le ciel à l'ouest du lac Supérieur. Ainsi, devant le feu dont les banals attributs ont suscité tant de récits discutables, je poussai Strang à entamer le sien :

A la fin du mois de ma septième année, je vieillis subitement. Un orage accomplit cela, que je ne vis pas venir à cause des collines qui longeaient la rive nord du lac où je pêchais le poisson-lune et la perche. Au même instant, mon père m'appela sur la rive, le vent se mit à hurler et la foudre s'abattit autour du lac. Avant qu'elle ne frappe le bateau, il y eut une ou deux secondes de silence, je crois, pendant lesquelles les poissons et les oiseaux s'agitèrent fébrilement — les poissons sautaient et zigzaguaient, les hirondelles accomplissaient des figures acrobatiques qui auraient terrifié le pilote le plus téméraire. J'entendis un rugissement monter derrière la ligne de crête, puis vis les nuages noirs et le voile jaunâtre qui semblait les soutenir, et alors mon père m'appela, d'une voix qui fut presque engloutie par un énorme coup de tonnerre près du bateau. J'étais seulement à six mètres du rivage, je pêchais entre un bouquet de roseaux et un groupe de nénuphars aux petits boutons jaunes, avec parfois une grande fleur blanche que l'on sentait de loin.

Papa a crié et puis il y a eu une gigantesque lueur blanche ; les dames de nage, le moulinet de ma canne à pêche, les vis qui maintenaient ensemble les vieilles planches du bateau, tout cela s'est mis à briller. J'ai été éjecté de la barque, je me suis retrouvé agenouillé au fond du lac près des racines des nénuphars, que mes mains étreignaient dans la vase. A bout de souffle, je me suis élancé vers la surface, que la foudre avait transformée en une pellicule de lumière blanche. Il pleuvait si dru que la pluie a failli me noyer. J'ai nagé vers la voix de papa dans le déluge, mes oreilles bourdonnaient comme des trompettes, ma vision était brouillée, diffuse, et ce fut l'origine de mes crises.

Cela a dû se passer en 1941, durant l'été qui a précédé Pearl Harbor. « Rappelez-vous Pearl Harbor quand nous marcherons sur l'ennemi », tout le monde chantait ça. Quand je repense à cet événement unique — je parle de l'accident, pas de la guerre ; les guerres sont à peu près aussi uniques que les crottes de vache ou le mariage —, je me rends compte quelle chance j'ai eue d'être bon nageur, surtout nageur nocturne, car j'étais quasiment aveuglé. Je crois vous avoir déjà parlé de mon goût pour la nage nocturne. J'ai commencé vers quatre ans ; Karl m'a dit que je nagerais partout où l'eau serait assez chaude pour qu'on puisse entrer dedans sans risquer sa peau, de jour comme de nuit. A notre « camp », l'équivalent de nos chalets de la péninsule nord, je me glissais hors de la soupente en passant devant mes quatre sœurs et mes deux frères endormis, puis je descendais l'échelle devant mon père qui ronflait et ma mère, et j'allais nager dans le lac enténébré. Karl, qui savait ce que je faisais, me dit qu'il y avait des loups-garous la nuit sur le lac, avec des têtes de loups normaux mais des corps d'alligators. Cela ne m'a pas empêché de continuer. Ce fut cet entêtement qui me sauva la vie lors de mon accident au Venezuela, bien que je me demande aujourd'hui si cette vie méritait d'être sauvée.

———————

Je dois interrompre le récit de Strang. Il vient de se passer une chose extraordinaire. Dehors la pluie tombait en voiles denses. Eulia nous annonça que toute cette eau la fascinait et qu'elle voulait sortir sous la pluie. Elle se déshabilla rapidement, gardant seulement son slip et son soutien-gorge ; j'en eus le souffle coupé. Mais quand je la vis dehors par la fenêtre, serrant son torse en levant le visage vers le ciel, cette vision devint non sexuelle, aussi mystérieuse qu'un beau tableau pré-raphaélite. Strang regardait par la fenêtre comme si seule Eulia le retenait encore sur terre. Ces quelques minutes électrisèrent l'atmosphère de façon presque gênante, puis elle revint en courant dans le chalet et s'enroula dans une couverture.

71

« Quand j'étais petite », dit-elle, « nous avions un chien qui traînait autour de notre cabane près de Puntarenas. Nous lui donnions nos restes à manger, mais il ne nous laissait jamais le toucher, sauf quand il y avait de l'orage. Alors il rampait sous le porche, nous allions l'y rejoindre et pouvions le caresser parce qu'il avait une peur bleue de la foudre. Dès que l'orage s'éloignait, le chien détalait, mais tant que le tonnerre grondait il était doux et câlin comme un bébé. Je l'aimais tant que je priais pour faire venir la pluie. »

Cela la fit rire, puis elle monta brusquement au grenier pour s'habiller.

————————

N'est-il pas étrange que l'endroit où il pleut le plus sur terre soit une région de l'Atlantique située au large de Trinidad et du Venezuela ? Des pluies torrentielles s'abattent sur l'océan, jour après jour. Je ne sais pourquoi cette idée me plaît. J'ai toujours étudié l'eau, surtout les fleuves.

Papa, qui était une sorte de prêcheur, a tiré parti de mon accident. Excellent charpentier de son état, c'était un homme profondément religieux, un prêcheur laïc dont l'esprit débordait de concepts compliqués et qui changeait souvent le nom des choses pour un oui ou pour un non. C'était un homme sans entraves qui n'attachait pas grande importance à ses ancêtres ou à ses parents. Je suis le seul de ses enfants né dans le Michigan ; tous les autres sont nés à Chicago. J'étais ce qu'on appelle un enfant de l'amour, je suis né quand ma mère avait quarante-sept ans, mais toute cette époque est aujourd'hui oubliée. La vraie biographie d'un individu se résume peut-être à l'endroit où il a échoué. Theodore était l'aîné — ainsi nommé à cause d'un des innombrables héros de papa, Theodore Roosevelt. Ensuite, les filles : Laurel, Ivy, Lily et Violet — ma mère adorait les fleurs et les plantes. Ensuite, Karl, et cinq ans plus tard, moi. J'ai entendu dire que nous étions de vagues descendants du Roi Strang, le Mormon apostat qui, au dix-neuvième siècle, s'empara de Beaver Island dans l'idée d'en faire une nouvelle nation pour ses disciples.

L'épilepsie bénigne fut bien sûr la conséquence traumatique de mon accident. Aujourd'hui, on contrôle parfaitement cette maladie, mais pendant la guerre c'était une autre paire de manches, surtout ici dans l'arrière-pays. Papa n'accordait aucun crédit aux médecins, il s'en remettait uniquement aux pouvoirs thérapeutiques de Jésus. Ma mère me traîna chez un ostéopathe alcoolique du chef-lieu de comté, qui jugea mon cas désespéré. Il dirigea des pinceaux de lumière dans mes yeux, ce qui provoqua une crise. « Trois dollars, et virez-moi ce gamin d'ici. » Cet ostéopathe fut ensuite chassé de la ville parce qu'il avait tué un enfant en lui administrant des gouttes dans le nez... Il avait tué celui qu'il ne fallait pas : le fils du proviseur de l'école. Qui peut dire les dégâts provoqués auparavant par ce crétin ? Quand ce genre d'injustice cesse de briser le cœur et qu'on baisse les bras, nous avons droit au pays dans lequel nous vivons.

Papa me garda donc sous sa coupe jusqu'à sa mort, quand j'eus quatorze ans. Je n'ai pas envie de faire un pèlerinage dans le passé, même si les humains ne peuvent pas s'empêcher de faire des pèlerinages vers des lieux où ils n'ont jamais mis les pieds. Karl appelait toujours papa « Présage de Malheur » ou « P.M. », car papa nous rebattait les oreilles de cette expression. Hitler était indubitablement l'Antéchrist, moyennant quoi Jésus reviendrait bientôt sur terre pour présider à la seule Apocalypse que nous connaîtrions.

Ma jeunesse se passa dans l'arène où s'affrontaient papa et Karl. En 1942, quand Karl eut treize ans, il était parfaitement incontrôlable. C'était un gamin costaud, terriblement musclé pour son âge. En troisième, il mit son professeur K.-O., exploit qui marqua la fin de sa scolarité. Le problème était que Karl avait une ligne à relever, ce qui l'obligeait à se lever à quatre heures du matin, si bien qu'il s'endormait parfois en classe. Son professeur, l'un de ces gardes-chiourmes irascibles, réveillait Karl en lui tirant les cheveux, ce qui lui valut de se retrouver au tapis. Papa priait pour Karl pendant les actions de grâce avant les repas, parce que Karl refusait de se faire baptiser. Papa répétait sans arrêt l'histoire des quatre-vingt-dix-neuf brebis et du berger qui passait sa nuit dans la tempête à la recherche de l'unique brebis égarée ; pendant ce temps les pommes de terre refroidissaient et la sauce du porc se figeait.

« Primo, j'suis pas une brebis. Et secundo j'me suis jamais égaré. J'ai autant le sens de l'orientation que n'importe qui », répondait Karl.

Mais mon père n'était pas un de ces cinglés de la *Bible Belt* qui sont aussi des bourreaux d'enfant. Jamais il ne leva la main sur nous. En fait, nous formions une joyeuse bande de gosses un peu crasseux. Karl n'arrivait pas à le mettre en rogne, et Ted, quand il était à la maison, empêchait Karl d'insulter papa pour de bon. Ted avait l'autorité de l'aîné, il construisait déjà des maisons quand il quitta le lycée. L'été, Ted payait Karl un dollar par jour pour creuser des puits et des fondations.

Bien qu'il fût fort différent des autres pères, papa demeura inflexible : il m'interdit de retourner à l'école, même si je désirais désespérément retrouver mes camarades de la classe de dixième. Papa me déclara qu'il avait rêvé que Jésus me guérirait si j'accomplissais Sa volonté. Si je suivais Ses directives, alors je pourrais retourner à l'école. Selon l'interprétation de papa, je devais sillonner la péninsule nord dans sa vieille Plymouth pour témoigner de mon accident miraculeux devant les fidèles. Ce que je fis jusqu'à sa mort, quand j'avais quatorze ans, et même si le rythme de nos prestations se ralentit un peu vers la fin, car nous avions saturé la région, si bien que les invitations décrurent et que j'étais devenu prêcheur.

Je me demande parfois si la religion de mon père ne dissimulait pas une sorte de pragmatisme. Après tout, il s'était installé sur ces terres désolées avec une ribambelle d'enfants pendant la Grande Dépression. Quand j'y repense aujourd'hui, cette situation me rappelle un peu ce que j'ai vu à l'époque où je travaillais en Inde. Les Américains aident leurs saints hommes de la même façon que les Indiens. Frère Strang et sa merveilleuse famille chrétienne recevaient toujours en aumône un quartier de bœuf, la moitié d'un cochon, quelques caisses de pommes de terre, voire un cerf.

Je reconnais que ce truc religieux était parfois effrayant pour un jeune garçon, mais j'aimais beaucoup voyager et rencontrer des gens, puisque je ne pouvais pas aller à l'école. L'exaltation de papa me flanquait la trouille. De fait, elle aurait effrayé n'importe quelle personne non avertie, mais elle devenait un comportement acceptable sous couvert d'extase religieuse. Nos Blancs cultivés l'acceptent parfaitement aujourd'hui chez les Noirs, mais qu'un pauvre Blanc entre en transe et tout le monde se trouve gêné. Parce que les prêcheurs vénaux et soporifiques de la télévision donnent une fausse image de ces pauvres bougres. Nous nous baladions donc de Moran jusqu'à Iron Mountain ou Laurium. Nous nous arrêtions pour manger un sandwich et pisser ; brusquement il saisissait mon bras, se mettait à tourbillonner en levant une main vers le ciel comme s'il dirigeait l'orchestre de la nature.

« Regarde, fils ! Doux Jésus, regarde autour de toi. Salomon dans toute sa gloire n'était pas aussi séduisant que ces merveilles naturelles créées par Dieu. Regarde la forêt, les oiseaux et ce torrent. Prions, fils. » Nous nous agenouillions alors dans l'herbe du bas-côté pour prier, sans accorder la moindre attention aux voitures qui passaient. « O Dieu du ciel et de la terre et de tout le vaste univers, considère avec bonté mon gamin de fils et ses crises. Il doit la vie à Ton infinie bonté, il a presque vu Ton visage, mais pas vraiment, car sinon il serait mort. Ton pouvoir est entré en lui, et il témoigne de Ta grâce et de Ta majesté. Guéris-le pour qu'il ne meure pas dans d'atroces souffrances. Aide aussi son frère Karl qui ne considère pas Jésus comme son sauveur et se rit de Toi, ô Père. Épargne Karl et fais-le venir à Toi. Amen. »

Karl, pour dire la vérité, n'y mettait pas du sien. Dès que j'eus onze ans et atteint une puberté précoce, Karl essaya de me faire pincer les fesses des bigotes chaque fois qu'elles m'étouffaient de leurs baisers. Je commençais à passer de mauvais moments quand j'aidais à baptiser des gens dans un lac et qu'on voyait tout à travers les chemises de nuit des filles. Karl avait apporté des photos cochonnes à Soo — il appelait ainsi Sault Ste. Marie ––, et tint à me les montrer. Celle qui me frappa le plus était une photo de Hedy Lamarr qui nageait dans un étang au milieu de la jungle : ses fesses nues étaient levées au-dessus de l'eau. Papa brûla les photos de Karl dans le poêle de la cuisine, et jamais mon frère aîné ne put retrouver cette image fantastique de Hedy Lamarr.

Voici une histoire qui vous montrera peut-être à quoi ressemblait Karl et l'influence qu'il eut sur moi. L'été, je gagnais de l'argent de poche en cueillant des baies sauvages : myrtilles ou bluets du Canada, comme on les appelle parfois, mûres, framboises, fraises des bois. Avant de commencer d'en vendre, je devais fournir à ma mère ce dont elle avait besoin pour les confitures et les conserves destinées à la famille. J'avais tendance à fuir la partie du village où se trouvait l'école et où l'été les gamins jouaient au ballon. Il y a une cruauté spécifique aux enfants, qui est en fait une curiosité voilée, et je devais la subir, sauf à l'église où tout le monde est forcé de bien se tenir. Un jour, des filles plus vieilles que moi m'ont même coincé à la sortie de la poste afin de me demander d'avoir une crise pour elles.

« Allez vous faire foutre, sales connasses ! » j'ai gueulé, ainsi que Karl m'avait appris à répondre. Les filles ont trouvé qu'elles n'avaient jamais rien entendu de plus drôle.

Ce fut pendant que je cueillais des baies que je rencontrai Édith, la fille que j'ai mentionnée comme mon premier amour. Je partais tôt le matin avec deux bidons de trois gallons, un récipient plus petit et une entretoise pour m'aider à ramener les fruits à la maison. Je prenais le sentier au bout de l'ancienne décharge, il conduisait dans la forêt où la cueillette était la meilleure. Édith était souvent là avec son père et sa mère. Son père, qui était plus âgé que le mien, se comportait bizarrement parce qu'il avait été gazé en France pendant la Première Guerre mondiale. Il déterrait souvent des morceaux de ferraille dans la décharge déserte, métal précieux pour l'effort de guerre. Un jour, il tomba sur la chaudière et les roues d'une vieille machine de bûcheron et gagna une somme rondelette. D'autres gens de la ville tentèrent leur chance, mais le travail était trop pénible. Il dut creuser dans la sciure gelée et hissa la chaudière le jour même de Noël. Bref, le père d'Édith me voyait rentrer à la maison avec toutes ces baies et me demandait combien j'avais gagné. Un jour, il me demanda si j'accepterais de mettre sa fille au travail pour qu'elle gagne un peu d'argent.

Les premiers jours, nous parlâmes à peine, paralysés par la timidité. Nous avions seulement neuf ou dix ans, nous étions tous les deux des parias. Le troisième jour, je crois, elle portait un ruban dans les cheveux, et ses pieds nus et ses jambes étaient relativement propres. Nous trouvions davantage de baies que n'importe qui pour la simple raison que Karl me disait où aller. Il était imbattable pour dessiner des cartes très précises, et sa connaissance des bois, due à la chasse et au braconnage, était excellente. Pendant la saison des oiseaux et des cerfs, quand les piètres chasseurs du sud de l'État arrivaient dans le nord, Karl leur vendait du gibier pour qu'ils puissent passer leur séjour à boire et jouer aux cartes, et par-dessus le marché plastronner en rentrant chez eux. Un matin de bonne heure, Karl passa nous prendre dans le camion de Ted juste derrière la décharge. Il nous annonça qu'il venait de découvrir ce qu'il appela un filon-mère de myrtilles. Édith et moi fûmes ravis, car j'avais une commande de cinq gallons pour l'épouse d'un avocat qui nous avait déjà payés plus que ce que nous demandions. Cette femme avait la réputation d'être un peu portée sur la bouteille, mais un jour elle nous invita à boire un Coca-Cola chez elle, et joua du piano pour nous.

L'arrivée de Karl ce matin-là m'agaça un peu, je m'en souviens. J'étais amoureux pour la première fois de ma vie, et je sais qu'Édith ressentait la même chose. Nous nous tenions souvent par la main, et je nous imaginais dans les livres d'Horatio Alger que je lisais à l'époque, *Jed the Bootblack Boy* ou *Sink or Swim*, ce genre de littérature. Édith voulait devenir infirmière afin d'aider les blessés de guerre ; elle pensait sans aucun doute à son père. Quant à moi, j'étais déchiré entre le métier de prêcheur dans une énorme église d'une grande ville qui me paierait une voiture neuve chaque année, et un métier désapprouvé par mon père. Il tonnait contre les dieux de Mammon et Moloch qui avaient construit le Barrage Hoover où l'un de ses anciens camarades, parmi des douzaines d'autres, avait été tué pendant les travaux. Je m'informai sur ce barrage, et comme je semblais bénéficier d'une protection spéciale, je me sentais attiré par un travail réellement dangereux. Quel garçon n'a pas eu le désir d'accomplir une action d'éclat qui le hausserait hors de la multitude ?

Bon, nous roulions sur un chemin couvert de gravillon ; Karl bifurqua dans une piste, puis se tourna vers nous avec une expression sinistre.

« Alors les mauviettes, vous croyez peut-être que je prends un jour de congé pour vous aider à cueillir vos baies et vous laisser roucouler à l'aise ? Feriez mieux de revoir vos plans, crétins. Disons plutôt que je suis un archéologue et vous mes ouvriers. Z'êtes si demeurés et trouillards que vous savez même pas comment embrasser et baiser. Dis donc, Corve (mon surnom), si tu donnes pas un peu d'amour à ton Édith, elle va se mettre en quête d'un vrai homme comme moi. » Karl avait au maximum quatorze ans, mais il était saturé d'hormones et de vantardise.

« Si tu touches à Édith, je prendrai ton revolver une nuit et je te tirerai une balle dans la tête ! » Je hurlai ces mots tout en serrant la main d'Édith. Elle reniflait un peu, je passai mon bras autour de ses épaules.

« Doucement, espèce de petit avorton. Aujourd'hui, nous nous occupons d'archéologie, pas de baise. Tu as foutrement raison, Corve, de vouloir descendre celui qui tringle ta régulière. Je voulais simplement te tester pour voir si tu aurais le courage de regarder en face ce que je vais te montrer. L'hiver dernier, alors que je chassais dans le coin, le long du marécage, j'ai été tiré du blizzard par un chien géant aux yeux de feu que les Ojibways nomment Wendigo, et j'ai vu quelque chose qui a bien failli me faire mourir de peur. »

Karl arrêta le camion quand la piste se rétrécit en un simple sentier emprunté par le gibier. Édith et moi descendîmes, secoués par les précautions inhabituelles de Karl. Il nous fit signe de le suivre le long du sentier avec trois pelles et nos récipients à baies, comme si nous traquions le plus dangereux des tigres du Bengale. Nous atteignîmes le bord d'un immense marais qui semblait bleuir sous le poids des myrtilles. Karl montra du doigt un monticule et une saillie rocheuse à l'extrémité opposée du marais.

« En décembre dernier, quand la neige tombait si fort, j'étais sur cette île dans le marais. C'était la fin de l'après-midi et je n'avais pas la moindre envie de passer la nuit sous un pin avec les mains enfouies dans les entrailles chaudes d'un castor pour qu'elles ne gèlent pas. » Karl était un fan de Jack London. « J'étais là, dans la lumière déclinante, à me demander quoi faire, quand j'ai soudain entendu une respiration profonde et rauque, comme si le vent s'était mis à souffler dans une caverne infernale. Je me suis retourné lentement en pointant mon fusil en direction du bruit. » Il s'arrêta et secoua la tête en prenant une expression dramatique tandis que nous nous serrions l'un contre l'autre. « Je vais vous dire ce que c'était. Je le jure sur la tête de ma mère — c'était un crâne blanc à la bouche grande ouverte plus gros qu'une voiture ! »

J'ai failli trébucher sur la pauvre Édith qui voulait prendre la poudre d'escampette, puis l'amour m'a fait arrêter et saisir son bras ; mais Karl, plus rapide, nous a retenus à la force du poignet.

« Rien à faire, bande de trouillards. Pas question de retourner en arrière, d'autant qu'on nous a déjà repérés. Je vous ai amenés ici pour que vous me protégiez. Les grenouilles de bénitier de votre espèce sont à l'abri des mauvais esprits, alors que moi, l'incroyant, ils peuvent m'avoir. C'est comme Dracula qui peut pas sucer le sang de ceux qui portent une croix. Je vous demande de m'aider. »

L'allusion à Dracula ne fit qu'empirer les choses tandis que nous marchions derrière Karl. Les commerçants de notre ville finançaient des spectacles gratuits pendant l'été : ils tendaient un drap contre un immeuble dans un terrain vague. Notre église étant farouchement opposée tant au cinéma qu'à la danse, Karl était le seul à assister aux séances. Papa permettait parfois à Karl de rejouer le film devant nous, et Dracula constitua son rôle le plus impressionnant. Toute la famille fut terrifiée par cette menace assoiffée de sang qui venait d'Europe. Papa proposa sa théorie habituelle.

« Ce présage de malheur annonce certainement le Jugement Dernier. Le Seigneur ne supportera pas de voir certains de ses enfants sucer le sang de leurs semblables. Jésus a dit que personne ne connaît l'heure de son retour parmi nous, mais j'ose affirmer que cet événement ne saurait tarder. »

« C'est juste un film, papa. Ça s'est jamais passé pour de vrai », dit Théodore.

« Si ça figure dans un film, ça a dû se passer vraiment avant d'arriver sur les écrans. J'ai vu des films à Chicago avant d'être sauvé. Je peux vous dire qu'Al Johnson[1] n'a jamais mordu personne au cou. »

Nous avons donc atteint l'île après avoir pataugé dans les sphaignes spongieuses du marais. J'avais une

---

[1] Acteur et chanteur américain. (N.d.T.)

boule dans la gorge, des traces de larmes sillonnaient les joues d'Édith. Karl leva la main et nous scrutâmes les viornes et les mélèzes qui entouraient un petit tertre dans une clairière. Certains endroits de la nature possèdent indubitablement un esprit unique, ils sont si particuliers qu'ils nous attirent, se distinguent de la solitude et de l'immensité de la forêt, agissent comme des aimants sur celui ou celle qui passe à proximité. C'était un de ces lieux, et aujourd'hui encore, plus de trente-cinq ans après, je m'en souviens comme des maisons où j'ai vécu.

Karl se mit alors à psalmodier une imitation de chant indien. Il me semble qu'il avait réussi à s'effrayer lui-même. Puis il s'élança courageusement vers la clairière, et nous nous hâtâmes de le suivre, car pour rien au monde nous n'aurions voulu rester seuls.

« Corve et Édith, voici l'endroit où j'ai vu le crâne gros comme un énorme bloc de roc. Il faisait bien six mètres sur trois ou quatre, ce qui donne un squelette aussi haut que la tour d'incendie près de Rexton. Je crois deviner que, pour des raisons particulières, ce crâne s'est enfoncé dans le sol. » De sa botte, Karl frotta la poussière au centre de la clairière. « Ceci est peut-être l'extrémité du nez. Je crois que nous devons creuser ici même. »

Et de tout cœur nous creusâmes. Vers midi et en l'absence de déjeuner, Karl permit à Édith d'aller cueillir des myrtilles pour que nous n'ayons pas d'ennuis avec son père ou la femme de l'avocat. Nous poursuivîmes les fouilles à la recherche de l'extrémité du nez, puis du front, cible plus vaste. Édith revint et annonça joyeusement qu'elle venait de faire une cueillette exceptionnelle : son pragmatisme féminin avait troqué la peur contre les satisfactions de la mission accomplie. Elle nous regarda creuser avec condescendance, comme si elle nous avait surpris la main dans le sac. Par bonheur,

82

sous un tapis humide d'aiguilles de mélèze je découvris un gros crâne jaunâtre d'ours blanc. C'était là une trouvaille rare, car dans cette région, les porcs-épics nettoient tous les os et les andouillers de la forêt. Sans eux, la forêt serait un gigantesque ossuaire. Karl s'empara du crâne d'ours afin de justifier cette journée.

« Je le savais, bon dieu ce crâne d'ours a le pouvoir de rapetisser et de grossir à volonté. Je l'ai pris pour un crâne humain à cause du blizzard. Corve, essaie d'imaginer un ours de la taille du ferry de Mackinac. Ce salopard est certainement aussi gros que ça. Il pourrait dévorer toute la ville, et il risque parfaitement de le faire. » Il regarda autour de lui comme s'il se demandait ce qu'il allait faire de ce crâne, puis il nous embrassa en marmonnant un charabia incompréhensible. Il défit ensuite sa ceinture et accrocha le crâne à une branche pour que les porcs-épics ne puissent s'en emparer. « Ça devrait flanquer une sacrée trouille à ceux qui voudraient relever mes pièges à ma place. »

Cela me rappelle que quelqu'un a dit que l'ultime trace laissée sur terre par n'importe quelle créature est un crâne. Belle phrase, non ?

CHAPITRE VII

Cette séance fut interrompue au milieu de la matinée du Memorial Day. Eulia prenait un bain de soleil sur un coussin, elle portait l'un de ces bikinis miniatures très en vogue en Amérique centrale et du Sud : je dirais simplement que les deux pièces du maillot auraient facilement tenu dans mes joues. Strang supportait parfaitement l'épreuve de son histoire, sauf aux moments où il s'égarait dans une rêverie ou lorsque la douleur le submergeait. Elle ne l'empêchait cependant pas d'effectuer ses séances à quatre pattes dans la forêt après le déjeuner. Les moustiques et les moucherons propres à cette latitude étaient nés ; malgré les crèmes protectrices, leurs piqûres couvraient son visage et ses bras.

« Je ne comprends pas pourquoi vous poursuivez cette thérapie si elle est aussi douloureuse », lui avais-je demandé.

« C'est ma seule chance de m'en tirer, vous savez, de guérir. Si je restais assis et que je prenais tous les médicaments qu'on m'a prescrits, je serais tout simplement abruti. Voilà pourquoi je me lève dès que le jour point et que le monde recommence. D'ailleurs, je me suis toujours levé à l'aube. C'est l'heure où l'on voit tout avant que l'esprit n'affronte les luttes et les travaux du jour. Même chose quand on travaille en équipe de nuit et qu'on dort le soir. Vous prenez un petit déjeuner à minuit, puis vous allez travailler. L'excavation a peut-être trois miles de large, il y a la lumière artificielle des projecteurs, le rugissement de centaines d'engins de terrassement, et derrière vous celui du fleuve détourné. Vous sautez dans une camionnette pour relever l'équipe précédente et voir comment ça se passe. Vous installez peut-être un générateur de trois cents tonnes dans le bâti d'une centrale neuve. Vous avez remarqué que la vieille grue ne tiendrait pas le coup, vous en avez repéré une dans les Alpes, mais c'est trop loin, et une autre à Terre Haute, dans l'Indiana. La grue de l'Indiana descend le Mississippi en bateau, elle quitte La Nouvelle-Orléans sur un camion, puis longe la côte jusqu'au chantier. Si nous sommes vraiment dans un bled perdu, il faut démonter la grue et la transporter par les hélicoptères Sikorsky. Une fois le boulot terminé, presque tout l'équipement lourd est abandonné sur place quand on est dans la jungle. Vous trouverez peut-être des indigènes installés dans la cabine de la grue quand vous reviendrez pour réparer une panne quelconque. Ou bien disons que vous travaillez toute la nuit pour faire descendre un transformateur de quatre-vingts tonnes à flanc de colline avec des haussières et un sac gonflé d'air. Soudain c'est l'aube, tout le monde se réjouit parce que les oiseaux commencent à gazouiller et que la peur décroît sur le chantier.

« Une fois, nous étions plusieurs sur le flanc d'une colline pour déplacer de nuit des blocs de roc, et l'un de mes hommes a été à moitié écrasé. J'ai posé sa tête et ses épaules sur mes cuisses en attendant le médecin. Le jour s'est alors levé, et au-dessus du cercle des Brésiliens qui m'entouraient, un grand oiseau s'est mis à décrire des cercles. Personne ne l'avait jamais vu auparavant, sauf l'homme à demi mort qui reposait contre moi et souriait. Je l'ai déplacé un peu pour qu'il ait moins mal, mais sa nuque m'a fait l'effet d'un sac de tissu rempli de gravier. Alors sa vie l'a quitté, tous les *catolicos* se sont agenouillés pour prier. J'ai ensuite appris que l'oiseau était un aigle mangeur de singes. Peut-être le mourant, un type intelligent, souriait-il à cause de l'ironie de la situation.

« Pour répondre à votre question, je rampe parce que c'est le seul travail que j'aie à faire, parce que je suis un ouvrier et que c'est ma seule chance de retrouver mon vrai métier. Ce traitement est peut-être une arnaque, voire une arnaque fatale, mais c'est le seul que je doive suivre. Deux fois, j'ai participé à un projet qui n'aurait jamais dû se faire. Il n'y a rien de plus déprimant que de construire un barrage qui ne devrait pas exister. Cela se produit d'habitude pour des raisons politiques. Dans ce cas, je réclame toujours mon transfert. Je ne supporte pas le travail dépourvu de sens. Eulia, qui est danseuse, travaille au moins quatre heures par jour ; on peut très bien se demander pourquoi elle répète quotidiennement les mêmes exercices. Elle dit que c'est pour être en forme physique quand une occasion se présentera, pour faire ce que le chorégraphe lui demandera, ou pour exécuter les mouvements qu'exigeront son cœur ou son esprit. C'est donc un travail utile. Imaginez que, du jour au lendemain, vous ne puissiez plus écrire après avoir consacré votre vie à la littérature. Vous n'êtes pas une mauviette — imaginez que vous ayez une légère attaque sans conséquence, sauf que même votre foutu nom, vous l'épelez à l'envers, — que feriez-vous ? voilà ce que je veux dire. »

« Je comprends », répondis-je, non sans un léger pincement à l'estomac. « Je prendrais peut-être mon mal en patience pour voir si mes facultés ne reviennent pas d'elles-mêmes. Je serais terrifié — »

« Mauvais », interrompit Strang. « Il faut coûte que coûte se débarrasser de la terreur, sinon vous ne ferez jamais rien correctement. J'ai réuni toutes les informations disponibles et je vais tenter ma chance jusqu'en octobre. J'ai déjà traversé des épreuves plus difficiles, mais j'étais plus jeune. Le moment est venu de prendre votre sédatif. »

Strang était devenu un subtil observateur de mon comportement : il sentait quand j'avais désespérément besoin d'un remontant.

Retour au milieu de la matinée du Memorial Day, avec ses regards obliques jetés aux fesses d'Eulia qui s'offraient au soleil dans une gloire partagée. Mes yeux étaient totalement éblouis, ma concentration nulle. Strang fit une pause pour pêcher en aval près d'un barrage de rondins, en s'appuyant sur son châssis d'aluminium. Sa lutte contre le courant mit une boule dans ma gorge. Miss, la grosse chienne, le regarda de la rive, puis retourna à fond de train en aboyant vers le chalet et l'allée. Un long break entra dans la cour avec la chienne derrière lui, comme si le véhicule avançait seulement grâce aux efforts de l'animal. Une femme corpulente d'une cinquantaine d'années en descendit, suivie par une femme plus jeune en uniforme de l'armée de l'air et un homme à l'allure apathique, gros lui aussi, qui ne devait pas avoir plus de trente ans. Tous étaient impeccablement endimanchés : l'homme portait le genre de costume et le cordon de cravate qu'on sortait pour les occasions importantes dans le Grand Nord Blanc. Il portait aussi des chaussures marron bien cirées et des chaussettes blanches. Je me sentais plein d'assurance, presque sur mon territoire ; j'avais tort, comme les événements devaient le prouver. Eulia se leva de son matelas, effrontée, toute souple et luisante d'ambre solaire.

« Puis-je vous aider ? »

« Je suis Emmeline. Vous savez, la première femme de Corve. Et qui es-tu, ma jolie ? Tu pourrais déclencher une émeute. » Elle éclata de ce rire du bas-ventre qui met à l'aise ceux qui l'entendent.

« Je suis Eulia. »

Elle lui adressa un sourire fier. Je m'approchai et nous achevâmes les présentations. Ils furent ravis que je sois venu d'aussi loin pour parler avec leur père et ancien mari. Robert Junior descendit le long de la berge, puis pénétra dans la vase et les roseaux pour aider son père. Strang les embrassa tous, les tirant à demi par-dessus son châssis métallique, une sorte de prouesse vu le poids respectable de chacun. Ils évoquaient des gens qui seraient sortis indemnes des années 50. Aurora embrassa son père, puis fondit en larmes. Emmeline était désespérée en même temps que ravie ; Robert Junior rougit en regardant Eulia, que cette réunion enchantait anormalement.

« Bobby, espèce de couillon, tu as de la boue jusqu'aux genoux », dit Emmeline en riant à nouveau.

« Je crois que je m'en fous. » Il donnait l'impression d'un homme qui passait beaucoup de temps seul. J'appris ensuite qu'il était bûcheron.

« On croirait entendre Oncle Karl. Emmeline, tu es sûre que tu ne prenais pas du bon temps avec Karl pendant que j'étais en Afrique ? » demanda Strang, dont les yeux pétillaient.

« Robert Corvus ! » Elle cacha son visage entre ses mains et hurla. « Tu sais que je t'ai été fidèle pendant des années. Qui sait ce que tu faisais là-bas avec les donzelles de la jungle ? Je remballe mon pique-nique et je rentre à la maison. »

Strang tendit la main et la retint par le bras. « Tu as été la femme la plus fidèle que j'aie jamais connue. Après toi, ça a été une vraie dégringolade. »

« Personne n'a dit que tu devais passer toute ton existence loin de nous », explosa Aurora. Je compris qu'elle défendait son point de vue.

« Je n'ai pas fait cent cinquante kilomètres pour voir deux salopes comme vous essayer de blesser papa », dit Robert Junior. « Et puis, j'ai faim. Aurie, va chercher le panier de pique-nique. »

« Vas-y toi-même, sale flemmard. Traite-moi encore de salope et je te montre mes progrès au judo. » Elle avança vers lui avec un mauvais sourire, puis le chassa vers la voiture.

Ce fut un pique-nique étrange et merveilleux. Eulia s'habilla, ce que Robert Junior regretta à haute voix.

« Pour être sincère, Eulia » — il prononçait You-li — « je n'ai jamais vu quelqu'un comme vous dans la réalité. »

« Bobby ici présent abat des arbres toute la sainte journée. Sa femme s'est tirée avec un représentant en cosmétiques et lui a laissé les deux gosses. C'était une sale conne. »

« Tu aurais dû emmener tes enfants, Bobby.

Bon dieu, suis-je trop jeune pour être grand-père ?
Eulia, je suis grand-père. »

« C'est merveilleux ! » Je découvris ensuite
qu'Eulia appartenait à une très vaste famille et
qu'elle adorait les grandes réunions de famille, d'où
son bonheur.

« Je ne voulais pas te fatiguer avec les mômes.
Nous savons que tu es très malade, nous voulons
t'emmener à l'hôpital d'Escanaba. »

« Merci bien. Ils sont sans doute très forts
pour recoudre les blessures de scie électrique et
remettre les poivrots dans le droit chemin, mais
mon problème est un peu particulier. En tout cas,
c'est gentil d'y avoir pensé ; je vous ferai signe si j'ai
besoin d'aide. »

Pendant ce temps-là je me concentrais sur la
nourriture étalée devant nous. Emmeline avait
déplié une belle nappe belge que je soupçonnais
Strang de lui avoir envoyée quelques années plus
tôt. C'était le genre de festin septentrional qui
explique la plus grosse concentration de cancers de
l'estomac de tous les États-Unis, un fait qui ne
dissuade personne. Il y avait du pâté en croûte
enveloppé dans du papier d'aluminium pour le
tenir au chaud, des truites de lac et de l'aiglefin
fumés, du bœuf froid avec une sauce de raifort à la
crème, une conserve de harengs marinés maison,
des amuse-gueule et des condiments.

« Tu es trop maigre, Corve », dit Emmeline un
peu sur la défensive.

« Je me suis bousillé les tripes quand je suis
tombé. Ils m'ont enlevé la rate. Je n'ai pas pu
manger pendant un certain temps. »

« Notre beau-père voulait envoyer des fleurs.
C'est un brave type, tu sais. Il voulait envoyer des
fleurs, mais je lui ai dit que notre vieux papa aime

seulement les fleurs sauvages, alors il a cueilli ça. »
La main d'Aurora plongea au fond du panier de
pique-nique et en ressortit des violettes et des
renoncules entourées par des tiges de cresson de
fontaine.

« Remercie-le de ma part, s'il te plaît. » Strang
enfouit son visage dans les fleurs, assez longtemps
pour nous mettre mal à l'aise. « Tu n'as pas connu
ma sœur Violet, qui est morte. Elle n'aimait pas les
violettes, mais elle aimait les renoncules. »

Strang et Emmeline allèrent au cimetière
s'incliner sur les tombes du père et des mères, des
sœurs et des frères, coutume encore religieusement
respectée dans les régions rurales des États-Unis. Je
vis parfaitement que Strang ne désirait pas y aller,
mais ce fut comme un dédommagement après une
gêne bizarre due à l'examen des comptes. Robert
Junior alla vers la voiture après le repas, d'où il
revint avec une pile de registres. Acceptant l'invitation d'Aurora, je m'étais installé au bord du fleuve
en compagnie d'Eulia et de la chienne. Eulia adres-
sait des paroles pleines d'éloquence à la chienne,
qui me firent maudire mon ignorance de l'espagnol.
Je parlai avec Aurora, qui me dit être basée à
Naples, en Italie, où elle travaillait avec l'OTAN en
qualité d'officier de renseignements. Nous évoquâ-
mes avec enthousiasme la gastronomie et les spécia-
lités régionales italiennes, ainsi que le chef-d'œuvre
de Waverly Root sur le sujet. Eulia nous demanda
comment nous pouvions parler de nourriture après
un repas aussi copieux.

« Seigneur, Eulia, laisse-moi respirer. C'est ce
que je préfère dans la vie. Surnomme-moi donc
Miss Cellulite, si ça te chante. Heureusement pour
moi, les Italiens apprécient les femmes bien en

chair. Une vieille peau m'a d'ailleurs appelée *piccola mamma*. Tu es la petite amie de papa ? »

« Bien sûr que non. Je suppose que je suis sa belle-fille. Robert est mon homme préféré dans ce monde d'infâmes cochons. »

« Merci, ma chérie. » Je réprimai mon envie de brailler mon indignation, mais me sentis trop piqué au vif pour répondre sur le mode comique. Aurora tapota mon bras et Eulia embrassa mon oreille, notre premier contact physique, et mon oreille brûla sous son haleine. Entre-temps, exerçant l'un de mes talents mineurs et schizoïdes d'écrivain, je laissai traîner mon oreille indemne du côté de la conversation autour de la table de pique-nique. En voici quelques bribes.

« Papa, tu pourrais au moins regarder les livres. Nous nous sommes cassé le cul pour que tout soit en ordre. »

« J'ai vu certains chiffres. Le comptable de Miami me tient au courant. » Strang gardait volontairement un ton posé, alors que l'émotion faisait vibrer les deux autres voix.

« J'ai toujours pensé que nous faisions de notre mieux pour toi. Je veux dire, nous nous en sommes toujours bien tirés grâce à ton argent — » dit Emmeline.

« Ça n'a rien à voir », l'interrompit Strang. « Les gens investissent beaucoup d'argent, et plus de la moitié des entreprises font faillite. Vous vous en êtes tous les deux bien tirés parce que vous êtes malins et que vous avez travaillé dur. »

« Je croyais simplement que tu reviendrais un jour, que tu prendrais les choses en main, que tu nous conseillerais, tu sais, après ta retraite. Maintenant tu es complètement déglingué ; moi et Bobby, nous voulons nous occuper de toi. Nous avons beaucoup d'argent — »

« Je n'ai pas besoin d'argent, Emmeline. La compagnie s'occupe de ses employés quand ils sont blessés. Ted m'a donné le chalet. Et puis tu as déjà un bon mari pour t'aider à faire tourner la boutique... »

« Il n'y connaît rien. C'est un brave gars, mais il n'a pas sa tête à lui. Maman doit s'occuper de tout. » Robert Junior, le visage en feu, marchait de long en large.

« Moi qui avais toujours cru qu'un jour tu reviendrais vivre près de nous, que nous te verrions. Je sais que nous ne pourrions pas former une famille, mais au moins je te verrais. Je t'ai tellement aimé que mon cœur se brise. » Ses sanglots étaient aussi sonores et puissants que tout à l'heure son rire.

Robert Junior s'éloigna vers la forêt. « Je peux te dire une chose, bordel. Je ne prendrai pas ton foutu fric », gueula-t-il.

Strang se déplaça sur le banc pour enlacer Emmeline. Aurora les rejoignit et passa la main dans les cheveux de son père. Eulia enfouit son visage entre ses mains et je lui assenai une affreuse tape sur l'épaule.

Après le départ de Strang et d'Emmeline vers le cimetière, Robert Junior sortit des bois avec une expression honteuse et gênée. Eulia avait apporté une bouteille de whisky et quatre verres. Nous nous assîmes à la table de pique-nique, tous les regards convergèrent sur moi, m'accordant implicitement la sagesse de l'aîné. Je ne bronchai pas.

« Je crois que j'ai déconné. Comment ai-je pu

94

engueuler mon propre père ? Je parie qu'il ne voudra plus me revoir. »

« Oh, ne dis pas de bêtises, Bobby. C'est bien toi. Suffit que tu marches sur une crotte de chien en pleine nuit pour croire que c'est de ta faute. » Aurora avait le bon sens de qui a roulé sa bosse.

« Son argent nous a permis de monter une entreprise de bois, plus un motel et un restaurant. Maintenant il ne veut plus entendre parler de nous. Croyez-vous que mon père ait toute sa tête ? » Toute honte bue, l'argent semblait le problème principal.

« Pas au sens où nous l'entendons habituellement », hasardai-je, puis je tentai d'approfondir la question. « J'imagine que pendant toutes ces années il aimait être bien payé, mais qu'il ne savait pas vraiment quoi faire de son argent. Autant que je sache, il n'a jamais levé le pied assez longtemps pour avoir le temps de dépenser ce qu'il gagnait. Je suis sûr que le seul regret qu'il ait jamais eu est de ne pas avoir assez vécu aux côtés de ceux qu'il aimait, si bien qu'il s'est arrangé pour que vous ne manquiez de rien. »

« Je sais vraiment pas. Je pourrais peut-être au moins l'amener à la maison pour lui montrer mon nouveau grumier. » Bobby parlait en tripotant son portefeuille, d'où il tira une coupure de presse, qu'il déplia et me tendit.

C'était une dépêche d'Associated Press publiée dans le *Marquette Mining Journal* six ans plus tôt : « Un Homme de la Péninsule Nord sur un Chantier de Barrage Géant au Brésil. » Il y avait une photo du « contremaître en chef » Robert C. Strang, étrangement rapetissé par l'énorme roue d'un camion-benne, et une autre où, debout sur une centrale électrique, il montrait du doigt le barrage. Je lus rapidement l'article puis le rendis à Robert.

« Je dirais que voilà un homme qui connaît son affaire. » Bobby finit son whisky avec l'expression de qui a marqué un point.

« Bobby, tu te rappelles la fois où il nous a fait descendre à Miami dans cet hôtel de grand luxe ? Nous avions dans les dix ans. Nous l'avons attendu deux jours ; du matin au soir, nous nagions dans la piscine de l'hôtel, après que tu eus demandé la permission. Alors papa est arrivé en ville avec ses vieux vêtements de chantier ; il a téléphoné au magasin de vêtements de l'hôtel et ils lui ont trouvé des affaires neuves. Tu as refusé de manger de la langouste parce que, disais-tu, elle ressemblait aux larves de mouches dont tu te servais comme appât pour la truite. »

« J'ai toujours pensé que maman aurait dû l'attendre comme s'il était parti à la guerre, ou quelque chose de ce genre. »

« Ce n'est pas juste », intervint Eulia. « Un jour, mon père est parti à Limon, et nous ne l'avons plus jamais revu. »

CHAPITRE VIII

BANDE 4 : De retour à mon chalet avec une extraordinaire impression de soulagement. Mon Dieu ! Les affrontements et l'angoisse sont monnaie courante dans les grandes villes, mais ils semblent particulièrement éprouvants dans un cadre sylvestre. Imaginez une longue dispute sournoise entre deux amants dans une forêt magnifique. Je pourrais en créer une de toutes pièces, car c'est pour ainsi dire mon métier. Je croisai Strang alors que je sortais de la cour. Il était manifestement épuisé.

« On bat en retraite, hein ? »

« Vous-même n'avez pas l'air si frais. Un poète nommé Lorca a dit un jour : "Je veux connaître le rêve des pommes, loin du tumulte des cimetières." »

« C'est une belle phrase. L'amour et la mort fatiguent n'importe quel homme. Impossible de répondre à ces deux grandes questions, mais il faut veiller au grain quand elles se posent. »

« Vous voulez qu'on prenne une journée de repos demain ? »

« Oh, Seigneur, non. Je croyais qu'il y avait du pain sur la planche. »

Les gens qui travaillent d'arrache-pied ont quelque chose d'unique. Thoreau feignait seulement de flâner — chaque pas de ses promenades participait d'une idée. Je me rappelle avoir lu quelque chose sur le pèlerinage que fit Rilke pour rencontrer Tolstoï. Il déclara au célèbre comte qu'il voulait devenir écrivain. « Alors écrivez, pour l'amour du ciel », lui répondit Tolstoï. Il est inhérent aux arts que presque toutes celles qui les pratiquent sont d'intarissables névrosées. Le prisme asymétrique est la source de l'énergie. Comment se sentait Shakespeare après un bon déjeuner et une promenade le long de l'Avon ? Il ne regrettait certainement pas la côtelette supplémentaire, sinon il ne l'aurait pas mangée. L'autre soir, j'ai payé quelques verres à un Indien du coin pour voir s'il me révélerait un secret de sa tradition. Rien à faire. Nous pouvons affirmer sans beaucoup de risque de nous tromper que tous ces gens ne sont pas mystérieux. Il me donna pourtant trois truites de lac illégalement petites. A l'inverse de la truite de lac des eaux plus chaudes du Lac Michigan, les eaux froides en permanence du Supérieur produisent un poisson à chair rose dépourvue de graisse. J'ai poché la première, puis me la suis servie à la température de la pièce avec une mayonnaise au concombre et une bouteille de Sancerre. J'ai grillé la seconde sur un feu de bois et de branches de vigne trouvées près du chalet. Je l'ai accommodée avec du citron, du beurre et du vermouth. Obéissant à une discipline rare, je vais garder la troisième pour demain. Ou pas.

Strang avec ses enfants : l'émotion authentique peut engendrer la terreur. Enfants, nous sommes guidés comme des oursons. On nous apprend l'essentiel : ne pas pisser dans notre pantalon ou au lit, comment lacer nos chaussures, manger en fermant la bouche, si bien que nous l'ouvrons comme un four devant le miroir pour voir ce que cela a de si terrible. La purée de pommes de terre était intéressante. Pourtant, un grand nombre d'entre nous sont lâchés dans le monde comme des orphelins définitifs, sans parler de ceux qui sont adoptés par hasard ou sans la moindre sincérité. J'ai quelques amis riches qui furent envoyés en pension à l'âge de six ans. Mères et pères, écoutez-moi ! Ils ne s'en sont jamais remis, jamais.

Quant à moi, j'ai été un incorrigible mouilleur de draps. Un matin, j'ai bondi de mon lit à l'aube et je suis descendu en courant : mon pyjama était sec. Maman, papa, j'ai hurlé, j'ai pas pissé au lit ! Ils se sont lentement réveillés, puis m'ont fait un véritable triomphe. A dater de ce jour, ma vie s'est améliorée. A New York, tout le monde est heureux de voir les gamins de maternelle marcher dans la rue, reliés par une longue corde. Certains s'arrêtent parfois pour regarder un clochard descendre une bouteille de Tokay, alors la corde se tend.

Hier soir j'ai fait un tour en voiture dans la campagne — ici la nuit ne tombe pas avant dix heures à cette époque de l'année — muni d'un paquet de cartes topographiques prêtées par Strang. Quand nous faisons des pauses dans le récit de son histoire, il essaie de m'enseigner des rudiments de géologie, de météorologie, d'histoire naturelle, de physique, etc., y compris les formes élémentaires utilisées en engineering structurel. Mon peu de connaissances l'étonne et l'amuse. Nous parlons de l'humanisme et de mon grand savoir dans les domaines de l'histoire, des arts et des lettres, de la musique. D'ailleurs, il est loin d'être ignare en la matière. Le manuel sur l'engineering des barrages est le meilleur remède à l'insomnie que j'aie jamais possédé. Strang est un visionnaire inné de la technologie. Pour lui, les gars du nucléaire ne sont pas parfaitement au point, si bien qu'on aura encore besoin de l'énergie hydroélectrique. J'ai été ravi de l'entendre dire que le Glen Canyon n'aurait pas dû être construit, au même titre qu'on devrait interdire à la NASA de peindre la moitié de la lune en rose sous prétexte de recherches.

Me suis arrêté au bar pour un dernier verre. Le

patron a sorti le *Free Press* du matin pour discuter avec
moi les événements courants au-dessus de mon verre
d'alcool. Nous ne sommes pas allés au-delà d'un rapport
du gouvernement annonçant que le Michigan venait en
tête de tous les États pour l'alcoolisme, l'obésité et l'hyper-
tension. En deuxième position pour la consommation de
tabac derrière la Caroline du Nord. J'allume une cigarette
et fais tomber mon briquet. Le sang bat dans mes tempes
quand je me baisse pour le ramasser. Je bois une gorgée
de mon verre et me retiens de roter. Avais-je vraiment
besoin de cette assiette de pommes de terre *roesti* avec
mon poisson ? La salade exigeait-elle deux œufs durs, une
conserve d'anchois et une demi-tasse de Parmesan ? Le
patron du bar est un type trapu comme moi. Il boit du café
avec de la gnôle, et du lait à cause de son ulcère. Voilà.
Nous nous promettons de poursuivre notre discussion
demain.

Aube froide. Le vent a tourné au nord pendant la
nuit. Essayé de gratter le givre sur mon pare-brise
avec mes ongles. Pas étonnant qu'on ne voie pas
beaucoup de potagers dans les parages, alors que la
préparation des sauces de viande est quasiment
devenue une science. Je commençais à réfléchir à
mon abstinence sexuelle quand mes yeux ont remarqué un mouvement devant moi. On aurait dit
un chien beige, de taille moyenne, mais j'ai bientôt
reconnu un coyote. J'ai pris bonne note d'envoyer
une carte postale à ma mère pour lui faire part de
mes observations concernant la faune et la flore.

Tout n'allait pas pour le mieux au chalet de
Strang et nous mîmes un certain temps à démarrer.
Comme il souffrait beaucoup, il s'était permis un
cachet, qui le rendait somnolent. Eulia faisait des

élongations dans une chemise de nuit qui ne révélait rien. J'allai chercher du bois pour la cheminée et remplis le réservoir de l'ancien générateur Kohler qui leur fournissait l'électricité. La chienne coinça un tamias dans un angle, puis se coucha comme si elle ne savait que faire de sa prise. De retour dans le chalet, Eulia chauffait sur le poêle un plat qui dégageait une odeur délicieuse. Nous avons tous tendance à nous approcher du fourneau d'autrui en croisant les mains dans le dos comme un professeur hésitant. C'était une soupe espagnole aux haricots, aux saucisses et au gras de porc, qui fleurait bon l'ail. Malgré un régime imaginé à trois heures du matin à cause d'une indigestion passagère, je mourais d'envie d'y goûter.

« Nous avons passé un moment difficile. » Je remarquai des ombres sous son bronzage. « Quand ils sont enfin partis — je ne leur en veux vraiment pas — il était si épuisé qu'il s'est endormi dans son fauteuil au bord du fleuve. Je me suis assise à côté de lui pour chasser les moustiques. Ensuite, j'ai installé une moustiquaire sur lui, je suis rentrée au chalet pour préparer cette soupe. Un peu plus tard, par la porte, je l'ai entendu pleurer et je suis sortie en courant. A cause de la moustiquaire, il se croyait au Venezuela quand son ami Jorge s'est fait trancher la main. Je connaissais l'histoire. Quand je lui ai fait comprendre qu'il était près du chalet, il m'a dit que nous devions immédiatement envoyer de l'argent à Jorge. Un jour, sur la berge d'un fleuve, un paysan est arrivé derrière Jorge et lui a coupé la main parce que Jorge avait fait l'amour avec sa fille. Il faisait presque nuit, mais la lune était énorme et Robert a refusé de manger. Il veut guérir vite, car sa compagnie va commencer un barrage en Nouvelle-Guinée cet hiver. Je l'ai donc emmené en

101

voiture pour qu'il puisse ramper dans un champ, mais à cause de l'obscurité il s'est perdu pendant plusieurs heures jusqu'à minuit. »

« Je n'étais pas perdu. Je savais où était la lune et où elle se dirigeait. J'avais seulement oublié d'où j'étais parti. J'aurais toujours pu suivre la chienne jusqu'au chalet. » Il se hissa dans son châssis d'aluminium, puis se déplaça jusqu'à la table de la cuisine, où Eulia servait la soupe. « Je suis descendu trop loin vers le marais, j'ai perdu une de mes genouillères. Et puis la chienne s'est enfuie pendant un moment dès qu'elle a entendu les coyotes. Mais me voilà, sain et sauf et en pleine forme. Non ? Et puis Eulia a préparé ma soupe préférée. »

« Avez-vous vu quelque chose de spécial ? » Je ne parvenais pas à l'imaginer en train de ramper de nuit dans la forêt et le marais.

« J'ai simplement senti et entendu des choses. J'ai retrouvé courage quand j'ai réussi à me repérer au bruit du fleuve et de la source à quatre cents mètres en amont. J'ai ensuite été trompé par le méandre du fleuve qui fait qu'on l'entend des deux côtés. N'importe qui en serait déboussolé. Et puis il y a eu une aurore boréale, dont la lumière m'a permis de me repérer. Quand papa est devenu vraiment cinglé sur son lit de mort, nous l'avons aidé à sortir sur le porche pour voir les aurores boréales. Il a dit que les aurores boréales étaient le sang de Jésus qui coulait dans le firmament, ce qui m'a flanqué une trouille bleue. Ça valait largement les inventions de Karl. J'étais donc dans le bourbier de cette langue de terre, et les aurores boréales semblaient activer les effets néfastes de la plante médicinale que j'avais absorbée. Je me sentais sur une île marécageuse entourée par un fleuve rugissant, ce qui est impossible. J'ai enfin réussi à

102

détecter l'endroit où le bruit du fleuve était le plus faible et à trouver le passage de la presqu'île. Nez à nez avec un coq de bruyère, j'ai cru entendre un coup de tonnerre. »

Ce bref récit me donna le vertige. Eulia prépara un délicieux mais épais café cubain, et nous rejoignîmes les fauteuils devant la cheminée. J'entendais Eulia s'habiller au grenier, mais j'étais trop lent et soucieux pour inventer une bonne raison de lui jeter un coup d'œil. Shakespeare lui-même se serait tortillé sur son fauteuil, sachant qu'il faut sauter sur l'occasion plutôt que de se poser d'inutiles questions. Je commençais à ressentir une vague terreur à cause de la fébrilité de Strang.

———————

Quand ce coq de bruyère s'est envolé sous mon nez, je me suis rappelé une histoire de chasse qui m'a valu quelques pilules de la part d'un médecin pour calmer mes crises. Vous savez, à cause de ma maladie je n'avais pas le droit de posséder un fusil. J'étais pêcheur, activité qui a développé mon attirance pour l'eau. Papa jurait ses grands dieux qu'il n'avait pas assez d'argent pour nourrir un chien de chasse. Karl répondait qu'il paierait la nourriture, mais papa emportait le morceau en déclarant sur un ton péremptoire qu'il n'y avait pas de chien de chasse dans la bible.

Cela vous semblera peut-être un peu bizarre, mais je suis devenu le chien de chasse de Karl et j'ai vécu ainsi la période la plus heureuse de ma vie. Pendant plus d'un mois, j'ai eu un but autre que mes études. Je voulais mettre Édith dans le coup, mais Karl dit qu'un faux chien était amplement suffisant. Papa était avec Ted à Manistique pour la construction d'une école, heureusement pour nous. Maman et les filles nous soutenaient à fond, car elles voulaient que j'aie un peu de plaisir dans la vie. Après les premiers jours passés à cavaler dans les taillis et à déchirer tous mes vêtements, ma mère me fabriqua un costume de toile avec une tente des surplus de l'armée. Mais attention, Karl ne tirait pas avantage de la situation ; nous étions associés dans une opération qui alliait les plaisirs de la chasse au profit. Comme pour les baies sauvages, c'était la femme de l'avocat qui achetait presque tous les oiseaux que nous abattions, et notre famille gardait le reste. Elle offrait les oiseaux comme cadeaux aux associés de son mari à Soo et Marquette, ce qui lui valut une réputation de grand chasseur dans la péninsule nord. Un après-midi pluvieux, elle nous prépara une bécasse à la sauce française, comme elle disait. C'était bon, mais nous les préférions à la mode indienne, selon l'expression de Karl : il fabriquait une broche qu'il installait au-dessus des braises dans l'arrière-cour, puis il grillait l'oiseau préalablement enduit de beurre et de poivre. Ted nous avait acheté un livre d'Ernest Thomas Seton, *Two Little Savages*, qui était bourré d'informations à ce sujet. Quand papa rentra à la maison, il pinailla, avança quelques arguments théologiques, puis décida qu'étant donné que les oiseaux témoignaient aussi de la générosité divine, notre association était bénie du ciel.

Voici comment nous opérions : nous trouvions un abri adéquat, d'habitude des haies d'aunes, de trembles ou de cornouillers, avec un sous-bois luxuriant de ronces et de pyroles. Notre abri était souvent proche d'une de ces fermes abandonnées pendant la dépression. Nous ne perdions pas notre temps si la région n'était pas de première qualité. Nous partions le matin sur le vélo de Karl, moi sur le porte-bagage, le fusil et la gibecière sur le dos de mon frère. J'entrais dans les broussailles au vent de Karl pour que les oiseaux s'envolent vers lui. Les oiseaux que nous chassions n'aiment pas s'envoler face au vent. Je poussais un cri perçant quand un volatile détalait, puis plongeais à plat ventre pour éviter les plombs. Je zigzaguais, arpentais de long en large les fourrés comme un bon setter anglais. Je portais des gants pour pouvoir ramper dans les buissons d'épineux qu'affectionnent les coqs de bruyère, car certaines épines traversent facilement une main. De temps à autre, j'aboyais pour donner le change et informer Karl de ma position. J'étais mince et sec, mais fort ; aujourd'hui encore, je vois et sens ces fourrés aussi sûrement que je vous vois, vous et Eulia.

Puis arriva la merveilleuse journée qui contribua à modifier mon existence. Nous étions fin octobre ; l'été indien retardait l'arrivée de l'hiver. Une journée splendide, il faisait environ quinze degrés, un ciel clair et la douce lumière tendre de la fin d'après-midi. Jamais la chasse n'avait été aussi bonne — nous avions treize bécasses et neuf coqs de bruyère, et déjà j'avais choisi la paire de bottes montantes à lacets que j'allais commander par correspondance sur le catalogue de la Montgomery Ward grâce à mes gains. Nous étions assez loin de la ville, je savais que nous devrions rentrer de nuit sur le vélo de Karl, mais je m'en moquais. Alors j'entendis des cloches sonner et j'eus un peu peur, car je savais que Karl était très loin de moi et je ne parvenais pas à comprendre pourquoi il y avait des cloches au fin fond des bois.

Je restai donc assis derrière un arbre abattu, fouillant des yeux un canal d'où le bruit semblait venir. Les feuilles d'érables avaient transformé ce canal en un ruban jaune étincelant, et un groupe de merles nombreux, rassemblés avant de migrer vers le sud, mangeaient parmi les feuilles. Le spectacle était si étrange que je détournai le regard et commençai à ressentir l'impression diffuse et rêveuse qui annonçait souvent une crise. Je perdais alors conscience pendant quelques instants. Je me cachai davantage derrière l'arbre pour éviter le son des cloches. Il s'agissait en fait de deux setters anglais qui portaient des clochettes autour du cou. La femelle me repéra dans ma cachette, car j'avais manipulé tellement d'oiseaux morts ce jour-là que je sentais aussi fort qu'eux. Le mâle suivit sa compagne, plus par fidélité que parce qu'il m'avait senti. Je ne savais plus à quel saint me vouer. Alors deux hommes pénétrèrent dans la clairière et se préparèrent à tirer.

« C'est moi », croassai-je.

Les chasseurs poussèrent un cri stupéfait, si bien que je me redressai en levant les bras comme un soldat qui se rend. Ils éclatèrent de rire, puis se turent quand Karl arriva en roulant des épaules dans la clairière. A quatorze ans déjà, Karl était impressionnant. Il avait vu un film avec Tyrone Power dans le rôle de Jesse James, et il adorait imiter la démarche crâne du hors-la-loi.

« Bonjour, messieurs. Voilà de beaux chiens. Que pensez-vous du mien ? » dit Karl en me montrant du doigt. « Si vous voulez des oiseaux, nous en avons à vendre. Vingt-cinq cents le coq de bruyère, dix cents la bécasse. » Karl fit tomber nos vingt-deux oiseaux de sa gibecière pour les montrer aux chasseurs.

« Vous devez les avoir tirés dans les arbres ou à terre », dit l'un d'eux avec irritation.

« J'ai eu quelques coqs de bruyère comme ça, mais je n'ai jamais vu de bécasse à terre ou dans un arbre, et vous ? Combien d'oiseaux avez-vous tués ? »

Je choisis ce moment pour avoir une légère attaque. Je caressais les chiens, l'un secoua vigoureusement la tête, l'éclair brillant de la clochette déclencha ma crise. Quand je revins à moi, quelques secondes plus tard, le plus grand des deux hommes était agenouillé au-dessus de moi. Il s'avéra qu'il était médecin.

Ils nous ramenèrent à la maison en voiture, et le médecin parla à ma mère. Papa et Ted étaient repartis à Manistique.

Le lendemain matin de bonne heure, le frère Fred, un ami de la famille qui possédait une quincaillerie, m'emmena avec Karl au cabinet du médecin à Soo. Ma mère tenta de nous préparer un déjeuner, mais Karl insista pour m'offrir mon premier repas au restaurant. Au cours de tous mes voyages avec papa destinés à témoigner de la miséricorde du Seigneur qui avait renoncé à me foudroyer, nous n'avions jamais mangé au restaurant. A Chicago, dans sa jeunesse, il avait souffert d'une intoxication alimentaire, et Dieu n'avait pas épargné sa vie pour qu'il répétât maintenant son erreur d'antan. Le frère Fred était un authentique chrétien, mais du genre loufoque, et la perspective de quitter la ville l'enchantait. Nous n'avions pas fait le dixième du trajet que Karl l'avait déjà convaincu d'aller au cinéma pendant que le médecin m'examinerait. Nous nous jurâmes de n'en souffler mot à personne, car Fred était une personnalité importante de notre église, une partie de son pouvoir venant des récits compliqués de son passé de pécheur, dont un voyage à Detroit pour voir un spectacle de burlesque où des femmes impudiques « dévoilaient leurs parties aux yeux du monde », ce dernier récit étant l'un des préférés des fidèles masculins de notre église.

Sault Ste. Marie était un peu effrayant pour un garçon en cette période de guerre. Par les écluses de Soo circulait un tonnage supérieur à celui de Panama ou du canal de Suez ; elles étaient donc placées sous bonne garde en prévision d'une éventuelle attaque des Allemands ou des Japs. Ce n'était pas la paranoïa ordinaire, celle qui pousse les plus petits villages à pratiquer des exercices d'alerte en cas d'attaque aérienne. Un gros pourcentage du minerai de fer de la nation vient du Michigan et de Mesabi Range dans le Minnesota, et tout transite par ces écluses, transformées en camp retranché.

Nous entrâmes dans Soo à temps pour notre déjeuner avant l'heure du rendez-vous. Installés dans la salle de restaurant de l'Ojibway Hotel, nous regardâmes passer un minéralier ; l'excitation provoquée par l'énorme bateau si proche fit bondir mon estomac vide. Je récitai une prière en silence pour pouvoir un jour monter à bord d'un navire. Alors Karl nous en boucha un coin en commandant une bière pour lui et une pour Fred, lequel détourna faiblement les yeux comme une victime innocente, bien qu'il eût cinquante ans, et Karl seulement quatorze.

« T'es sûr d'avoir l'âge, mon mignon ? » demande la serveuse.

« J'ai l'âge de m'occuper de tes semblables tous les jours de la semaine. » Karl lui lance un sourire en lui caressant les fesses. Fred cache son visage entre ses mains. J'observe attentivement la scène, je ne veux pas en perdre une bouchée. Nous avons mangé de gros steaks, ils ont bu plusieurs bières. Karl me fit boire une cuiller à café de la sienne, qui me parut délicieuse du fait même de son caractère prohibé. Puis ils m'accompagnèrent au cabinet du médecin en me donnant rendez-vous dans le parc voisin après la consultation.

Je subis donc un certain nombre d'examens simples. Le médecin et ses infirmières étaient gentils, ils me donnèrent une énorme boîte de pilules, je devais en prendre une par jour. Le médecin me dit que la guérison serait progressive, mais qu'au bout du compte je pourrais vivre absolument normalement. Même aujourd'hui, ajouta-t-il, aucune raison ne s'opposait à ce que j'aille à l'école comme n'importe quel garçon de mon âge, car j'avais seulement des évanouissements plutôt que de vraies crises. Puis le médecin essaya de me doubler : il sortit une carte du comté et voulut que je coche les meilleures zones de chasse de Karl. Le genre de chose qui ne se dit pas et qu'on ne devrait jamais demander, si bien que j'ai tout bonnement indiqué des endroits éloignés de nos terrains préférés. Même chose avec les trous d'eau où grouillent les truites : il suffit de vendre la mèche pour qu'ils soient aussitôt nettoyés par les pêcheurs trop paresseux pour prospecter de leur côté. J'ai remercié le médecin, il m'a dit qu'il viendrait me voir en octobre prochain.

Heureusement que j'étais habillé chaudement, car je les ai attendus dans le parc jusqu'à l'heure du dîner ; j'ai alors découvert un frère Fred en larmes qui, me dit-il, s'était endormi et découvert à son réveil que Karl avait disparu. Mon frère avait laissé un mot : « Mes bien-aimés, je suis parti servir mon pays sur terre, sur mer ou dans les airs. Le devoir m'a appelé et mon courage a répondu avec un oui sonore. Que l'aigle vole toujours fièrement au sommet de la hampe. Votre fils et frère, Karl H. Strang. »

Un Fred larmoyant, gras et plein de bière m'envoya chercher un paquet de hamburgers dans une buvette. Au cours de notre lent voyage de retour, je dus le rassurer cent fois, lui dire que ce n'était pas de sa faute. J'avais pourtant subodoré anguille sous roche, parce que Karl avait emporté son matériel secret : couteau de chasse, pointes de flèche et photos cochonnes.

Ce fut probablement un bien pour moi, car l'hiver suivant je commençai à lire et à travailler pour de bon. Mais Karl me manquait terriblement. En fait je lui écrivais des lettres en attendant le jour où nous aurions de ses nouvelles. Il y a aussi cette réflexion, que je me fis plus tard : aussi noble qu'il ait pu paraître à l'enfant que j'étais, Karl se rebellait invariablement contre toute forme d'autorité, contre toute structure sociale, si bien qu'il était condamné d'avance. Je ne parle pas du cliché du fils de prêcheur dans le Middle West et qui sème l'anarchie ; je parle d'un homme violent, dur, en butte avec le monde. Deux fois, je l'ai tiré de prison, mais aujourd'hui je crains de ne rien pouvoir faire. On a beaucoup parlé des psychotiques et des jeunes gens incontrôlables qui rentraient du Vietnam. Mais ce fut la même chose après la Seconde Guerre mondiale, sauf que ses blessés mentaux n'ont pas bénéficié de la même publicité, parce que le cri du cœur n'était pas à la mode à l'époque. Certaines équipes avec lesquelles j'ai travaillé avaient leur lot de ces vétérans qui frôlent maintenant la soixantaine, et c'est toujours des gars coriaces, même si la plupart de ces types marqués à vie meurent plus jeunes.

Au milieu de la Seconde Guerre mondiale, mes sœurs Laurel et Ivy habitaient le sud du Michigan avec leurs maris, lesquels travaillaient au Chrysler Tank Arsenal. Quand les maris furent conscrits, les filles continuèrent à bosser en usine. Chaque semaine, Laurel m'envoyait un livre nouveau, plaisir inestimable pendant les hivers dans la péninsule nord. Ted fut très amer quand l'armée le refusa, car ses talents de maître d'œuvre étaient tels qu'on l'envoya construire des installations radar primitives dans tout le nord du Middle West. Papa passait le plus clair de son temps avec Ted, il prêchait dès qu'il trouvait une bonne âme pour l'accueillir, et n'avait jamais gagné autant d'argent. Sans les efforts obstinés de Ted, il l'aurait jeté par les fenêtres, une tendance que j'ai apparemment héritée.

Moyennant quoi maman, Violet, Lily et moi passions tout l'hiver à la maison. Un jour, Lily, qui avait seulement dix-sept ans, s'enfuit avec un pêcheur professionnel de Naubinway. J'étais heureux que Violet restât à la maison, car elle s'occupait beaucoup de moi et était de loin la meilleure et plus fidèle pédagogue des trois. Je découvris alors quelque chose : le plaisir de coiffer des cheveux. Depuis que j'étais tout petit, j'ai toujours brossé les cheveux de mes sœurs le soir. Je me rappelle un poêle ventru, une table couverte d'une toile cirée et une radio que papa refusait d'écouter, sauf plus tard quand Gabriel Heatter présentait les nouvelles de la guerre. Je brossais les cheveux de toutes les femmes, sauf ceux de ma mère. Toutes avaient les cheveux longs, mais Violet possédait les plus longs. Quelles sœurs merveilleuses ! Cela doit vous ennuyer. Nous avons certes inventé horloges et calendriers, mais cela ne signifie pas que les gens se souviennent ainsi de leur vie, vous ne croyez pas ? Certain hiver sera peut-être celui où vous avez pu voir à travers la glace. Vous allez sur le lac et si la neige fondue n'a pas brouillé la surface en gelant, vous pouvez repousser la neige et regarder à travers la glace comme par une fenêtre horizontale. De cette façon, j'ai vu nager des rats musqués et des castors, ainsi que des gros brochets, le poisson que nous recherchions le plus. C'était le plat préféré de papa, la fricassée de brochets, et la seule chose vraiment agréable que Karl acceptait de faire pour lui. Un jour j'ai lu une histoire où un cochon brise la glace de l'étang de la ferme, et le gamin du fermier le voit nager sous la glace, à la recherche de la sortie.

Cet hiver-là faillit nous tuer, maman, Violet et moi ; je suppose que cela explique pourquoi j'ai passé ma vie à travailler sous les tropiques. Nous avions eu un dégel exceptionnel en janvier, puis un orage de glace qui avait coupé l'électricité, ce qui n'avait rien d'inhabituel. Violet avait une méchante grippe, que maman attrapa. Elles pouvaient à peine se lever, si bien que je m'occupais d'elles de mon mieux, leur donnant de l'eau et de l'aspirine, vidant leurs pots de chambre, car

111

à la campagne nous avions seulement l'électricité, et pas l'eau courante. Je leur préparais du bouillon de poule, mais elles ne réussissaient pas à digérer quoi que ce soit. Ma tâche essentielle consistait à alimenter le poêle à bois et une lampe à pétrole. Je me sentais seul sans radio ni personne à qui parler. L'esprit ailleurs, j'utilisai bêtement tout le bois sec entreposé dans l'appentis. Après l'orage de glace, le vent tourna au nord et nous eûmes droit au terrible blizzard de 44 : une tempête de trois jours avec des montagnes de neige et des températures de moins quinze, moins vingt. Je distinguais à peine les congères à travers l'épaisse couche de glace qui couvrait les vitres. Violet se levait d'un pas chancelant, tapotait ma tête et me disait d'apprendre mes leçons. Je m'asseyais devant une carte du monde et *Outline of History* de H. G. Wells, les yeux fixés sur la radio muette, l'oreille tendue vers les hurlements du vent, les grincements de la maison.

Quand je suis allé chercher du bois dans l'appentis, j'ai eu beaucoup de mal à ouvrir la porte et un gros tas de neige cachait la pile de bois. Je ne me suis pas inquiété avant de creuser et de m'apercevoir que toutes les bûches étaient comme soudées par l'orage de glace qui avait précédé le blizzard. Même avec le marteau de forgeron, impossible de dégager une seule bûche. Pour dire la vérité, j'ai failli chier dans mon froc. Je n'avais personne pour m'aider, deux femmes malades sur les bras, que j'aimais et dont je me sentais responsable. Je me suis assis dans l'appentis en regardant les trois malheureux bouts d'érable qui restaient, et j'ai pleuré et prié, sans résultat notable. C'était le milieu de l'après-midi, la nuit tombait déjà. Il me parut évident que le lendemain matin nous serions morts de froid, même si je brûlais les meubles. Il fallait environ une demi-corde de bois par jour pour chauffer la vieille maison pleine de courants d'air pendant une tempête d'hiver, quand le vent qui vient du lac Supérieur souffle à plus de cinquante nœuds.

Ce qui nous sauva fut le brusque souvenir d'une des frasques de Karl. Nous adorions regarder Ted faire sauter des souches ou des blocs de roc à la dynamite — ici tous les gars du bâtiment utilisent la dynamite car la péninsule nord est surtout de la pierre. Un jour, Karl voulut faire sauter un barrage de castors et leur hutte désaffectés : il se moquait peut-être de moi, mais il semblait convaincu que les castors vivent dans des appartements qui incluent une chambre mortuaire (où Karl comptait trouver des ossements et des crânes), une cuisine où ils mangent les jeunes arbres, et un dortoir. Nous avons volé une demi-douzaine de bâtons de dynamite à Ted, installé le cordon, et enterré le tout à quelques pieds de profondeur dans le barrage. Il y avait sans doute quatre bâtons de trop — tout l'édifice s'envola et nos fouilles sur la zone de tir ne révélèrent aucun os, du moins aucun os intact.

J'ai séché mes larmes et pris la lampe torche. Puis j'ai pataugé dans les congères jusqu'à la cabane cadenassée où Ted entreposait ses affaires ; j'ai cassé une vitre, pris deux bâtons de dynamite et du cordon. J'ai creusé assez profond sous la pile de bois, enlevé la glace, glissé les bâtons dans l'ouverture, mis en place le cordon. J'ai songé que je devais avertir les femmes. Ma mère dormait, mais ma chère Violet était allongée, en sueur.

« Il va y avoir un peu de bruit, Violet. »

« Va jouer. Le bruit ne me dérange pas. Prends donc un peu de chevreuil dans la marmite, j'en mangerai peut-être aussi. »

Nous conservions le chevreuil dans la graisse de bœuf. Il paraît que les Français font la même chose avec les oies et les canards.

Allons-y, j'ai pensé en retournant dehors pour allumer le cordon. J'espérais que la charge était assez profondément enfouie pour ne pas briser les vitres, et j'ai prié afin de ne pas avoir une crise, de ne pas y laisser ma peau. Je me suis mis à l'abri et il y a eu un immense et délicieux WAM ; la pile de bois s'est élevée de quelques pieds en l'air, puis elle est retombée, totalement disloquée. J'ai ensuite passé une heure à rentrer du bois, jusqu'à ce que le froid et l'épuisement m'empêchent de bouger. Je ne pesais sans doute pas plus de quarante kilos à l'époque. Violet m'avait préparé une assiette de chevreuil et de pommes de terre.

« Je vois que tu as réussi à trouver tout le bois dont nous avons besoin », dit-elle. Après cet incident cauchemardesque, je n'ai plus jamais aimé les hivers.

CHAPITRE IX

Je fus déçu à la fin de ce « conte d'hiver ». Entendre une histoire tirée si directement de la vie d'autrui me procura un plaisir merveilleusement enfantin. Le problème avec la télévision, le cinéma, la plupart des romans, à de très rares exceptions près, est que rien n'y est fidèle à la vie telle que vous la connaissez ou à un mode d'existence concevable : le Pape cache une bombe sous sa soutane et cette bombe va faire sauter notre président parce que le sonotone du Pape est contrôlé par le KGB, lequel contrôle aussi le harem du président dont toutes les starlettes ont le vagin truffé de micros ; si le KGB réussit son coup, les Arabes lui offriront pour cinquante milliards de dollars de brut, plus toute la récolte de blé au Canada. Ce genre de chose.

Eulia nous interrompit en disant qu'elle voulait préparer le repas. Accepterais-je d'emmener Robert faire sa promenade ? Bien sûr. Un peu plus tôt, quand elle était revenue de la poste, je l'avais observée du coin de l'œil déballer un gros paquet d'où s'échappaient des vapeurs de neige carboni-

115

que. Je fis un tour dans la cuisine pour élucider le mystère.

« Un petit envoi de Marshall. Encore de la bouffe », dit-elle en se moquant.

Je repérai du canard, des côtes de veau, de la chair de crabe, des huîtres et des pinces de tourteaux, avant de me détourner en bâillant.

« Vous devez ramper avant le dîner. » Elle fit claquer une paire de genouillères supplémentaires dans ma paume en éclatant de rire.

« Avec plaisir. » Elle avait touché ma corde masochiste ; mon estomac se contracta, mes oreilles rougirent. Tout lettré de plus de quarante-cinq ans rencontre un jour ou l'autre son Ange Bleu.

« Ces filles latinos savent éveiller votre intérêt, n'est-ce pas ? J'ai mis des années avant de m'asseoir devant un damier chinois pour faire une partie avec l'une d'elles. Soit ça vous coûte une fortune, soit votre cœur, ou alors vous passez brusquement l'arme à gauche en fin de partie. Un instituteur s'est jeté d'une falaise à cause de la sœur aînée d'Eulia. » Strang avait remarqué ma gêne.

« C'était un monstre. Il a séduit une étudiante relativement innocente. Et puis c'est lui, pas elle, qui a eu l'idée de la falaise. On lui avait pourtant dit de ne pas lire autant de poésie. » Il y avait une tristesse moqueuse dans la voix d'Eulia.

Je suivis Strang vers la porte, perdu dans l'inconfortable souvenir de mon unique année d'enseignement. « Voilà bien la race qui nous a donné les corridas, l'Inquisition, les gais coloris de Goya et du Greco, la torture acoustique du flamenco, Franco, et le reste. »

Elle m'assena une bonne bourrade et me poussa vers la porte.

Ce fut un drôle de trajet, avec la chienne coincée entre nos sièges-baquets comme un guide arrogant pour touristes. Strang me mit légèrement mal à l'aise en me posant des questions extrêmement techniques à propos de mon véhicule, questions auxquelles je fus bien incapable de répondre. Il se plongea dans la brochure technique, égrena des chiffres du genre rapports d'engrenage.

« Pourquoi l'avez-vous acheté si vous ne savez pas comment ça marche ? » Il semblait sincèrement étonné, plutôt que critique.

« J'étais à Key West. Une dépression avait bousillé notre pêche au tarpon, et je me sentais démoralisé. C'est le temps passé à terre qui fait perdre les pédales. J'aimais une femme qui ne m'aimait pas. J'ai vu une pub à la télé. Le vendeur m'a payé un verre. J'avais l'argent. »

« Bonne réponse. Un jour je suis allé à Key West pour embaucher des plongeurs sur le projet auquel je travaillais. Il y avait un nombre extraordinaire d'homosexuels. On aurait dit des étudiants, des fermiers, des riches, vous savez ? Ils voulaient tous être au même endroit. Je suis passé devant la maison de Tennessee Williams parce qu'un ingénieur civil de mes amis étudiait ses pièces. Cet ingénieur a lui-même écrit des pièces de théâtre sur tous les projets de barrage du monde. Son père voulait qu'il ait un métier raisonnable. J'aime bien celle intitulée *The Rose Tattoo*. »

« Et les pièces de l'ingénieur ? » Que Strang ait lu Tennessee Williams me troubla.

« Elles sont complètement nulles. Au Brésil, il nous en a fait lire certaines scènes à haute voix. J'avais un excellent soudeur qui s'est alors découvert un prétendu talent d'acteur et nous a faussé compagnie. Les gens sont parfois étonnants. Ainsi

117

ils ne connaissent même pas le fonctionnement du moteur à combustion interne qui leur permet de se déplacer jusqu'à leur mort. J'ai une petite théorie, une théorie parfaitement futile, selon laquelle la plupart des gens ne savent jamais que très vaguement où ils se situent, que ce soit dans le temps ou dans l'ordre des choses. Les gens sont incapables de lire un contrat, un horaire ou d'identifier un pays sur une carte muette. Pourquoi, je n'en sais rien. L'alphabétisation est une merveilleuse imposture. Pourtant, ces mêmes gens ont une vie émotionnelle aussi complexe qu'une des œuvres de Bach que jouait ma nièce. »

Strang profita des quatre roues motrices de mon véhicule pour nous conduire dans un marais détrempé dont il était curieux. Trop mouillé pour ramper en juin. Nous gravîmes ensuite une longue pente à travers des arbres feuillus, puis émergeâmes dans une immense région désolée semée de souches vermoulues de pins blancs, dont certaines avaient un diamètre de deux mètres. Dans le Michigan, les arbres rescapés suffiraient à peine à couvrir Central Park. C'est un héritage honteux, comme si un vantard du Dakota du Nord clamait : « Mes ancêtres ont tué tous les bisons pour faire place à la Fargo[1] et aux moutons. »

Nous débouchâmes soudain sur la berge élevée du fleuve ; la piste se terminait en cul-de-sac. Strang ajusta ses genouillères, puis s'éjecta littéralement de la voiture tandis que la chienne galopait derrière lui. Et merde, jurai-je à voix basse, avant de courir jusqu'à la berge, d'où j'aperçus le fleuve à

---

(1) La Wells, Fargo & Co, célèbre compagnie ferroviaire, fut créée en 1852 par Henry Wells également fondateur de l'American Express Company (1850). (N.d.T.)

plusieurs centaines de pieds en contrebas, et les buissons qui s'agitaient au passage de Strang. Je me sentis un peu seul dans ce paysage stérile et nu, si bien que j'ouvris une bouteille de vin pour chasser la poussière de la route. Mon Bordeaux blanc réussirait-il à métamorphoser ces étendues sauvages comme le pichet de Tennessee ? Je l'espérais. Je regardai tristement la paire supplémentaire de genouillères et sus qu'Eulia m'interrogerait, que je mentais mal, que je devais donc ramper sur quelques mètres. J'avais stupidement retiré toute la nourriture de mon réfrigérateur, ce qui me condamnait à sauter le déjeuner. Soudain, je me retrouvai dans l'exacte situation que Strang venait de décrire : j'ignorais purement et simplement ou j'étais. Je rangeai le Bordeaux dans mon réfrigérateur Igloo, puis ajustai mes genouillères. Comment peut-on se sentir ridicule quand seul le ciel vous observe, à moins que les arbres n'aient des yeux, comme dans les contes pour enfants ? Je marchai jusqu'à un taillis d'aspect pas trop rébarbatif, puis me mis à quatre pattes en me retenant de rire. Par bonheur mes critiques ne pouvaient me voir, et pas davantage mes anciennes femmes, ma mère ni quiconque. Je me frayai un chemin à travers le taillis, essayant plutôt laborieusement d'adopter une allure — devais-je aller au pas, trotter, imiter le pur-sang ou le chien ? J'entendis, ou crus entendre quelque chose dans les broussailles devant moi. Je me levai aussitôt et retournai vers la voiture en marchant normalement, les muscles de mon dos et de mes fesses noués, comme si je venais d'être attaqué, mais que je ne voulusse surtout pas savoir par quoi. Je fis tomber de mes paumes les aiguilles de pin, puis allai chercher le vin et mon magnétophone.

BANDE 5 : Edward Curtis possédait une eau-forte représentant un coyote solitaire qui remonte un cours d'eau en pagayant dans un canoë de guerre, avec à la gueule l'ombre imperceptible d'un sourire. Il faut bien regarder sa tête pour le remarquer. Je veux dire qu'au fin fond de ces étendues stériles Strang n'est peut-être pas fidèle à l'image que je me suis faite de lui : un type alpha, un génie technologique qui se sent partout chez lui, de ces hommes qui interviennent au cœur de la réalité du monde, un bourreau de travail orienté vers le réel, etc. Par la force des choses, les écrivains sont surentraînés au cynisme, et avec l'ironie le cynisme est un dispositif, un écran qui permet de tenir le monde à distance. La plupart des écrivains pensent qu'ils sont ce que l'opinion publique leur dit qu'ils sont. Cela est difficilement évitable, à moins de se créer une vie secrète et parallèle, alors que leur mission consiste à dire les secrets, non à les dissimuler. Il n'existe aucun consensus à propos de Strang et de ses pairs, car ils ne sont pas nombreux, ils travaillent en des lieux inaccessibles et inhospitaliers, loin du vacarme du monde, et ceux qui, comme moi, ont le don des mots (j'espère ne pas me tromper) ignorent leur langage. La perspective de devoir lire les ouvrages techniques qu'il m'a donnés me fait mal aux dents.

Cela me rappelle de nouveau qu'il suffit de sortir du cercle des amis et des connaissances, de s'éloigner des confrères, pour retrouver le mystère de la personnalité. Au déjeuner, l'autre jour, Strang a souligné en riant que même le monde animal se départit rarement d'habitudes rigides qui règlent l'alimentation et les déplacements. Les oiseaux migrent vers les mêmes lieux. Il reste sur terre environ trois cents fauvettes du Kirtland qui vivent dans trois comtés du nord Michigan. Elles se retrouvent pour l'hiver sur une minuscule île des Bahamas. C'est du moins

ce que prétend ma mère. Naturellement, les bouleverse-
ments climatiques, les variations de nourriture disponible, la présence de l'homme, tout cela peut modifier leurs
habitudes.

Qui est cette fille, ou cette belle-fille, Eulia ? Elle ne
ressemble absolument pas à Strang ; c'est donc sans doute
une belle-fille. J'essaie de trouver une raison valable pour
rendre visite à Karl en prison, et au moins à l'une des
sœurs afin d'avoir une vision d'ensemble. Une sacrée
danse nuptiale serait indispensable pour approcher Eulia.
Je n'aime pas voir ses sous-vêtements sur la corde à linge ;
ils me rappellent mon avancée régulière dans la maturité,
et l'épuisement progressif, peut-être prématuré, de ma
réserve d'hormones.

Il est quatre heures de l'après-midi, Strang est parti
depuis trois heures. L'absence de nourriture m'a rendu
morose et j'ouvre une autre bouteille de vin, cette fois du
rouge. Que se passerait-il si Eulia tombait amoureuse de
toi ? Ce genre d'aventure n'arrive pas à l'observateur
distant ; à lui les mots amers, la sénescence, la déliques-
cence. Elle caresserait ton menton quand tu serais fatigué comme Little Egypt[1], Little Cartagena, les membres
moites...

Je mis brusquement les « quatre quatuors » de Bee-
thoven, une musique repérable entre les lignes si mes
livres sont assez intéressants pour attirer les étudiants de
licence. Ces quatuors équivalent à un Valium 10 ou à la
berceuse d'une mère pour un enfant de trois ans. J'essaie
de formuler une idée cohérente à partir des paroles de
Strang sur la sensualité du temps. Cette musique est
incomparable, sinon à celle des sphères. La vie ne se

_____

(1) Little Egypt : surnom de Catherine Devine, célèbre
danseuse de Coochee-Coochee (prononcer Coutchi-Coutchi), « danse
du ventre orientale » très en vogue aux États-Unis dans les années
1890 et que la scandaleuse « Little Egypt » dansa, nue, lors de
l'Exposition colombienne de Chicago en 1893. (N.d.T.).

découpe pas en tranches artificielles que nous nommons jours, mois, années, aubes, midis, soirées, nuits ; la vie est davantage rythmée par nos humeurs, nos impressions, nos traumatismes, étranges transferts de pouvoir à partir d'objets inanimés — le principe esthétique —, de rêves, reliés par des laps d'amour, de haine ou d'indifférence, changements imprévus dans le prisme de notre compréhension, zones de passion ou de luxure qui disparaissent brusquement, sombrent dans l'indolence, la peur et la lenteur...

Peine perdue. Je suis sorti de la voiture pour scruter la gorge. Aperçu le dos d'un faucon qui volait en dessous de moi vers l'amont. J'ai ressenti le vertige d'une humeur nouvelle que je ne comprenais pas, sans doute due à mon absolu isolement. J'ai voulu appeler Strang, mais n'ai pas pu. Baissé toutes les vitres du véhicule et mis une bande de Vivaldi au volume maximum, puis j'ai suivi la route, l'oreille aux aguets. Là, dans ces broussailles à perte de vue, quatre cents mètres me suffirent. Je deviendrais certainement fou si je ne pouvais orchestrer ce qui m'arrive.

———————

De retour au chalet, nous mangeâmes l'un des repas les plus succulents de ma vie, à placer tout en haut du hit-parade, parmi les dix premiers. Et ce, bien que j'aie fréquenté des douzaines de restaurants qui comptent parmi les meilleurs du monde. Cela tient en partie à la faim irrationnelle d'un homme qui ne s'est jamais permis d'avoir moyennement faim. Le seul titre que j'aie jamais admiré ou envié est celui de Curnonsky, Prince des Gourmets. Ce repas me fit comprendre l'aspect hétéroclite de l'envoi de Marshall. Il se trouve que la plupart des cuisiniers qui travaillent sur les chantiers de construction sont originaires de Louisiane. Eulia avait préparé le plat préféré de Strang : un simple gombo avec un roux très foncé, un bouillon de canard (garder la viande pour la fin), de l'ail, des piments forts, un mirepoix, quelques gousses de ketmie, de l'andouille, puis à dix minutes de la fin de la cuisson ajoutez les crevettes, les huîtres et la chair de crabe. *Caramba* !

« Vous devez arrêter de manger », dit-elle en me refusant un troisième bol.

« Et pourquoi, bordel ? » Ma gorge se serra. Je me conduis comme un gamin de douze ans quand mes désirs fondamentaux sont en jeu.

« Mais il a rampé tout l'après-midi », intervint Strang pour me défendre.

« Non, certainement pas. Ses genouillères étaient à peine sales. Il a dû parcourir vingt et un mètres cinquante. Les médecins sont passés juste avant votre retour. » Elle se tourna vers moi. « Si je vous sers un troisième bol, m'emmènerez-vous en exploration demain ? Robert n'aime pas que je sois là avec les médecins ; il veut avoir les coudées franches pour leur mentir à sa guise. »

« Bien sûr », dit Strang, « je suis le metteur en scène, j'organise tout au fur et à mesure. Je peux vous raconter ce qui s'est déjà passé, mais j'aimerais aussi contrôler mon avenir. » Strang prit la louche et me servit mon troisième bol ; son regard me dit qu'il me savait prêt à sacrifier au moins un doigt pour emmener Eulia en « exploration ». Je me contentai de picorer dans mon troisième bol sous l'œil attentif et moqueur d'Eulia ; puis, cédant à une impulsion macho, au désir de relever le gant, je vidai mon bol.

La journée avec Eulia fut radicalement différente de ce que j'avais escompté. D'abord, quand je suis passé la prendre dans la matinée, il pleuvait. J'ai attendu dehors, car la voiture louée par les médecins était déjà là. Un panier à la main, elle sortit en courant, vêtue d'une de ces tenues sportives qu'affectionnent les jeunes étrangères friquées. Nous roulâmes en silence jusqu'à la ville, et je sentis une boule grossir dans mon estomac qui frémissait au rythme des essuie-glaces. Aux prises avec un problème latin, je me rappelai qu'une beauté de Rio avait gâché la vie de mon agent littéraire pendant une année entière.

« Putain de saloperie de pluie. J'ai envie d'aller danser. Le soleil brillera peut-être un peu plus tard. Où pouvons-nous danser ? » Elle était fantasque, irritable.

Je me garai devant le bar. En ce milieu de matinée, il y aurait sûrement un groupe de bûcherons et de pêcheurs à la retraite qui prendraient un café à l'intérieur.

« Elle voudrait danser », dis-je à mon ami le patron. « Elle voudrait aussi un *Cuba libre.* Puisqu'elle boit, je vais l'accompagner. Ça va les déranger ? » Je jetai un coup d'œil aux vieux chnoques qui regardaient fixement Eulia.

« Votre argent vaut bien le leur. Ça leur fera une histoire à ressasser pendant les mois à venir. »

Elle dansa pendant deux heures, s'arrêtant seulement pour boire un certain nombre de *Cuba libre.* Ce fut une sorte de fête : quand je me sentis fatigué, un pêcheur qui avait la soixantaine bien sonnée prit le relais, avant de repasser Eulia au patron du bar en personne. Les tasses de café circulaient, je payai plusieurs tournées bon marché. La musique était réduite au strict minimum, mais Eulia se satisfit d'un pot-pourri des Beach Boys que nous rejouions sans cesse. Quand je la sortis de là, vers midi, nous étions tous deux passablement saouls, elle plus que moi, et je sautai sur le prétexte du soleil qui maintenant brillait. Je la conduisis vers le torrent que j'avais choisi pour pique-niquer. Comme d'habitude, j'avais besoin de me remplir l'estomac. Elle décida de parler et de rire en espagnol exclusivement, et je décidai de ne pas protester. Le patron du bar lui avait préparé un énorme dernier verre pour la route, qu'elle engloutit avidement.

Quand nous arrivâmes au torrent, un soleil chaud brillait et il soufflait une légère brise. Je posai le pique-nique sur une couverture et décidai que nous n'avions pas vraiment besoin d'une bouteille de vin. Sans le vent, les moustiques et les moucherons n'auraient fait qu'une bouchée de nous : je les sentais rôder sur le marais et à l'orée de la petite clairière, tels des pilotes attendant l'accalmie. En proie à une soudaine lassitude, je me fis cette réflexion que j'avais beau être deux fois plus âgé qu'elle, sans parler de ma corpulence, je ne contrôlais pas la situation. Je regrettai presque la politesse latine qui avait marqué les trois premières semaines de notre fréquentation.

Levant les yeux, je découvris Eulia nue, appuyée contre un tremble au bord du torrent. Elle sauta lourdement dans l'eau, son premier mouvement disgracieux en ma présence. Aussitôt elle poussa des cris de paon, et je courus l'aider à sortir du torrent.

« Oh madre de mio, oh merde, oh mon Dieu, oh je meurs, espèce d'ordure, espèce de sale fils de pute. »

Dans les bois les dernières plaques de neige avaient seulement fondu depuis quelques semaines, et l'eau du torrent ne devait pas faire plus de cinq degrés, la température d'une bière très froide. Le visage d'Eulia était crispé, bleuâtre, presque laid ; elle serra les bras autour de son buste comme pour écraser ses côtes. Naturellement, j'éclatai de rire. Si elle avait eu un couteau ou un revolver, je n'aurais pas eu une chance de m'en tirer. Elle me donna un soudain coup de poing à l'estomac qui me coupa le souffle, un coup vicieux, méchant et puissant qui me fit tomber à la renverse dans le torrent. J'aurais pu me casser le cou ou avoir une crise cardiaque à cause de l'eau glacée. Mon pantalon de cavalerie croisé en laine était probablement foutu, sans parler de mes bottes Cordovan. Pour une raison quelconque, je me hissai sur l'autre rive, ce qui impliquait que j'aurais à le retraverser.

« Sale conne, espèce de connasse métèque ! » braillai-je. Je la regardai mettre le pique-nique de côté, s'envelopper dans la couverture et s'accroupir à terre. Je m'appuyai contre un arbre pour reprendre mon souffle, puis cherchai un endroit moins profond afin de retraverser le torrent. Je retirai ensuite mes vêtements et les étendis sur le capot chaud de la voiture pour qu'ils sèchent. Elle pleurait en me tournant le dos. Dans ses manifestations extrêmes, l'alcool est un complet cliché, surtout si l'esprit est troublé avant le premier verre. La progression est inévitable : soulagement, extase, désespoir, dépression, éventuellement la violence.

Ma colère s'apaisa, je m'agenouillai à côté d'elle et posai la main sur son front tandis qu'elle était secouée de sanglots. Elle tendit les bras vers moi et je la rejoignis dans la couverture, un peu trop petite pour nous deux. Je l'embrassai et entendis une litanie de souffrances réelles : elle savait que son père allait mourir, mais elle l'aimait tant, elle serait « de nouveau » orpheline — le mot m'intrigua. Ses sanglots s'apaisèrent contre ma poitrine humide de larmes.

« Vous êtes comme une grosse mama confortable », chuchota-t-elle. Une main serra mon sexe toujours froid et ratatiné, qui se mit à grandir. « Nous ne nagerons plus jamais ici. »

Sa comparaison avec une mama m'avait profondément blessé, mais soudain elle ronfla contre ma poitrine avant que je n'aie pu protester. Malgré la couverture, mon corps écrasait l'herbe et des morceaux de bois piquants. Pourtant, je ne voulais pas bouger ni retirer sa main fermement, délicieusement serrée autour de ma queue. A défaut d'autre chose, je levai les yeux vers le ciel bleu et saluai à voix basse un nuage qui filait. Je réprimai le désir du voyeur : profiter de la situation pour me rincer l'œil. L'oiseau en main, comme on dit. Chère Eulia, je ne vais pas tomber amoureux de toi. j'ai simplement trouvé un travail à faire, je ne veux pas bousiller ma vie. Je somnolai.

« Ma tête ! Il faut que je prenne une aspirine. » Elle me secoua.

Je me levai difficilement, puis allai chercher de l'aspirine dans la boîte à gants et de l'eau dans le réfrigérateur. Puis je m'agenouillai pour lui tendre un verre, prenant moi-même deux aspirines. Le vent était tombé, les insectes passaient à l'attaque. Tendant le bras, elle vérifia mon érection d'une main joueuse.

« Avez-vous fait l'amour avec moi ? »

« Bien sûr que non. Jamais je ne baiserais une femme évanouie », répondis-je avec l'expression scandalisée d'un gentleman britannique parlant devant l'Assemblée des Nations Unies.

« Vous êtes un gentleman. Au Costa Rica,

n'importe quel homme m'aurait violée, et je ne m'en serais pas aperçue. Vous êtes tellement romantique. »

« Qu'est-ce qui ne va pas maintenant ? »

Trahi par ma vertu, je pris un ton légèrement cassant.

Elle se redressa sur les coudes, la couverture glissa et son visage s'approcha à quelques millimètres de ma queue. Elle l'observa comme un objet artisanal qu'elle eût exhumé sur un site archéologique. Puis elle fondit dessus, bouche ouverte, tel un coffre-fort tombant d'une corniche, mais pour une seule lampée. Puis elle bondit sur ses pieds, remit sa culotte et fouilla dans les récipients de nourriture sur l'herbe.

« Pas maintenant. J'ai une migraine terrible et je suis affamée. »

Je me rallongeai en grognant. C'était pire maintenant, la voir s'accroupir avec son cul merveilleux, casser des pinces de crabe, les plonger dans la mayonnaise, puis les sucer goulûment.

« Oh, mon pauvre gros bébé. » Elle trempa la main dans la sauce puis s'empara de ma queue qu'elle pompa vigoureusement jusqu'à ce que je m'abandonne avec un cri déchirant. Elle essuya ensuite sa main sur une serviette et continua de manger avec application. La moutarde de la sauce piquait merveilleusement.

« Nous sommes exactement comme vos Indiens, pas vrai ? Nous mangeons et faisons l'amour dans la nature sauvage. Nous avons dansé et bu. Nous avons eu une journée splendide ! » Elle exécuta une charmante et brève imitation de danse indienne, qui me fit penser à ce que Debra Paget faisait pour Jeff Chandler.

CHAPITRE X

Dans le nouvel ordre du jour, la natation avait remplacé les promenades à quatre pattes. Strang était d'une bonne humeur surprenante après avoir passé la journée de la veille à se faire examiner sous toutes les coutures par les deux médecins. Je me demandai vaguement combien Marshall avait payé pour envoyer aussi loin un chirurgien orthopédiste et un neurologue, mais la carrière de Marshall se caractérisait par des décisions précises et judicieuses. Quelqu'un m'avait dit qu'on avait offert sept millions de dollars à Marshall pour partager les frais et les bénéfices du deuxième cheval de course qu'il acheta. Il refusa, bien que les éleveurs les plus riches s'associent afin de partager les risques. Un entraîneur de Hialeahme déclara que Marshall empochait trois millions de dollars par an grâce à son étalon. Bah. A ceux qui possèdent, on donne sans compter, prétend le dicton, qui est pour moi une énigme écœurante.

« Mais comment allez-vous nager ? Nous avons essayé hier, c'était insupportable. »

« Moi aussi je l'ai goûtée. Je vais m'enduire de graisse jusqu'à ce qu'ils m'envoient une combinaison. Et puis le froid tue un peu la douleur. L'orthopédiste a déclaré que j'avais beaucoup trop rampé et que j'avais maintenant des paquets de muscles autour de mes blessures, ce qui est parfait si je désire ramper pendant le restant de mes jours. Mais si je veux marcher, j'aurai la démarche d'un foutu crabe. »

Il trouvait cela très drôle.

« Y a-t-il un nouveau diagnostic ? »

Oh non, rien de tel. Ils ignorent complètement si j'ai une chance de m'en sortir. Les chimistes suisses n'ont pas pu déterminer les effets à long terme de l'herbe. Un médecin de la compagnie a parlé à un botaniste de Harvard, lequel s'est montré plutôt encourageant dans la mesure où, pour lui, soit on meurt soit on devient complètement paralysé dans les vingt-quatre heures qui suivent. Quant aux effets sur le cerveau, ils sont totalement imprévisibles. Pour l'instant, cela semble se limiter à mes rêves, qui sont tout sauf reposants. Dans mon sommeil, je suis un bébé qui tète le sein de ma sœur Violet, mais elle semble trop jeune pour avoir eu un enfant. A dire vrai, ce sont des seins somptueux, ce qui me paraît un peu bizarre vu qu'elle est censée être ma sœur. Ensuite, le rêve continue dans une cachette que j'avais aménagée à quatre cents mètres de la maison. Un petit tertre au milieu d'une dépression marécageuse, un bosquet de trembles et de sureaux. J'allais m'asseoir sur ma souche quand j'étais triste ou effrayé ou que je voulais simplement échapper à la famille. Il n'y a aucune vie privée dans une grande famille. Dans un trou de la souche, je

130

cachais une boîte métallique conçue pour les appâts, où je rangeais mon ancien testament ainsi que des photos des actrices Jeanne Crain, Deanna Durbin et Rita Hayworth, que j'avais découpées dans *Life*. Je gardais aussi le bréchet d'un corbeau qui, selon Karl, avait des propriétés magiques. On pouvait en tirer un sifflement grave et terrifiant censé attirer les esprits, bien que je n'en aie jamais vu. Un jour d'octobre, juste après le départ de Karl pour le front, j'étais assis sur cette souche, assez troublé car je venais de surprendre ma sœur Lily et son pêcheur en train de faire l'amour. Je ne veux pas dire que j'étais choqué. Je crois que les histoires de Karl m'avaient mis au parfum, mais c'était la première fois, si je ne tiens pas compte des animaux de la ferme que j'avais souvent vus copuler. Les bruits donnaient vraiment l'impression qu'ils passaient un bon moment, disons quelque chose entre l'hystérie de certains services religieux et un match de basket. Je n'ai jamais assisté à un match, mais un soir je me suis caché dans les taillis autour du gymnase pour écouter les hurlements et les hourras. Bref, à la fin de cet après-midi d'octobre j'étais installé dans ma cachette, parfaitement immobile, quand un vol de bécasses migratrices s'est posé autour de moi. J'ai d'abord entendu le frou-frou de leurs ailes, puis je les ai vues, au moins une vingtaine d'oiseaux. Je n'ai pas bougé d'un poil ; je pensais seulement à raconter l'incident à Karl. Elles se sont dispersées pour se nourrir avec leurs longs becs, et la plupart se sont envolées quand, au crépuscule, je me suis levé pour partir. C'était d'une beauté indescriptible. Le problème est que, lorsque la scène revient dans mon rêve, toutes les bécasses sont ensanglantées, il leur manque une aile, la tête ou une patte comme dans un tableau de chasse, mais elles ne sont pas mortes. Alors je me réveille.

Je ne suis pas superstitieux, mais je me demande

si nous devrions jamais participer à la moindre tuerie ;
pourtant, je ne rêve pas de truites mortes alors que j'ai
consacré le plus clair de mon temps à la pêche à la
truite. Vous vous rappelez sans doute que je pêchais
quand la foudre m'a frappé. C'était la seule activité qui
respectait ma solitude tout en étant profitable à la
famille. Quand nous eûmes commencé de cueillir des
baies ensemble, j'appris à pêcher à Édith, ce qui ravit
ses parents. Il n'y a pas beaucoup de plats dans le
monde qui surpassent la truite saumonnée, arc-en-ciel
ou de rivière fraîchement pêchée dans un lieu sauvage.
Papa délivrait alors son unique petit sermon où nous
avions le droit de rire : chaque fois que nous mangions
un plat de poissons, il nous répétait la parabole des
pains et des poissons. Que nous ayons au moins trente
repas de poissons entre la fin du printemps et la fin de
la saison de pêche ne dissuadait guère mon père. Nous
devions manger dehors à moins qu'il ne fasse trop
mauvais, car Jésus s'était adressé au peuple sur le flanc
d'une colline. Nous nous contentions de pain fabriqué
à la maison, de poisson et de sel, bien que ma mère,
soudain audacieuse, se mît à beurrer le pain dans la
cuisine. Papa feignit de ne rien remarquer, car il adorait
le beurre et aidait toujours maman à baratter la crème
en beurre. Nous possédions deux vaches du Jersey
dans l'étable, et chacun sait qu'elles fournissent le
meilleur lait pour le beurre.

J'aurais dû vous dire que, lorsque Karl a disparu,
papa s'est mis à écrire à notre représentant au Congrès
pour lui expliquer que Karl avait à peine quatorze ans
et s'était sans doute enrôlé dans l'armée. Ce genre de
fugue n'avait rien d'extraordinaire à l'époque. Quatorze ans est un âge difficile, mais dans le cas de Karl
il a eu quatorze ans au mauvais moment. Le pays,
surtout les campagnes, qui constituent le meilleur
réservoir de chair à canon, était en proie au délire

patriotique. A l'attrait de servir la nation s'ajoutait celui de voir le monde. Quand chaque matin à l'aube vous devez couper des bûches et traire les vaches, vous feriez n'importe quoi pour partir, même au risque d'y laisser votre peau. A l'époque, si vous agitiez un drapeau devant un garçon de ferme, il pensait d'abord à l'honneur de son pays, puis à une majorette consentante.

Ted finit par conduire papa à Lansing, où pendant trois jours ils attendirent de rencontrer le représentant au Congrès, lequel avait une aversion prononcée envers les « péquenots », comme il disait. Le souvenir de ce qualificatif méprisant m'a fait me méfier de tous les politiciens. Ils oscillent souvent entre la plaisanterie et le mensonge et paraissent tout bonnement incapables de s'exprimer simplement. L'épreuve ultime est celle du langage, et on dirait qu'ils en ont inventé un de leur cru. Je crois que Karl avait conservé papa en bonne santé ; en l'absence de son fils, la santé de papa se mit à décliner. Karl fut repéré en Angleterre, rapatrié, mais il n'arriva jamais à la maison. Il s'échappa sans difficulté à New York et atterrit avec MacArthur aux Philippines, fait qu'évidemment MacArthur ne remarqua pas.

Seigneur, je me rappelle une journée d'été torride avant le retour de Karl, avant qu'Édith ne sorte définitivement de ma vie. Elle savait déjà que sa famille allait partir, car la fin de la guerre eut pour conséquence une chute brutale dans le cours du métal de récupération. Une journée brûlante d'août pendant une longue période de sécheresse qui rendait agréables les promenades dans les bois silencieux, mais le poisson difficile à trouver. La température élevée de l'eau est rarement un problème ici. Une eau de plus de trente degrés ne gêne pas la truite ; elle explore alors l'amont et l'aval de la rivière à la recherche des eaux plus fraîches des marais, des petits affluents, des sources ou des infiltrations. Édith se rappelait un endroit sur les cartes secrètes de Karl, un cours d'eau où il attrapa sa première loutre près d'une source importante. Comme nous devions marcher une quinzaine de kilomètres, nous partîmes juste après l'aube. Violet nous prépara un petit déjeuner copieux, puis nous embrassa en nous disant au revoir. Nous mîmes une miche de pain, une couverture, un couteau, un compas, des allumettes ainsi que des plombs et des hameçons de rechange dans mon havresac. En août les sauterelles et les criquets constituent le meilleur appât. Édith savait les attraper comme un martinet ou une hirondelle. Violet était devenue une grande sœur pour Édith, qui prenait des leçons avec moi. Cet été-là, nous lisions *les Hauts de Hurlevent* de Brontë et plusieurs romans de Dickens que nous aimions spécialement parce que maints jeunes personnages de Dickens étaient comme nous des déclassés.

« Et surtout n'allez pas faire de bébé. » Violet agita la main pour nous dire au revoir.

« Mon Dieu, Violet, ne dis pas ça ! » Mon visage s'empourpra, Édith prit le sien entre ses mains et courut se cacher derrière la maison.

« Ce n'est pas le moment de faire le malin, Corvus. Quand une jeune fille a un bébé, sa vie devient impossible. Fais attention, voilà tout ce que je te demande. »

Nous fûmes maussades pendant la première partie de notre randonnée vers la source. En fait, nous avions l'impression d'avoir été démasqués. Nous en étions au stade des caresses amorales et passionnées, quand le seul voile des sous-vêtements protège encore le fragile hymen. Nous nous embrassions parfois à pleine bouche pendant plus d'une demi-heure, montre en main. Nous voulions nous marier à seize ans et

134

trouver un emploi de gardiens dans le pavillon d'un richard. Il y aurait de nombreux livres et une cheminée ; le monde, qui nous ignorait si parfaitement, serait tenu à distance. J'avais acquis un certain métier en construisant trois grands bâtiments destinés aux martinets pour la femme de l'avocat, et Ted avait promis de m'embaucher quand j'aurais quatorze ans.

« Tu crois que Violet a déjà eu un petit ami ? » me demanda Édith. « Elle a vingt-sept ans. Oui, elle a sûrement déjà eu un petit ami. »

« Elle paraît savoir de quoi elle parle. »

J'enlaçai les épaules d'Édith qui, après une bonne heure de marche, était encore gênée. Nous fîmes une pause, et au bout de quelques minutes retrouvâmes nos gracieux exercices de lutte. Il y avait encore de la rosée sur l'herbe ; un faucon des marais fit quelques passes au-dessus de nous, sans doute intrigué par nos membres entremêlés. Nous finîmes à un cheveu du péché capital, puis éclatâmes d'un rire ravi. Quand j'y pense, je me demande si la vérité de la sexualité n'est pas une affaire privée, secrète, de même que la religion de chacun est un domaine privé plein de curiosités et de pactes secrets. Cela est lié au besoin de survivre, à la conservation de l'individualité. Cette sexualité ne se prête nullement à la cuisine sociologique.

Je me suis écarté de mon sujet. Je vois la scène tellement clairement — nous nous arrêtâmes pour remplir de criquets un petit sac à oignons, puis nous cherchâmes la source qui devait être juste devant nous selon la carte de Karl. Prendre la truite par surprise est payant, car on peut en attraper plusieurs avant qu'elles ne commencent à s'inquiéter pour de bon. Nous avons rampé vers le torrent le long d'une petite crête et sous le couvert des fougères. Nous étions étonnés d'entendre un bruit d'éclaboussures et quelque chose comme le jappement de chiots. C'était une grosse loutre,

135

probablement la mère, et une petite. Elle apprenait à pêcher à son bébé. Les deux animaux passaient un moment merveilleux. Alors nous reçûmes comme un choc : nous n'avions jamais vu autant de poissons dans un seul endroit. La sécheresse prolongée avait transformé le torrent en ruisselet, mais en contrebas la source alimentait un grand bassin rempli d'une eau limpide et d'herbes vert pâle. Les truites bondissaient sans arrêt pour échapper à la loutre, elles atterrissaient dans d'épais bouquets d'herbes et parfois en dehors de l'eau. Il y avait un petit massif de ronces qui permettaient aux truites de se cacher. Alors les loutres interrompirent leur pêche pour manger la douzaine de poissons qu'elles avaient mis de côté sur un banc de sable. Quand je sifflai, les loutres déguerpirent, suivant le cours du torrent jusqu'à un petit lac que la carte situait juste au-dessus de nous vers le nord-est. A notre tour d'attraper quelques poissons.

Mais nous exécutâmes d'abord une petite danse. La découverte d'un phénomène aussi étrange desséchait notre bouche et nous donnait le vertige. Une fois calmés, nous décidâmes de prendre notre temps. Car si nous pêchions toutes nos truites immédiatement, nous serions obligés de rentrer tout de suite pour qu'elles restent fraîches. Nous rejoignîmes l'autre rive et le banc de sable où les loutres avaient jeté leurs poissons. Pour la première fois Édith enleva tous ses vêtements et nous nageâmes en regardant les poissons. L'eau était si cristalline qu'on les voyait parfaitement, et quand nos mouvements étaient lents et réguliers, les truites se calmaient, les petites s'approchaient même de nos visages. Lorsque nous eûmes un peu froid, nous nous allongeâmes sur le banc de sable et explorâmes non sans gravité notre nudité. Nous commençâmes à nous embrasser, Édith était sur moi, puis elle se colla de tout son corps contre moi, et recula juste à temps. Nous étions un peu craintifs au début, mais nous nous sentions fiancés et très sérieux. Nous pêchâmes quelques truites, que nous grillâmes avant de les manger avec du sel et du pain, puis de somnoler sur le banc de sable, serrés l'un contre l'autre comme des jeunes mariés en lune de miel. A notre réveil, nous récitâmes nos prières, y compris mon habituel « Oh Jésus, faites que mon frère Karl rentre sain et sauf de la guerre. » Nous fîmes ensuite une pêche mesurée, peu désireux de nous comporter en rapaces envers les truites piégées par la sécheresse.

A mi-chemin de la maison environ, le temps se rafraîchit ; quand nous émergeâmes dans la première grande clairière, nous vîmes un front nuageux qui arrivait du nord-est, plein de masses tumultueuses et d'éclairs. Nous nous mîmes à trotter pour essayer de prendre l'orage de vitesse, et nous faillîmes réussir. A un mile de la maison, il y avait un grand champ plein de souches qu'on utilisait de temps à autre comme pâturage. L'après-midi touchait à sa fin, juste devant l'orage le ciel avait viré à une teinte jaunâtre qui nous fit peur. Cela me rappela désagréablement le jour où la foudre m'avait frappé. Édith était juste devant moi, nous courions à toute vitesse, ses longues jambes soulevaient sa robe de coton que les bourrasques fouettaient. Je la rattrapai, réclamai un autre baiser, mais elle me tira l'oreille en souriant et nous repartîmes de plus belle. Nous franchîmes la porte alors qu'un déluge s'abattait du ciel.

Ces premières affinités m'ont souvent fait réfléchir. Je suis sûr que presque tout le monde les a vécues, dans leur intensité terrifiante due à la vulnérabilité qui caractérise cet âge. Nous « aimons » avant d'apprendre à nous protéger. Une seule fois peut-être au cours de mon existence, les truites se sont trouvées ainsi réunies, et je suis certain que cet orage leur a permis de

137

s'échapper. L'idée selon laquelle les choses n'arrivent qu'une fois m'obsédait. Un jour où il n'y avait personne à la maison, Édith mit du rouge à lèvres et des boucles d'oreilles, et nous exécutâmes ce que nous considérions comme le fox-trot et le jitterbug. Il était interdit de danser sous notre toit, mais je suis sûr que les filles ont appris dès qu'elles ont mis le pied dehors. Nous nous jurâmes que notre vie commune serait dépourvue de toute règle. Aujourd'hui encore je revois ses genoux, ses fesses, ses yeux. La vie est parfois d'une violence insoutenable, vous ne trouvez pas ? J'espère que je ne présente pas cela comme une scène d'agonie, encore une chose qui n'arrive qu'une fois ! Cela tient au simple fait d'être vivant. J'ai pris toutes mes économies, dix-sept dollars, et demandé à Violet d'acheter un choix de rubans, de bagues et un collier au Prisunic pour Édith. Je l'ai vue pour la dernière fois dans la forêt par cette froide journée d'octobre. Mais je sens toujours ses petits seins frais et pointus contre mes joues, mes lèvres, mon front.

Il m'arrive de pleurer, mais je ne suis pas malheureux. Nous connaissons tous cela, n'est-ce-pas ? Chacun, un jour ou l'autre, endure ce genre d'épreuve. Karl revint au mois de décembre de ma douzième année, en 1947, au volant d'un coupé Chevrolet neuf. La guerre l'avait brutalisé et rendu mélancolique. Quand on voit les garçons d'aujourd'hui entre quatorze et dix-neuf ans , on imagine difficilement que Karl ait pu accomplir ce qu'il a fait. Il me donna un couteau de commando avec du sang séché sur la lame, un sabre japonais, une malle en fer et un compas de route. Curieusement, il parla peu de la guerre, sinon pour nous dire qu'il était retourné dans la Navy avec la permission de l'armée, parce qu'il avait suivi un entraînement de plongeur en Angleterre. En fait, il était toujours dans la Navy et son travail consistait à examiner des navires coulés dans un port ou sur des récifs. Il remontait parfois des cadavres, mais le plus souvent des plaques d'identité et des documents.

« J'aime être sous l'eau », disait-il. « Impossible d'y rencontrer les gens qu'on aime pas. Corve, faudra que je t'emmène dans l'océan pour voir les poissons. J'ai aperçu des requins dont la tête était aussi grosse que ma Chevy, et des bancs de millions de poissons. Du bateau, j'ai vu une baleine qui, même enroulée, ne rentrerait pas dans cette maison. »

Karl loua un appartement pour un mois environ au-dessus de la quincaillerie de frère Fred. En ville les ragots allèrent bon train quand on découvrit sa liaison avec l'épouse de l'avocat, qu'ils ne faisaient d'ailleurs rien pour cacher. L'avocat était revenu avec le grade d'officier, mais alcoolique au dernier degré et sans jamais être sorti des États-Unis. Karl aussi était devenu un gros buveur, ce qui s'ajouta à ses problèmes ultérieurs. Moi-même je bois un verre de temps à autre, mais j'ai toujours remarqué que les gens portés sur l'alcool perdent de leur souplesse. Quand ils sont de mauvaise humeur, ils restent de mauvaise humeur ; et s'ils sont déprimés, ils le restent aussi, car l'effet sédatif de l'alcool leur enlève toute possibilité de réaction.

Karl accomplit une chose merveilleuse lors du premier grand dîner qui suivit son retour à la maison. Noël approchait. Laurel et Ivy montèrent de Detroit avec leurs maris qui eux aussi venaient d'être démobilisés, mais avaient moins souffert de la guerre. Il était dans la nature de Karl de s'assurer qu'il se trouvait au cœur des choses. Lily et son mari arrivèrent de Naubinway avec le premier petit-fils nommé Rexton à cause de la ville natale de son père. Je trouvai étrange d'être oncle ; comme si cela m'accordait des responsabilités supplémentaires. Je tins souvent le bébé dans mes bras, un peu comme d'autres garçons tiennent un chiot. Ted arriva de Marquette avec une amie très jolie. Papa suspendit les règles de la maison au point que les hommes reçurent l'autorisation de boire un verre dans la cabane de la pompe, et que tout le monde put jouer aux cartes et au Tripoli dans le salon. Après la pénurie dramatique de la grande dépression, la guerre avait apporté la prospérité à notre famille. Les habitants de la ville nous admiraient beaucoup à cause du nombre de voitures neuves garées dans notre cour. Il y eut un moment de gêne quand l'épouse de l'avocat laissa tomber un gros jambon braisé, mais papa négocia la situation avec une courtoisie sophistiquée. Nous avons beau être un *melting pot*, les stratifications sociales sont très rigides dans une petite ville, et l'épouse de l'avocat fut le seul membre de la bourgeoisie à franchir le seuil de notre maison, à l'exception du médecin qui, cinq ans plus tôt, m'avait donné des pilules pour enrayer mes crises.

Papa n'a jamais pu résister à un public potentiel, si bien qu'un après-midi il insista pour diriger un service religieux familial. Nous dûmes tous nous agenouiller sur le linoléum froid du salon. Il y eut beaucoup de murmures, de gloussements et d'haleines qui empestaient le whisky. J'étais avec les hommes dans le fond ; ma mère, mes quatre sœurs et l'amie de Ted se trouvaient devant nous.

« Faudrait songer à payer un tapis à ce toqué. »

« Je suis catholique », chuchota un autre beau-frère.

« Quelle belle rangée de fesses », déclara le pêcheur ivre. Lily se retourna pour le foudroyer du regard. Il me semblait que mes sœurs tenaient leur mari bien en main. Alors Karl arriva du dehors, les yeux rouges et l'air méchant. Je l'avais entendu parler à ma mère de la santé déclinante de papa. Il souffrait d'artériosclérose, d'un durcissement des artères, un symptôme de ce qu'on appelle aujourd'hui la maladie d'Alzheimer.

« Veux-tu prier avec nous, Karl ? » demanda papa d'une voix mal assurée, comme s'il s'attendait à une réponse négative. Ceux d'entre nous qui connaissaient Karl ressentirent une tension insupportable.

« Naturellement, Père. »

Karl s'agenouilla à côté de papa et regarda droit devant lui, tandis que l'assistance soulagée poussait un soupir unanime.

« Dieu tout-puissant », commença papa, « pour dire les choses comme elles sont, nous Te remercions d'avoir conservé notre famille plus ou moins intacte. O Père, j'avais prédit l'imminence d'Armageddon, mais on dirait maintenant que nous bénéficions d'un répit. J'ai vu le meurtre de Ton peuple élu, les enfants d'Israël, et j'ai pensé : O Seigneur, combien de temps encore permettras-tu ce carnage ? » Il fit une pause pour reprendre son souffle. Laurel nous passa quelques numéros du magazine *Life*, et papa décrivit en termes bibliques l'horreur de ce que nous nommons aujourd'hui l'Holocauste. « Quand Tu as laissé tes enfants mourir sous le joug de l'Antéchrist, j'ai dit qu'il s'agissait certainement de l'Abomination de Désolation dont parle le prophète Daniel. Mais aujourd'hui, Tu as permis que nous soyons réunis ici tous ensemble. Tu m'as rendu mon fils bien-aimé, Karl, pour qui j'ai prié inlassablement. Nous ignorions où il se trouvait. Mais il est arrivé et a rendu nos cœurs joyeux, après avoir échappé à la peste jaune des Japonais qui veulent notre destruction. Pourrais-tu nous dire quelque chose, Karl ? »

Nous étions censés garder les yeux fermés, mais je lançai un coup d'œil à Karl, qui arborait la même expression bizarre et malicieuse que le jour où il nous avait emmenés, Édith et moi, dans le marécage pour voir le crâne géant.

« Oui, Père. Je peux vous raconter une petite histoire qui vous expliquera comment je me suis tourné vers Jésus. J'étais dans le Pacifique sud pendant une accalmie des combats. C'était une belle journée ensoleillée. Les terribles kamikazes avaient coulé l'un de nos destroyers dans le port et je devais plonger pour jeter un coup d'œil au navire. L'eau était aussi claire que l'air après une tempête et le grand bateau avait trouvé une tombe paisible au fond du port. J'ai ouvert le compartiment principal et là, dans la lumière de ma torche qui éclairait la pièce, j'ai découvert une centaine d'hommes noyés pendant le naufrage. Le capitaine était devant eux, sa main serrait encore la Bible. Je les ai fait sortir un à un et je les ai envoyés vers la surface où j'apercevais le disque brillant du soleil. L'un après l'autre, je les ai fait remonter lentement vers le haut. Cela m'a fait penser à ce que tu appelles l'Extase, quand nous allons directement au Ciel. J'ai gardé le capitaine et sa Bible pour la fin. Je l'ai fixé droit dans ses yeux aveugles et j'ai dit : "Ça n'a pas été si terrible, pas vrai ?" puis je l'ai laissé remonter vers le soleil. Voilà comment je suis venu à Jésus. »

« Amen ! » s'écria papa en embrassant Karl au milieu de ses larmes. « Amen. Je savais que cela arriverait. Louons Jésus. Amen ! »

« Amen », avons-nous répondu, entraînés un moment par la joie de papa.

Karl m'emmena ensuite faire un tour dans sa Chevy. Son intention avouée était d'aller chercher du chevreuil, bien que la saison de la chasse au cerf fût terminée depuis plusieurs semaines.

« Je m'en suis bien tiré ? » me demanda-t-il.

« Tu as été formidable. Mais as-tu dit la vérité ? »

Je tremblais en tenant le revolver de Karl, un impressionnant automatique bleu.

« Comment la vérité pourrait-elle survivre en temps de guerre ? Les cadavres enflent tellement qu'ils font péter leurs vêtements, à moins que l'épave ne soit très profonde, là où l'eau est plus froide. Je n'ai jamais vu un cadavre dans le Pacifique qui refuse de remonter vers la surface. »

Nous partagions la tradition tacite du lac Supérieur, où les corps des marins noyés ne remontent jamais vers la surface ; car près du fond, l'eau est toujours trop froide pour que les chairs pourrissent et que les gaz les allègent. Et puis les marins veulent toujours être enterrés, par exemple près de la ferme de l'Indiana où ils ont grandi.

« J'veux dire, as-tu vraiment découvert Jésus sous l'eau ? »

« Non. J'ai raconté ça pour papa. » Il but une rasade d'une bouteille qu'il cachait dans la poche de son manteau, et l'odeur du whisky se mélangea à la vapeur de nos haleines glacées. « Un jour notre navire s'arrêta au-dessus des fosses sous-marines les plus profondes de la terre, et le capitaine nous laissa nager. Je regrette qu'il n'ait pas fait nuit. J'étais le seul à plonger le plus profond possible. J'ai ressenti la même chose que lorsque je remontais vers le ciel nocturne. Voilà mon expérience religieuse. »

« Tu me flanques la trouille, Karl. Tu pourras jamais me forcer à faire une chose pareille. »

« Bois donc un coup si tu as un seul poil au cul. »

Je bus ma première gorgée de whisky et aimai ça. Nous attirâmes une biche avec une lumière, Karl l'abattit et la jeta dans la malle. Sur le chemin du retour, nous nous arrêtâmes pour montrer la biche à la femme de l'avocat, et dans la lumière du lampadaire la biche sauta hors du coffre. Elle se mit à trotter d'un pas vacillant vers le centre ville. Nous la poursuivîmes et Karl lui envoya une deuxième balle dans la tête, en pleine grand-rue. Je l'aidai à porter l'animal jusqu'à la voiture pour qu'il n'ait pas de tache de sang sur son uniforme. Les cris de l'épouse de l'avocat n'arrangèrent pas nos affaires. Karl et moi riions, surtout parce que nous étions gênés d'avoir raté notre coup la première fois. Et qui arriva sur ces entrefaites ? Le flic du quartier.

« Les gars, vous êtes en état d'arrestation. La chasse est fermée depuis un mois. »

« J'ai bien failli laisser ma peau dans les Iles Fidji. Je m'étais juré de tirer du gibier en rentrant à la maison. »

« Je devrais t'arrêter, Karl. Tu as tiré un coup de revolver en pleine ville. » L'épouse de l'avocat, qui étreignait et embrassait mon frère, déroutait le policier.

« Il n'y a pas ici un seul type assez gonflé pour m'arrêter. Et vous le savez. » La voix de Karl était menaçante ; je sentis la peur m'envahir.

« Tâche de bien te tenir tant que t'es ici. Je t'ai à l'œil. » Le flic s'éloigna dans la rue enneigée avant que sa dignité ne soit davantage entamée.

De retour à la maison, nous préparâmes un vrai festin. Karl étripa la biche dehors, puis nous lui enlevâmes les reins dans la cabane de la pompe pendant que les autres hommes nous observaient avec admiration. Nous mangeâmes les reins et le foie, les morceaux de choix, mais pas avant que papa n'ait fait une prière plutôt longuette sur la générosité de la nature.

Le soir qui précéda le départ de Karl pour le Pacifique, je surpris une conversation alors que j'étais censé dormir. La perspective d'être à nouveau seul avec Violet, maman et papa me gardait éveillé. Karl et Violet étaient dans la cuisine ; les intonations de la voix de Karl me prouvèrent qu'il buvait.

« Conduis-moi à St. Ignace et je prendrai un bus. La voiture est pour toi. »

« Je ne peux pas accepter ta voiture neuve. C'est vraiment gentil, mais... »

« Bon sang de bonsoir, Violet. Que veux-tu que je fasse d'une voiture dans le Pacifique sud ? La Navy ne s'occupe pas du transport des voitures. Et puis il est bien assez grand. Il n'a plus besoin de toi ici. »

« Je ne peux pas l'abandonner avec maman et papa. »

« Bon dieu, je t'ai déjà dit que j'ai parlé à Ted et que Ted a du boulot pour lui. Il a douze ans révolus et je ne supporte pas de t'imaginer en train d'attendre le courrier tous les jours. Tu dois faire ta vie maintenant. Si celui que tu attends devait revenir, il serait déjà là. »

« Laisse-moi le temps d'y réfléchir. Tu es tellement gentil... »

« Arrête ça, Violet. Tu es ma sœur, et je t'aime. Ne redis jamais que je suis gentil. Tu disais toujours que tu voulais aller en fac pour devenir institutrice. Tu as vingt-sept ans, tu ferais mieux de t'y mettre. »

Ainsi, Karl partit ; dix ans devaient s'écouler avant qu'aucun de nous ne le revoie. Les bribes de conversation que j'avais surprises restèrent longtemps confuses dans mon esprit — j'étais beaucoup trop déçu par le départ de Karl pour penser à quoi que ce fût d'autre. Je priais pour me faire des amis, mais nous étions beaucoup trop éloignés de la ville. Je travaillais d'arrache-pied et passai mes examens d'équivalence haut la main à treize ans. Toute vanité mise à part, notre famille remarquait seulement notre intelligence quand nous la quittions pour vivre notre vie. Les moments les plus agréables de cet hiver et du printemps suivant furent les longues balades que nous fîmes dans la Chevy de Karl. Ted nous envoyait un chèque mensuel, et nous vivions si simplement qu'il restait toujours beaucoup d'argent pour l'essence. Une fois par semaine, nous passions à la petite bibliothèque du comté pour voir s'il n'y avait pas de nouveau livre intéressant. Nous faisions ces visites pendant les heures d'école pour que je ne tombe pas sur quelqu'un de mon âge, une rencontre qui m'aurait gêné.

J'ai eu treize ans pendant l'été 1948, qui fut l'été le plus difficile de ma vie. Il n'était pas dans ma nature d'interroger le fondement des choses, mais je fus durement mis à l'épreuve. Pour commencer, je passai d'un mètre soixante à presque un mètre quatre-vingts, et je perdis toute notion des limites de mon corps. J'eus deux crises et assez logiquement j'augmentai la posologie de mes pilules pour tenir compte de ma croissance. La santé de papa déclinait rapidement, si bien que Violet et moi nous occupions de lui à tour de rôle, car ma mère n'avait plus assez de force pour cela. Presque tous les jours, papa avait de nouvelles visions qui évoquaient souvent mon destin particulier de prêcheur célèbre. Les gens ne se rendent pas compte à quel point le Nord rural est semblable au Sud rural. Comme il fait trop froid pour que les écrivains s'installent dans notre région, nous avons peu de témoignages et de confessions. Papa m'imposait quotidiennement plusieurs heures d'études bibliques assez incohérentes. Il me fit promettre d'aller au Moody Bible Institute, où il avait pris des cours du soir et rencontré ma mère. Elle-même était une femme de ménage immigrante originaire d'Alsace ; un soir, elle s'était arrêtée à l'Institut afin de se mettre à l'abri du vent féroce de Chicago. Pour vous prouver le délire de papa, nous avons passé tout le mois de juin à construire une noria égyptienne en nous inspirant d'une image de la Bible. Le journal du comté publia d'ailleurs un article à ce sujet : « Un prêcheur réinvente la Noria Égyptienne. » Il y avait une photo de papa en

146

chemise de nuit, vêtement qu'il portait nuit et jour, et de moi avec un air affreusement gêné. Je dois reconnaître que cette invention farfelue réussit magnifiquement à détourner un peu de l'eau d'un torrent jusqu'à notre jardin. Il fallut surveiller papa de plus près quand il se pointa en ville en chemise de nuit et qu'il tenta de se faire passer pour le prophète Isaïe. Ted, Laurel, Ivy, Lily, tout le monde nous rendit visite cet été-là pour essayer de raisonner papa, mais en vain. Ted, aidé par le boum de l'après-guerre, possédait maintenant une entreprise de construction de taille respectable. Quand il nous rendit visite, il me dit qu'il y aurait bientôt une place pour moi dans son affaire et me prêta toutes sortes de livres sur l'engineering civil pour que j'échappe aux corvées du « manœuvre de base ».

De nouveau et avec une terrible énergie, je me tournai vers la religion, non pas à cause de l'enseignement ou des visions de papa, pas davantage à cause de la Bible, mais parce que je me sentais coupable envers Violet. Rappelez-vous, quand vous aviez treize ou quatorze ans, ce que la sexualité représentait pour vous : une torture qui vous déchirait chaque jour. Un an et demi s'étaient écoulés depuis le départ d'Édith, et je ne me sentais attiré par aucune fille, sinon ma sœur Violet et ses caresses. C'est peut-être l'herbe que j'ai absorbée qui me fait parler ainsi — vous savez, comme un sérum de vérité —, mais à la lumière des développements ultérieurs, toute la situation prend un tour comique. Voyez-vous, Violet était une âme simple totalement dénuée de pudeur. Elle se considérait comme une honnête femme de peine, une jeune fille travailleuse, privée de tout charme et de tout attrait. Quand un jeune homme essayait de flirter avec elle, la situation la dépassait complètement. Je me rappelle lui avoir brossé les cheveux après qu'elle fut sortie de son bain, et qu'elle portait seulement une serviette nouée

147

autour des reins. Je regardais ses seins par-dessus ses épaules ; le plaisir qu'elle prenait à se faire coiffer les faisait se dresser. Elle continuait à me lire *Jean Christophe* de Romain Rolland.

Par une journée brûlante de juillet, après un long moment passé dans le jardin, nous allâmes nager dans un petit lac perdu au fond des bois que seuls Karl, quelques Indiens et trappeurs connaissaient. Violet plongea, ressortit de l'eau, puis s'allongea sur une serviette pour lire un livre et boire un soda. Je nageais et explorais le fond du lac avec une paire de lunettes que Karl m'avait envoyée de Californie. Je suivis une bande de vairons jusqu'à la partie peu profonde du lac devant laquelle Violet, allongée, lisait à haute voix un roman de Louis Bromfield. Dressant la tête hors de l'eau, j'aperçus ses jambes, ses cuisses et son sexe à travers mes lunettes couvertes de gouttes, et j'eus une violente érection. Les larmes me montèrent aux yeux, des larmes de honte et de culpabilité, si bien que je gardai mes lunettes, qui semblaient éloigner son corps, comme sur une photo cochonne. Immobile, j'éjaculai sous l'eau, sur le sable. Enfin soulagé, je nageai pendant environ une heure ; quand je revins, elle était allongée sur le ventre et je sentis l'excitation revenir. Imaginez un gosse de treize ans, ses réflexions confuses, les reproches qu'il s'adresse au sujet de l'inceste, d'autant que la Bible s'élève violemment contre ce péché. Violet se retourna, s'assit et retira le sable de son corps.

« R.C., allons-y. Nous devons prendre le courrier et préparer le dîner. » Elle se leva, enfila sa jupe, puis sa culotte, avec ces étranges petits pas que font parfois les femmes. « Je parie que j'ai attrapé un coup de soleil sur les seins, sur ce que Karl appelle les nichons. »

« Je ne veux pas partir. Et puis, nous ne recevons jamais de courrier. »

148

Ce n'était pas la chose à dire, car Violet était extrêmement susceptible sur le chapitre du courrier. Je tordis douloureusement mon érection en un vain effort pour la faire disparaître. Poussant alors un cri involontaire, je laissai tomber mon visage dans trois centimètres d'eau sablonneuse.

« R.C., au nom du ciel, que t'arrive-t-il ? Tu as une crise ? Oh, Seigneur, tu vas te noyer. »

Je levai les yeux quand elle se pencha pour saisir mes bras et me mettre à genoux. Elle arracha mes lunettes, serra ma tête contre sa poitrine, ce qui n'améliora guère mon état, vu qu'elle n'avait pas remis son corsage. Puis elle s'agenouilla afin d'examiner mes yeux et voir s'ils étaient révulsés.

« R.C., as-tu oublié de prendre ton médicament ? Comment te sens-tu ? » Alors elle comprit. Comme elle tenait mes bras, je ne pus me cacher. Quand je fondis brusquement en larmes, elle éclata de rire. « Tout va bien, mon chéri. Les hommes réagissent comme ça. Tous les hommes sont pareils, mon cœur. Tu es simplement en train de grandir, et je devrais porter un maillot de bain. Je suis désolée. Tu as besoin d'une amie. Il y a bien une fille à l'église avec qui tu pourrais faire les quatre cents coups, mais surtout prends tes précautions. »

Nous finîmes de nous habiller avec une certaine gaucherie. Elle rougit un peu et me serra dans ses bras.

« Robert Corvus, ne laisse pas ta religion te donner des idées méprisantes sur la sexualité. La Bible est pleine d'amour, mais saint Paul a un peu perdu les pédales. Tu es un bien meilleur garçon que ton frère Karl. Un jour, il m'a ligotée et retiré ma culotte. »

« Sans blague ? Qu'as-tu fait ? »

Karl allait toujours droit au but.

« Je lui ai flanqué un coup de pied dans les

couilles, voilà ce que j'ai fait. Ça a mis un terme à cette absurdité. »

Je me tournai donc de plus belle vers la religion, car je ne voulais pas être jeté en enfer pour inceste et lubricité généralisée. Selon le dogme fondamentaliste, désirer faire une chose équivaut à l'accomplir réellement. Les catholiques font preuve de plus de bon sens en considérant qu'on ne peut pas contrôler totalement la pensée humaine. Quand on regarde sa mère préparer des conserves de tomates dans une cocotte-minute, on espère que la soupape de sécurité fonctionne bien et qu'elle évitera l'explosion fatale. La métaphore est peut-être éculée, mais j'ai lu à la page des informations générales d'un journal que l'ensemble des législateurs américains avaient voté plus de trois millions et demi de lois pour essayer de faire appliquer les Dix Commandements. C'est merveilleusement ridicule, non ? Au Venezuela, un prêtre m'a prêté l'autobiographie de saint Augustin, qui décrivait exactement ma situation. « J'arrivai à Carthage où un chaudron d'amours impies bouillonnait autour de moi. » J'avais le sentiment d'avancer sur une corde raide.

A cette époque, les responsables de notre Église cherchaient un nouveau prêcheur. Les aînés venaient de virer le doux vieillard qui avait été notre prêcheur depuis une vingtaine d'années, parce qu'il était trop « moderniste ». Ce qui voulait tout bonnement dire qu'on l'avait surpris en train de pêcher avec le prêtre catholique d'Époufette et, qui plus est, ce prêtre avait de la bière dans la barque. Mon père, bien qu'il n'eût plus toute sa tête à lui, trouvait lamentable dans ses moments de lucidité de voir son vieil ami si grossièrement éjecté de sa chaire. Violet et moi éclatâmes d'un rire hystérique quand papa dit un jour à propos des aînés de notre Église : « Ces bâtards prétentieux mériteraient quelques bons coups de fouet. » Profondément enfoui dans le passé demeurait un gosse des rues de Chicago qui avait désiré monter vers le nord pour pouvoir pêcher.

Comme mon père était fort respecté par les membres plus âgés de l'Église qui, malgré son grain de folie, le considéraient comme un saint homme, le nouveau prêcheur me prit immédiatement sous son aile. Je ne le compris pas à l'époque, mais pour la deuxième fois on me manipulait — la première fois ? Quand le médecin essaya de me soutirer nos lieux de chasse favoris.

Ce nouveau prêcheur, originaire du Tennessee, était un excellent orateur. Quand je fus élu président du groupe de jeunes, ce qui était une plaisanterie un peu cruelle car personne ne voulait de ce poste, il me prit à part pour m'inculquer les principes du dirigeant et du contrôle des masses. C'était un amalgame pragmatique de toutes ses lectures : regarde-les droit dans les yeux, trouve une formule percutante qui les réveille de la torpeur de leur dernier repas, de temps à autre débrouille-toi pour pleurer spontanément à chaudes larmes, maîtrise-toi, utilise le rythme de la répétition, prépare une surprise pour la fin de chaque sermon, laisse-toi aller et Jésus parlera par ta bouche, n'hésite pas à arpenter l'estrade, si tu es perdu contente-toi de hurler « Viens vite, Seigneur Jésus ! » ou « O Seigneur, combien de temps encore ? » et ainsi de suite. Aujourd'hui je reconnais non sans gêne que cette formation ne me fut pas inutile quand je devins contremaître. Vous devez vous gagner vos hommes si vous voulez qu'ils travaillent. Pourtant, je ne me sens pas vraiment coupable ; je suppose que mes erreurs étaient dues à l'énergie et à l'enthousiasme, à la découverte que je pouvais réellement accomplir quelque chose en public après des années de souffrance et d'infirmité solitaires, sans parler des furieuses hormones qui malmenaient mon corps à la façon d'un mouvement brownien.

Sous la houlette du nouveau prêcheur, je mis au point un sermon d'une demi-heure, qu'avec quelques variantes je dus prononcer cinquante fois en deux ans. Si vous le désirez, je pourrais probablement en retrouver le texte. J'attaquais sur un thème hivernal, que je baptisais « La Glissade en Toboggan vers Armageddon », puis j'embrayais aussi sec sur la bombe atomique qui sonnait le premier coup de gong de l'Apocalypse. Les homélies un peu mièvres du Nouveau Testament n'étaient pas à mon goût, à l'exception du Livre des Révélations. Je préférais la langue des prophètes, leur intuition aiguë du mauvais présage. Rappelez-moi de vous retrouver ce sermon dans mes papiers. Nous l'examinerons comme ces paléontologues que j'ai rencontrés en Afrique dans la vallée du Rift.

Je dois reconnaître que le conseil de Violet était fort judicieux. En un rien de temps j'eus toutes les filles dont j'avais besoin — il y en avait en fait beaucoup trop pour que j'espère sauvegarder mon équilibre. Ma mère me commanda un costume bleu pâle chez Montgomery Ward. Dans une réunion sous la tente à Soo, je devais chauffer le public pour un évangéliste itinérant et je reçus vingt dollars dans une enveloppe pour ma prestation. Ce fut lors d'une réunion de l'église de Munising que je rencontrai ma première femme, Emmeline, à l'occasion de ce qu'on appelle « l'Invitation ». Il s'agit du moment de l'office où vous demandez si quelqu'un désire s'avancer et accepter Jésus comme son sauveur personnel. Vous avez sûrement vu ça à la télé. Le chœur chante « Tout comme Moi », un cantique vraiment hypnotique, et j'ai découvert Emmeline, impressionnante, qui sanglotait devant l'autel. Cela se passait pendant un revival au bord d'un lac près de Munising où plusieurs centaines de fidèles vivaient sous des tentes, louant le Seigneur et discutant le coup, car pour de nombreux jeunes originaires de villages paumés c'était leur première occasion de rencontrer quelqu'un de nouveau. Tout cela est délicieusement drôle quand j'y repense. Nous avions tous deux quatorze ans à l'époque ; Emmeline possédait ce qu'on appelle des formes voluptueuses et de grands talents malgré une coquetterie de petite fille. Le soir qui suivit sa conversion à Jésus, nous fîmes une longue promenade autour du lac jusqu'à un champ déjà coupé. Notre conversation était austère, éthérée, nous parlions de certaines Écritures susceptibles de nous aider en nos âges troublés, quand le diable pouvait lâcher une bombe atomique sur nos têtes. Emmeline resplendissait encore des lueurs de sa rédemption, qui est, du moins en partie, une expérience sexuelle. Quand nous atteignîmes le chaume encore tendre du champ fraîchement moissonné, nous entendîmes les autres chanter « La Vieille Croix Raboteuse » de l'autre côté du lac. L'auteur de ce cantique était un prêcheur de Reed City. Nous nous assîmes pour écouter la musique et regarder une aigrette pêcher du poisson. Je me rappelle que j'observais l'aigrette quand Emmeline décida de me confier sa version personnelle de « l'homme qui sauva mon âme ». Comme j'étais saturé de ces piètres péchés, je l'écoutais d'une oreille distraite. Le récit d'Emmeline fut pourtant si particulier que mes cheveux se dressèrent sur la tête et ma queue se mit au garde-à-vous.

« Voilà. Papa est mort en Italie pendant la guerre. Il restait simplement moi, ma petite sœur et maman, qui travaillait au Wonderbar de Myron. Oncle Earl, le frère de mon père, avait une jambe bousillée, ce qui lui évita le service militaire. Il s'occupait de nous et emmenait parfois ma sœur et moi au cinéma de Marquette pendant que maman travaillait de nuit. Sur le chemin du retour, alors que ma petite sœur dormait, il s'est mis à poser sa main sur ma jambe. Je savais que c'était mal, mais j'adorais aller au cinéma et, excuse l'expression, je ne voulais pas l'envoyer chier. Chaque fois que nous faisions quelque chose, un pique-nique, une promenade ou une balade en voiture, Oncle Earl tentait sa chance. En mai dernier, le jour de mon quatorzième anniversaire, ma petite sœur a attrapé un rhume en plein restaurant. Nous l'avons ramenée à la maison, mise au lit, puis nous avons appelé maman pour lui dire que tout allait bien. Alors il s'est mis à siroter son whisky Guckenheimer, et brusquement j'ai fondu en larmes. Tu vois, j'avais été invitée au bal des premières années par un étudiant, mais nous ne pouvions pas nous payer une tenue — une robe, je veux dire, — et maman n'avait pas le temps de m'en faire une. Je voulais vraiment aller à ce bal. Alors Oncle Earl a dit : je t'achèterai la robe si tu fais ce que je te dis de faire et si tu ne dis rien à ta mère. Je devinais à peu près ce qui allait se passer, si bien que je lui ai demandé de ne pas me mettre enceinte — »

« Là, là, voyons... Le Seigneur pardonne tout... » Emmeline pleurait toutes les larmes de son corps. Je craignais de ne pouvoir entendre la fin de son histoire. « Ça te ferait sûrement du bien de me raconter la suite. »

« Je ne veux pas dire que c'était entièrement de sa faute. Il boite, mais il ressemble un peu à Tyrone Power. Nous nous sommes longuement embrassés la bouche grande ouverte, puis il a enlevé tous mes vêtements, même ma culotte. Je n'étais jamais allée aussi loin avec personne parce que je voulais pas tomber enceinte. » Emmeline s'arrêta encore et s'appuya contre moi. Je désirais maintenant la fin de l'histoire comme une belette dans un poulailler.

« La confession est un baume pour l'âme, Emmeline. Le Seigneur est mort pour nos péchés, et l'heure n'est plus à la culpabilité. Débarrasse-toi du passé pour embrasser l'avenir d'un œil nouveau. »

Les mots jaillirent d'elle entre le cri et le sanglot. « Il a léché mes fesses et mis sa verge dans ma bouche ! » Là-dessus, elle s'écroula comme un sac de blé, apparemment évanouie, sa jupe de travers et largement remontée derrière ses cuisses. Sainte merde, songeai-je, en voilà plus que je n'en ai jamais demandé. Je levai les yeux vers le ciel afin de quémander son aide, réclamer ses conseils. Pour l'adolescent qui ignorait tout des comportements sexuels, la révélation d'Emmeline équivalait à une hache enfoncée dans mon front. Cet Oncle Earl rôtirait certainement en enfer, et le plus tôt serait le mieux. Je l'aidai à se relever en jetant un rapide coup d'œil sous sa jupe. Au cas où vous penseriez qu'il s'agissait d'un cas patent de détournement de mineure, Emmeline reconnut des années plus tard qu'elle avait « plus ou moins » séduit Oncle Earl pour aller à son bal d'étudiants. En tout cas, elle a fait de moi ce qu'elle voulait jusqu'à mon départ en Afrique sept ans plus tard. Ce fut le soir suivant que nous imitâmes l'exemple d'Oncle Earl, après nous être assurés que la Bible ne stigmatisait nulle part ce type de pratique. Au cours de ces variations destinées à éviter le péché, nous nous dévorions littéralement et frénétiquement chaque fois que nous nous rencontrions. Moments sexuels inoubliables, corps et âme immergés également dans le grand mystère, mariage quasiment impossible à répéter ultérieurement, quand des douzaines de questions absurdes mais inévitables se posent chaque fois qu'un homme et une femme se rencontrent.

Le mois d'octobre qui suivit fut le plus froid de mémoire d'homme, totalement privé du merveilleux répit de l'été indien. En plus des prêches, j'étudiais les manuels du bâtiment, j'apprenais la trigonométrie et je creusais des puits pour Ted, exactement comme Karl quelques années plus tôt. Le puits classique doit descendre assez profond pour éviter le gel. Vous l'ignorez probablement, mais à quelques pieds sous terre la température est de dix à onze degrés tout au long de l'année. J'attrapai ensuite une pneumonie qui m'obligea à garder le lit pendant quelques semaines. Je commençais à peine de guérir quand un matin à l'aube Violet entra dans ma chambre. Comme elle pleurait, je la suivis, très inquiet. Elle avait entendu papa délirer, ce qui n'avait rien d'inhabituel, mais quand elle entra dans la chambre des parents, maman était morte et papa gémissait en la serrant dans ses bras. Quand nous y allâmes, papa avait enfoui son visage dans le cou de sa femme et chantonnait une chanson d'amour populaire : « Tu es mon rayon de soleil, mon seul rayon de soleil... » Nous ne savions que faire, si bien que nous nous agenouillâmes près du lit et j'entamai une prière : « Seigneur, Vous avez repris ma mère pour l'emmener au Ciel. Bénissez-nous, qui restons derrière elle. » Papa finit par se joindre à nous, et nous dûmes chanter quelques cantiques ; il mélangeait toutes les paroles, si bien que nous passions d'un cantique à l'autre tandis que nos genoux nous faisaient souffrir le martyre. Nous mélangions « Lavé dans le Sang de l'Agneau » avec « Incomparable est la Grâce Merveilleuse de Jésus » ou « Je suis en Sécurité dans le Creux de Sa Main ».

La mort de ma mère marqua la fin de l'existence telle que je l'avais connue jusqu'alors. J'ai pensé souvent et longtemps à ma mère, bien qu'à l'époque ce fût Violet qui assumât l'essentiel de la fonction maternelle. Peut-être à cause de son épuisement, car j'étais le dernier de sept enfants. Mais cela ne tenait pas au manque de liberté des femmes de l'époque. Il était dans l'ordre des choses de choisir assez vite sa vie et de persévérer, que le choix initial fût bon ou mauvais. La femme de ménage alsacienne rencontre le charpentier illuminé. Ils se marient et s'engagent dans une existence passablement limitée avec une confiance touchante en leurs capacités et leur amour mutuel. Comme ils s'aimaient ! Sans arrêt ils se bécotaient et faisaient de longues promenades ensemble. Karl racontait que les grincements de leur matelas empêchaient tout le monde de dormir. Je veux dire que, si vous êtes d'accord avec le destin pour élever sept enfants, alors vous en faites la tâche de votre existence. Ma mère était la meilleure cuisinière que j'aie jamais connue ; je regrette souvent de n'être pas allé en Alsace, car les gens y mangent certainement d'excellentes choses. Rappelez-moi de vous préparer quelques-uns de ses plats. Je ne sais que dire, sinon que je l'aimais et que mon cœur se serre parfois quand je pense à elle.

Il fallut conduire papa à la maison de santé du comté, mais à l'époque ce n'était pas aussi moche qu'on pourrait le croire. Il avait plusieurs amis là-bas, dont un vieux fermier un peu toqué qui transportait papa dans une brouette quand Violet et moi venions lui rendre visite. Il avait perdu presque toutes ses facultés mentales, mais ses prières et ses sermons attiraient un public enthousiaste, et sa bonne humeur ainsi que ses plaisanteries étaient très appréciées du personnel de l'établissement. A la lumière d'un événement ultérieur, je me rappelle maintenant que Violet rougit quand papa me présenta comme son « petit-fils », le « prêcheur à la langue de feu ». Papa mourut au mois de mai suivant, moins de six mois après ma mère, et ce fut le plus grand enterrement jamais vu dans le comté. Les gens de la campagne deviennent nerveux quand un saint homme meurt. On me choisit pour lancer la première pelletée de terre sur son cercueil.

Violet avait été en correspondance avec la sœur unique de maman à Fargo, dans le Dakota du Nord. Elle nous quitta peu après la mort de papa. Je lavai la vieille Chevy de Karl et retapai les enjoliveurs. Violet comptait d'abord aller dans le Sud parce qu'elle n'avait jamais visité la moufle du Michigan au sud de Detroit. Mais finalement elle décida de partir vers l'ouest sur la Route 2, car elle ne voulait pas pénétrer trop rapidement dans le monde. Ted et sa femme, qui étaient venus me chercher, restèrent sur le porche pendant que j'accompagnais Violet jusqu'à la voiture. C'était une magnifique matinée d'été, nous marchions sans un mot. Notre émotion nous permettait seulement les phrases les plus simples.

« Je t'aime, petit frère. »

« Je t'aime, Violet. »

Quand, avec la sensibilité détachée de qui a vécu presque toute sa vie à l'étranger, je repense à cela, je sens tout ce que nos paroles ont de déplacé. C'est d'ailleurs compréhensible, car la symétrie convient mieux au métier d'ingénieur qu'à celui de vivre. Dès que vous souhaitez devenir quelque chose, vous êtes déjà autre chose. Dans le cauchemar qui a suivi mon accident, j'ai rêvé que nous étions tous des œufs noirs fertiles qui nous enfermaient dans un univers liquide et confiné. Je sais que nous voyons tous le monde différemment, et ce que je viens de vous raconter m'est peut-être trop particulier pour être d'un quelconque intérêt. Je ne crois pas m'être vraiment senti chez moi dans le monde depuis cette matinée d'été où j'ai dit adieu à Violet. Mais je n'ai pas pu regretter longtemps mon foyer ; car, comme pour tant d'entre nous, il a vite disparu. Et puis j'ai sans doute trop voyagé sur cette terre pour avoir le temps de me préocuper de ça.

CHAPITRE XI

C'était un chaud après-midi de juin ; installés sur le porche grillagé, nous venions d'achever la séquence précédente. Je prenais des notes et regardais Eulia et Strang qui sur la rive en contrebas se préparaient pour sa séance de natation. Ils parlaient rapidement en espagnol pendant qu'elle enduisait de graisse ses jambes et son corps pour le protéger contre l'eau froide. Jusqu'ici, la nage l'avait beaucoup fait souffrir ; les faisceaux de muscles développés par la marche à quatre pattes étaient sujets aux crampes dans l'eau, mais Strang était certain de pouvoir venir à bout de ce problème. La veille, il avait eu une crampe si douloureuse qu'il s'était cassé une dent en serrant les mâchoires. Je pris note de l'interroger sur cet apparent contraste entre son intelligence et son optimisme. Je faillis écrire « optimisme adolescent », mais le terme était à la fois injuste et inexact. Nous commencions à nous sentir enfermés dans la clairière et le chalet, si bien que nous envageâmes de rendre visite à Emmeline, Robert Junior et Aurora avant le retour de cette dernière en Italie. Ma curiosité obsessionnelle me poussa à suggérer une visite à Karl dans sa prison de Marquette. Strang me répondit que Karl refuserait probablement de voir quiconque, mais que je pouvais toujours lui adresser un mot pour lui proposer une entrevue. La merveilleuse récompense qui suivait les longues séances de natation quotidiennes consistait en la grosse enveloppe envoyée par Marshall et qui décrivait le projet de Nouvelle-Guinée. Il n'y avait pas de photo, à l'exception d'une vue aérienne du site, les classiques quarante-cinq kilomètres carrés d'enfer vert balafré par un large fleuve. L'enveloppe contenait des plans et des spécifications, qui provoquaient de temps à autre des exclamations de plaisir chez Strang. Un élément fondamentalement mesquin de mon esprit me poussait à sonder davantage Strang pour dénicher la faille, la grande explication banale et réductrice qui est au cœur de tout portrait journalistique et qui permet, du moins pendant le temps de la lecture d'un article, de ramener l'être humain le plus noble à des dimensions prosaïques : l'école de « Faulkner était ridiculement petit », ou « Churchill, gras comme un crapaud, recracha sa bouchée de flan en toussant », ou encore « Eisenhower, malgré ses prétendus talents pendant la Seconde Guerre mondiale, parut mal à l'aise et stupide lors d'une conversation qui suivit le dîner dans sa villa d'hiver de Stokely Van Camp ». Ce genre de saleté, Iago déchaîné, le ressentiment moite d'un pisse-copie dans un pays où les politiciens ne cessent de brandir le spectre mythologique de la Frontière. Les biographes d'écrivain ont un talent remarquable pour rendre le sujet de leurs investigations plus assommant que la moindre de ses œuvres.

Voilà. Agenouillée en bikini, Eulia pointait ses

fesses vers moi avec une précision télescopique. Même si elles sont hors de ma portée, elles doivent bien se douter de mon regard, songeai-je, avant de laisser mes pensées dériver dans les frondaisons. Ce n'est la faute de personne si ma tête pèse une demi-tonne, net. La vie de Strang semble pleine, parce qu'elle « est » pleine, et sans le moindre effort de sa part. Quand ma mère me sentait rancunier, elle disait toujours « Râleur, râleur, râleur ». L'étau qui serrait mon cœur se relâcha un peu quand je vis Strang battre des pieds dans le courant rapide en se tenant à une corde. Il faisait des battements le plus longtemps possible, puis s'allongeait sur la berge pour se réchauffer et reprendre son souffle. La chienne se joignait à ces activités avec une gravité touchante, comme si elles eussent été spécialement conçues pour elle. Pendant ces premiers jours de natation, Eulia se comporta en jeune mère anxieuse, mais elle se détendit quand Strang lui rappela qu'il avait survécu dans un fleuve beaucoup plus vaste après son accident, et privé de l'usage de ses jambes.

Eulia devina mon humeur et reconnut le syndrome new-yorkais, un état d'angoisse ou de dissociation dû à la nécessité de se débrouiller entièrement seul, loin du territoire habituel. Des années auparavant, j'avais rencontré deux pêcheurs de truites français en vacances dans le Montana. Leur première semaine s'était magnifiquement passée, puis la morosité s'était installée, à cause de la mauvaise nourriture, du mauvais vin et de quelques jours pluvieux. Comme ils étaient prêts à tout annuler malgré une pêche plus qu'abondante, nous leur préparâmes une daube d'élan à la provençale accompagnée d'os à moelle et d'une caisse de Zinfandel californien décent, et nous invitâmes quelques-unes de ces cowgirls hargneuses et portées sur la coke qui infestent l'Ouest ; moyennant quoi nos deux Français retrouvèrent leur bonne humeur initiale.

Eulia manifestait toutes sortes de subtilités émotionnelles qui sont le propre des femmes intelligentes d'Amérique du Sud, et devant lesquelles les mâles les plus machos finissent par trembler, battre en retraite pour tenter de retrouver leur force grâce aux mensonges habituels, l'alcool, le sport, la violence. Plutôt que de trembler, je me retirai dans un état de confusion mélancolique. J'eus envie d'envoyer à un maître Zen de ma connaissance une demi-douzaine de ces beautés latino-américaines pour une « sesshin » privée, et de voir si, comment et pourquoi il surmontait l'épreuve.

Je sentais maintenant une boule dure au plexus solaire en regardant Strang se débattre dans le fleuve : O Seigneur, laisse tomber, espèce de sale crétin, rentre dans les rangs, piétine ta volonté et mords la poussière que nous bouffons tous en nous apitoyant sur nous-mêmes. J'entendais le magnétophone à piles d'Eulia dans une petite clairière de la forêt où chaque jour elle faisait ses exercices de danse. Je distinguai *le Sacre du printemps* de Stravinski et quittai le porche pour franchir les sept huitièmes de la distance qui me séparait de la clairière afin de m'approcher de cette musique, un de mes morceaux préférés.

Je l'apercevais à peine à travers les arbres, et parfois pas du tout. La musique avait atteint un passage violent et rythmé, Eulia la suivait en levant les genoux vers son menton en un mouvement de pistons. Quand je m'approchai, il me sembla que le moindre faux pas de sa part risquait de lui briser le menton. Un observateur extérieur aurait pu comparer la scène à « Suzanne et les Vieillards », et je me sentis vaguement honteux : elle tourbillonnait et bondissait en avant, s'arrêtait soudain, puis reprenait sa marche à travers la clairière, cette fois en me tournant le dos. Elle portait l'un de ces collants de danse réduits au strict minimum, coincé dans la fente de ses fesses et trempé de sueur. Dire que j'étais pétrifié serait un euphémisme. Ce fut d'abord étrangement non sexuel, comme le jour où elle était sortie sous l'ondée, mais la musique descendit ensuite de ma tête vers le creux de mon estomac.

Soudain elle se tut, et les yeux d'Eulia se fixèrent sur les miens entre deux bosquets d'arbres. Pris en flagrant délit, j'avançai en feignant une quelconque intention, le cœur battant. Epuisée mais pleine de vitalité, elle se mit à rire. Elle leva un pied, sa plante effleura chacune de mes épaules puis se posa un instant sur mon front, et je profitai de cet adoubement par la prêtresse d'une église invisible pour embrasser sa cheville. Alors la chienne aboya et nous entendîmes la voix de Strang. L'inquiétude envahit aussitôt les yeux d'Eulia, qui se précipita vers la berge, tandis que je la suivais à une distance sans cesse croissante.

Il avait réussi à se hisser sur ses pieds en enfonçant les talons dans la boue du fleuve et en tirant sur la corde. Il arborait un sourire fêlé et braillait un cantique : « Travaillez, car la Nuit Approche. » Les efforts qu'il faisait pour se maintenir debout avaient quelque chose de ridicule.

« Je vous aimerai brûlants ou froids à Laodicée. Mais parce que vous êtes tièdes, je vous chasserai. » Il avait le coffre convaincant d'un évangéliste, sa tête remuait au rythme de ses paroles. « Ainsi, il m'emmena en esprit dans le désert, et je vis une femme assise sur une bête écarlate... et cette femme était vêtue de pourpre... sa main tenait une coupe d'or remplie d'abominations et des déchets de sa fornication... sur son front un nom était écrit : MYSTÈRE, BABYLONE, L'ILLUSTRE, LA MÈRE DES PROSTITUÉES ET DES ABOMINATIONS DE LA TERRE... et je vis cette femme ivre du sang des saints et du sang des martyrs de Jésus... »

Alors il lâcha prise, tomba à la renverse dans le courant, coula, puis remonta à la surface à une dizaine de mètres en aval. J'atteignis l'eau avant Eulia, je fis un saut prodigieux pour ma corpulence alors que les cris de la jeune fille résonnaient dans mes oreilles. Je pataugeai maladroitement en direction de Strang, qui flottait le dos en l'air très loin devant moi et approchait d'un embâcle de bûches. Mes vêtements lourds et trempés ainsi que l'eau glacée ralentissaient ma progression, la rendaient épuisante. Je fus entraîné dans un tourbillon et touchai le fond sur lequel je me rétablis juste à temps pour voir Strang attraper une branche d'aune en surplomb de l'eau. Il se propulsa littéralement hors de l'eau d'un seul mouvement, et la chienne gravit la berge derrière lui. Puis elle se retourna pour aboyer joyeusement vers Eulia et moi. Strang disparut dans les sous-bois. Je me frayai un chemin aussi vite que possible à travers le marais ; derrière moi, Eulia pleurait et tremblait de froid.

Allongé à côté de la porte du chalet, Strang se tordait et délirait, ses jambes épuisées par la marche à travers le marais. Eulia se précipita dans le chalet tandis qu'agenouillé à côté de lui, je ne savais à quel saint me vouer. J'avais été témoin d'une grave overdose dans une rue de Key West,

164

mais la situation présente était radicalement différente car Strang souriait, et son sourire me plongeait dans une terreur absurde. Je dus employer toute ma force et tout le poids de mon corps pour maintenir son bras immobile afin qu'Eulia pût y enfoncer l'aiguille de la seringue qu'elle avait été chercher dans le chalet. Par bonheur, l'effet de la piqûre fut instantané : les crispations disparurent, son corps se détendit, ses yeux se fermèrent, mais le sourire demeura, indélébile.

« Nom de Dieu. » Je me mis à pleurer pour la première fois depuis que ma femme avait demandé le divorce.

Eulia sortit un oreiller et une couverture, puis s'assit en silence à côté de Strang. Je retirai ma chemise trempée pour laisser le soleil réchauffer mon dos, puis entrai dans le chalet pour y prendre la bouteille de whisky, lequel, pour une fois, semblait le remède approprié.

« Ça lui est déjà arrivé ? »

« Deux fois depuis son séjour à l'hôpital. La dernière fois, le premier jour que nous avons passé ici. »

« Je vais lui demander pourquoi il souriait. Cela peut paraître grossier, mais je tiens à le savoir. »

Eulia s'assit à côté de moi à la table de pique-nique, puis posa son bras sur mon épaule nue. Elle but une longue gorgée de mon verre de whisky en regardant la chienne se pelotonner contre Strang comme s'il ne s'était rien passé d'extraordinaire.

« La première fois, c'est arrivé dans une chambre de motel, et j'ai cassé l'aiguille de la seringue. Je lui ai donc fait une deuxième piqûre, et j'ai eu peur de le tuer. Je venais juste de lui faire l'amour.

Il avait passé trois mois à l'hôpital, je l'avais emmené à l'hôtel et j'ai commencé à lui faire l'amour pendant qu'il dormait. Vous devriez partir maintenant. Merci. »

BANDE 5 : Minuit est passé depuis longtemps. Le cristal de ma montre est plein d'eau, et le réveil est dans la chambre. Je me suis senti sonné en quittant Eulia et Strang. De retour chez moi, j'ai pris pour une fois un Valium et essayé de dormir. Bon Dieu, baise-t-elle avec son propre père ? Pas très probable. Ou son beau-père ? Pas vraiment plausible non plus. J'ai dans la tête l'image d'un vaste zoo de plein air où j'aurais passé la première partie de la journée du mauvais côté d'un grillage ; comparaison un peu facile, mais émotionnellement juste. Comme le sommeil ne venait pas, j'ai parcouru à pied les deux miles qui séparent la plage de la ville, prouesse physique pour moi sans précédent. Je désirais en quelque sorte me vider — il n'y a rien de si fatigant que l'émotion vraie.

Je me heurte au problème de réussir à décrire objectivement Eulia, même si votre serviteur et narrateur lui court modérément après. Pendant ma longue promenade vers la ville, j'ai réfléchi à l'absence totale d'alternatives entre lesquelles choisir. Qu'aurais-tu voulu être ? Oh, il est beaucoup trop tard pour se poser ce genre de question. L'eau bleue, inhabituellement calme, de la baie me rappela les Caraïbes et ce qu'on y voit au-dessus du plat-bord d'une barque quand la mer descend à travers une passe. L'eau peu profonde écrasée de soleil révèle alors tout ce qui y prolifère, en une succession heurtée d'espèces diverses : requins-tapis, petits requins épineux, poissons comestibles, barracudas, crabes ronds, vairons, authentiques poissons tropicaux, pagres, petits poissons bleus, aiguilles de mer, méduses, éponges, spécimens non identifiés de flot et de mer, bébés crevettes translucides, bouquets d'herbes des sargasses, étranges créatures filiformes, et tout cela passe à portée de main pour cette simple raison que la terre tourne et que la lune attire l'eau. Ce flux vivant donne le vertige, une impression de départ implacable. Le retour de la marée montante est beaucoup plus progressif et ordonné, une lente procession qui rappelle nos premières années, et leur écoulement imperceptible. Personne n'est prêt, semble-t-il, à la perte de contrôle, à l'accélération inéluctable qui caractérisent les années ultérieures.

Le rythme de la marche sur le sable plus dur m'apaisa au point que je me sentis presque heureux, peut-être parce que le petit chien rencontré quelques semaines plus tôt se mit à courir autour de moi en attendant que je lui lance des bâtons. Ce chien consacre manifestement sa vie à se trémousser de plaisir. Même dans mes instants les plus lucides, je n'ai jamais pu me convaincre que moins, c'est plus. Un jour, dans un hideux palais vénitien, j'ai mangé une infecte nourriture italienne. Pourtant, chacun s'obstine à considérer l'horizon en espérant y discerner une lueur, un peu comme un enfant pauvre attend Noël en réprimant ses espoirs.

Le village était en émoi à cause d'un acte de vandalisme. Des jeunes campeurs originaires de Detroit, à sept heures de route au sud, avaient crevé des dizaines de pneus à coups de couteau la nuit précédente. Un commerçant, dont j'avais fait la connaissance, voulait abattre les coupables avec son fusil. N'est-ce pas un peu excessif, comparé à leur forfait ? lui demandai-je. « Vous inquiétez pas. J'me ferai pas pincer », répondit-il en se trompant sur le sens de ma question. Comme cette région ne connaît quasiment aucune violence, je m'interrogeai sur l'intensité des émotions créées par ce qui ailleurs serait un banal incident. Question facile, dit-il, ici nous n'avons pas l'habitude de ces conneries. En d'autres termes, ces gens n'ont pas été désensibilisés. La réception est si mauvaise que la plupart d'entre eux ne regardent même pas la télévision. Je ne dis pas qu'ils sont meilleurs ou pires que nous, je dis seulement qu'ils ont conservé leur sensibilité. L'anesthésie qui caractérise la plupart d'entre nous est proprement terrifiante. Les yeux de ma belle-fille retournèrent vers l'écran de la télévision quand je lui expliquai que la vieille dame qui tenait le tiroir-caisse du magasin de délicatesse à côté de chez nous avait été frappée à mort à coups de battes de base-ball parce qu'un groupe de jeunes gens avaient connu une enfance malheureuse. Bah, tant pis. En tout cas, j'ai découvert le bon moyen d'épuiser mes forces. Je suis parti faire un tour en voiture avec un autochtone pour aller « vérifier » un emplacement à truites dans un torrent au diable vauvert. A partir du cul-de-sac d'une piste forestière, nous avons marché pendant trois heures aller-retour, un vrai nettoyage de poumons et un indescriptible bain de boue dans des marais, sur des collines, à travers fondrières et marécages. J'aurais volontiers fait demi-tour, mais j'avais peu de chances de retrouver la voiture tout seul. Et puis je conservais un reste crotté de fierté masculine. Autrement dit, cette expérience me permettra de m'apitoyer sur mon sort jusqu'à la fin de mes jours. Nous avons réussi à garder une demi-douzaine de magnifiques truites de torrent ! Les moustiques et les moucherons nous ont chassés.

Jamais je n'ai ressenti une impression de déjà-vu aussi forte. Nous étions au bord d'un marécage où le torrent traversait une petite prairie couverte de sumac. Il y avait une source et une berge argileuse avec un toboggan pour les loutres — ces animaux adorent se laisser glisser dans l'eau pour s'amuser. Nous devions prendre cinq poissons pour réussir à en sauver un. Je tremblais d'enthousiasme. Quand je me suis agenouillé pour boire à la source, j'ai aperçu une truite qui m'observait à travers des herbes d'eau. Il y a eu un cri d'oiseau, ou bien était-ce la voix d'Édith ? J'entendais presque les voix de Strang et d'Édith, surtout leurs rires. Peut-être faisait-il la planche dans l'eau pendant qu'elle restait assise sur la pointe sablonneuse, les jambes écartées. C'était hallucinant, bouleversant ; j'ai dû prendre une profonde inspiration pour chasser cette sensation. Pourquoi ai-je voulu la chasser, revenir à la réalité ? J'avais mon compte, je n'étais pas assez solide pour supporter la pureté de cette image animée conçue par mon esprit.

Enfin de retour au chalet, les jambes tremblant de fatigue. Malgré ma faim, je me suis endormi sur le canapé dans mes vêtements boueux et j'ai rêvé d'une femme inaccessible que j'avais aimée à distance. Nous sommes nus et baisons avec une énergie que je n'ai jamais connue dans la vie réelle. Je me réveille en larmes, je cuis ma truite, prépare une salade de choux crus hachés fin, et réchauffe le pain. Je laisse la salade de choux dans la cuisine, mais prends mon assiette de poisson, le pain et une bière froide pour aller voir le coucher de soleil dehors. Il n'y a pas de miracle des pains et des poissons parce que je suis seul. Au-dessus de la lagune, un martin-pêcheur s'habitue à ma présence. Nous mangeons tous les deux du poisson. Une fois encore, je vois Strang avec ses frères et sœurs, sa mère, son père qui tente d'obtenir la bénédiction divine pour le repas. Strang, et son obstination forcenée pour que la vie lui permette de continuer son travail.

———————————

Le lendemain matin, le chalet, la cour, le fleuve, tout semblait inchangé, mais j'eus l'impression d'un décor entièrement remis à neuf après une catastrophe. Malgré ses yeux cernés, Strang semblait assez heureux, et Eulia étrillait la grosse chienne comme une poupée. Je fus soulagé quand Strang dit que c'était sans doute une journée idéale pour aller voir

Emmeline. Toutes les questions que j'avais préparées étaient caduques, mais je désirais reprendre un récit qu'il n'était pas en mesure de poursuivre.

Sur la route de Manistique, nous nous arrêtâmes au village pour qu'Eulia pût téléphoner à Emmeline. J'en profitai pour prendre leur courrier, que Strang fourra dans ma boîte à gants sans lui accorder la moindre attention.

« Une bonne chose quand on travaille sur un chantier, c'est qu'on reçoit seulement du courrier une fois par semaine. Ainsi, ce n'est pas un agacement quotidien. Le courrier arrivait par un avion de la compagnie le vendredi, et on avait le weekend pour y réfléchir. Le lundi, après le travail, je répondais à tout le monde, écrivais une longue lettre à Emmeline, Bobby et Aurora. Ensuite vint le tour d'Allegria et d'Eulia, mais je continuais d'écrire à Emmeline. Après cela, Evelyn et toutes les autres, plus les amis que je m'étais faits dans le monde entier, y compris des enfants et des étudiants que j'aidais. Sacré boulot que toutes ces lettres à écrire, quand on veut éviter les platitudes. Je n'aimerais pas en faire mon gagne-pain. » Il rit en me donnant une tape sur l'épaule.

« C'est terrible quand vous n'êtes pas d'humeur à ça. Comme une dévitalisation chez le dentiste. A Harvard, au dix-neuvième siècle, il y avait un savant nommé Agassiz. Il partit en expédition dans la région où je travaillais. Il demandait à ses étudiants de décrire de façon détaillée la flore et la faune pour s'assurer qu'ils voyaient vraiment la nature. Lui-même a écrit une description paraît-il époustouflante du poisson-soleil commun. »

« J'aimerais bien la lire si vous pouvez me la trouver. J'ai essayé de décrire un anaconda à Bobby, mais j'ai fini par lui envoyer la tête et la peau séchées. »

La tête et la peau de l'anaconda ornaient un mur du motel-restaurant-station-service d'Emmeline. C'était un établissement beaucoup moins modeste que je ne m'y étais attendu. Il y avait de nombreuses voitures, des patrons et des employés. Dans son bureau, Emmeline remplissait un formulaire pour obtenir une licence d'agence immobilière.

« S'il y a de l'argent à faire dans le coin, autant qu'il atterrisse ici. »

Nous fîmes une brève visite du lieu, heureusement limitée par la prothèse métallique de Strang. Le bâtiment se trouvait sur la Route 2, très fréquentée pendant l'été. L'immense cuisine scintillante contrastait avec le menu minimaliste que je ne pus m'empêcher de lire à la sauvette.

« Tu as bousillé la dinde, Florence, vire ton gros cul d'ici », lança Emmeline à la cuisinière avec le rire grave qui la caractérisait.

Nous remontâmes en voiture pour rendre visite à Bobby et voir son nouveau grumier. Strang monta devant pendant que j'étais coincé derrière entre Aurora et Eulia.

« Je parie que vous regrettez de quitter ce merveilleux endroit ? » Aurora partait le soir même pour retourner en Italie.

« Vous plaisantez ? J'ai grandi dans ce bled en regardant des cartes du monde, exactement comme papa. Je reviendrais peut-être ici quand j'aurais assez bourlingué. C'est pour ça que je me suis engagée. »

« Aurora joue les snobs dès qu'on fait allusion à sa ville. Moi, je suis seulement allée à Hawaii l'an

171

dernier. » Emmeline conduisait la voiture sur le gravillon de la route comme dans une course de stock-car. Nous sortîmes d'un virage en dérapant des quatre roues.

« Ici, au pays de la neige, tout le monde veut aller voir Don Ho, ou bien Wayne Newton à Las Vegas », me chuchota Aurora.

« Je t'ai entendue, espèce de petite salope. Je dépenserais pas un sou pour aller dans un pays aussi crasseux que l'Italie. »

« Ce n'est pas un pays crasseux, maman. En fait, ce sont les Italiens qui ont inventé le savon. »

Mon attention se relâcha, car la jupe d'été en coton d'Eulia était remontée loin au-dessus de ses genoux, comme elle se tournait pour regarder le paysage. Quant à Aurora, plantureuse et bien en chair, elle soulignait ses phrases en serrant ma jambe. Sexuellement, la péninsule nord est un caisson d'isolation sensorielle. Moyennant quoi ses habitants calment leurs nerfs avec la gnôle, mon poison préféré, et ce qu'un ami baptisa « la maladie du poumon noir de l'écrivain ». Ici, il suffit de s'éloigner un peu de la moindre concentration humaine pour se retrouver perdu en pleine forêt. Autrefois, il y avait des nymphes et des bacchantes dans les bois, mais elles ont apparemment émigré vers des climats plus cléments, probablement en Californie.

Bobby fut ravi de nous voir sur son site de déboisement. Les trois autres ouvriers restèrent en retrait à l'orée des arbres ; ils témoignaient d'un certain appauvrissement du patrimoine génétique de la région. Bobby saisit le bras de Strang et lui montra une gigantesque machine jaune.

« Papa, voici mon grumier Franklin 130-XL. Tu as vingt mille dollars sous les yeux. » Strang

172

hocha la tête en levant les yeux vers la machine, puis Bobby le prit par la taille pour le hisser sur le marchepied et lui permettre d'atteindre le siège. Avec son t-shirt maculé, Bobby exhibait une carrure impressionnante qui aurait sans doute fait réfléchir Mohammed Ali. Il grimpa sur le grumier pour rejoindre son père, puis ils démarrèrent dans un rugissement assourdissant.

Eulia avança pour saluer les ouvriers.

« Vous ne trouvez pas ça triste d'abattre ces arbres ? » l'entendis-je leur demander.

« Plus personne les r'garde. Et pis y'en a des bottes dans le coin. » L'ouvrier s'empourpra.

A leur retour, je refusai poliment une balade sur le grumier. Bobby demanda si Aurora ne pouvait pas prendre une photo d'Eulia et de la machine, pour conserver un souvenir de cette journée.

« Les vestiaires de ces bûcherons sont couverts de photos pornos. Ne leur montre pas un centimètre de peau, ma chérie. »

« Pas de danger », rétorqua Eulia en s'appuyant contre un pneu boueux. Elle déboutonna son corsage pour laisser voir un mamelon, puis releva suffisamment sa jupe pour nous montrer qu'elle ne portait pas de culotte. Elle affecta un sourire de madone timide, et le contraste fut merveilleusement salace.

« Corve, une femme mûre n'a plus la moindre chance dans ce monde », couina Emmeline.

« Madre de Dios », fit Bobby.

Le déjeuner fut excellent, à condition d'apprécier la dinde rôtie accompagnée de légumes et de bière froide par un chaud après-midi de la fin juin. Bobby déclara qu'il avait tué la dinde dans sa ferme seulement après avoir reçu notre coup de

173

téléphone. Il l'avait tirée de loin dans le poulailler avec son calibre .22 parce que « la peur bousille la viande quand on court après la volaille ». Ses deux enfants en bas âge étaient là, et Strang, qui les voyait pour la première fois, fondit sur eux. Le petit garçon s'endormit dans le giron d'Eulia. Personne ne parla de sa femme, partie avec le représentant en cosmétiques. Le beau-père, le second mari d'Emmeline, était un petit homme discret, étrangement élégant, qui découpait adroitement la dinde mais ne racontait que des niaiseries.

Pour moi, le clou du déjeuner fut la présence d'Earl, l'oncle d'Emmeline, un homme corpulent aux cheveux teints en noir et qui portait une salopette de mécanicien ; frisant les soixante-dix ans, il ne ressemblait que très vaguement à Tyrone Power. Il était assis à côté de moi, et sa conversation était agréable, hormis les allusions aux événements locaux. Il me dit qu'il s'occupait en faisant le ménage dans la station-service et en dirigeant un orchestre de polka à l'ancienne mode. Si Emmeline le permettait, il y avait une petite chance pour qu'il nous joue un morceau après déjeuner. D'un geste discret, il me montra l'étui d'un accordéon sous une table voisine. C'était donc lui le séducteur d'Emmeline ! Au moins trente-cinq ans plus tôt, ce vieux chnoque avait léché son cul et enfilé son zizi dans la bouche de sa nièce pour le prix d'une robe de bal. Je fus vaguement secoué en songeant que ces événements marquants passent d'ordinaire inaperçus. Il existe un univers d'amour, de trahison et de mort que personne ne remarque. Les principaux concernés vieillissent, et comme ils ne sont pas particulièrement séduisants ni célèbres, sinon pour le petit cercle de leurs intimes, le contenu émotionnel de leur existence s'évapore. Sauf pour eux.

Oncle Earl me laissa entendre qu'il avait encore une vie sexuelle. Du menton, il me désigna une serveuse empâtée qui acceptait de baiser pour vingt billets de loterie du Michigan. Quand cette même serveuse m'apporta une part de tarte aux cerises maison, je l'examinai attentivement en cherchant quelque signe extérieur de déviance. Oncle Earl ajouta que la fille partageait avec lui les éventuels gains de la loterie. En mars dernier, un billet leur avait rapporté cinquante dollars, ce qui lui avait permis d'amortir un peu les frais de sa lubricité.

Après le déjeuner, on ne put retenir Oncle Earl, qui sortit de son étui l'accordéon redouté. Il commença par « Y a pas d'bière au paradis » (« C'est pour ça qu'on la boit ici ») ; Aurora et Emmeline apprirent à Eulia à danser la polka. Danseuse-née, elle apprit les pas en quelques instants. Je profitai d'un morceau pour l'entraîner dans tout le restaurant — il suffit d'être né dans le Michigan pour savoir danser la polka, même si on a suivi un régime de Monteverdi et de James Joyce pendant l'adolescence. Je sentais la cuisse de dinde et son lourd accompagnement de gras clapoter dans mon estomac. Mais mentalement je voyais les cuisses bronzées d'Eulia et quelques boucles de toison qui se détachaient contre les pneus boueux du grumier Franklin 130-XL. Je me demandai seulement plus tard ce que nous faisions tous ici. Je passai un moment délicieux, frôlant les tables en formica avec une danseuse du Costa Rica dans le restaurant d'un motel proche de Manistique, Michigan.

Le voyage de retour fut marqué par une note amère, grinçante. J'avais laissé Eulia conduire, car Oncle Earl avait sorti une bouteille de Slibovitza, alcool et panacée yougoslave, et les innombrables toasts m'avaient plongé dans une sorte de somnolence. Le problème était que Strang avait sorti son courrier de la boîte à gants, puis annoncé qu'Allegria, sa deuxième femme, allait arriver pour une brève visite.

« Je vais la tuer », siffla Eulia en écrasant l'accélérateur.

« Tu ne vas tuer personne. Elle a autant fait pour toi que n'importe qui pour autrui. »

« Elle a laissé mon petit frère partir se battre au Salvador — »

« Se battre dans le mauvais camp — »

« Tu ne connais rien à la politique en Amérique Centrale — »

« Hier tu me disais que j'étais quasiment né là-bas. En tout cas, je sais que tes compatriotes peuvent être d'une cruauté à faire blêmir le pire des Siciliens. »

« Je la giflerai. »

« Ce qui te vaudra illico un billet de retour pour Puntarenas. »

Alors Eulia leva le pied et pleura un peu. Strang enlaça ses épaules.

« Elle restera seulement quelques jours. Comme d'habitude, elle m'annonce qu'elle doit descendre à Miami. »

BANDE 6 : Minuit. Espère que Strang retrouvera le fil de son récit demain matin à l'aube. La bouillie de la réalité quotidienne me laisse sur ma faim. A mon retour au chalet, j'ai découvert non sans inquiétude que je flottais dans mon pantalon. J'ai d'abord pensé au cancer, puis songé que j'avais totalement bouleversé mes habitudes alimentaires et réduit ma consommation d'alcool. Depuis presque un mois je vis entre les longues causeries du matin, les après-midi passés à organiser mes notes, à trouver de nouvelles questions, les aller-retour en voiture et les marches jusqu'au bar. Ai-je réussi à m'engager dans un projet supérieur aux exigences de mon estomac ? Peut-être, mais je dois tenir compte de la pénurie des produits de base. La moindre salade romaine implique un voyage de cent dix miles. Je pouvais traîner chez Dean & Deluca, me garer en double file devant chez Zabar ou scruter la vitrine de chez Loebel avant d'entrer dans le magasin pour acheter une fantaisie superflue. Ici, il n'y a pas de vieux copain avec qui déjeuner, dîner ou préparer la cuisine. Hier après-midi, en travaillant, j'ai mangé mon premier sandwich au thon depuis des années. C'était un jour sans ail. Si je perds sept kilos par mois pendant un an, je ne pèserai plus que quinze kilos. Je pourrais finir ce livre en novembre, puis aller passer un mois en France histoire de jouer au rugby. Il y a aussi le fait qu'Eulia m'excite beaucoup plus qu'il n'est normal à mon âge, mais la passion ne suscite-t-elle pas toujours l'exception ? Et puis zut : Eulia constituerait le régime ultime. Je reviendrais à New York, invisible de profil, aussi maigre qu'un prisonnier de guerre, le cœur en capilotade, véritable concentré de mal d'amour.

J'ai ramé dans une barque ! D'un bout à l'autre de la longue lagune, la première fois depuis trente ans, jusqu'à ce que la peau de mes mains soit arrachée. Tout ça à cause d'un vertige qui m'est venu en songeant que j'avais adopté un rôle déplacé, parce qu'il n'y avait personne pour me voir et que, par conséquent, je n'étais pas en représentation. En ramant, j'ai pensé à un groupe fluctuant d'amis écrivains qui se réunissaient une fois par mois environ pour dîner chez l'un ou chez l'autre. Même ces dîners portaient le sceau de la compétition. La plupart des discussions avaient pour sujet : qui est payé combien pour faire quoi : articles, scénarios, essais, romans — ce dernier genre avait été quasiment abandonné comme trop risqué. J'évoquais un article que j'avais lu dans un de ces guides de voyage — j'en possédais autrefois un plein placard — où l'auteur déclarait qu'il n'y avait rien d'intéressant à voir à Encarnación, une ville de cinquante mille âmes en Uruguay. A mon grand étonnement, tous acquiescèrent. Pourtant, aucun membre du groupe n'avait jamais mis les pieds en Amérique du Sud, sauf moi à cause d'un séjour en Ecuador pour pêcher. Voilà des années que l'Amérique du Sud était passée de mode. Des bruits couraient à propos de Mengele, de l'architecture de Brasilia, du film *Black Orpheus*, du mardi gras, du prix Nobel de Gabriel García Marquez, de la vie de Cortázar à Paris, ce genre de potin. Les écrivains étant des spécialistes de l'hyperbole, je me lançai dans la mêlée avec toute l'énergie du Bourgogne et m'enthousiasmai à propos de la pampa, des gauchos, du bassin de l'Amazone, des nuits tropicales pleines de superbes putains et de cocaïne bon marché (ils dressèrent l'oreille), du Machu Picchu sous la pleine lune, des steaks de cinq livres qui coûtent cinq dollars, des rubis qu'on achète une bouchée de pain, ce genre de dithyrambe. L'un de ces plaisantins acerbes me cloua alors le bec en se déclarant certain que le groupe pourrait réunir cinquante mille dollars, remboursables, afin de m'envoyer passer six mois à Encarnación. Je négociai la durée de mon séjour à trois mois, arguant que six mois représenteraient un véritable sacrifice financier. Dans la dure lumière du matin, je pris mes dispositions afin de m'installer à Palm Beach pour raisons de santé. Tout en ramant, il me parut évident que les écrivains, contrairement à Strang, négligeaient allègrement des continents entiers. Un jour, Strang avait déclaré d'un ton sec qu'il n'avait jamais rencontré le moindre de nos représentants au Congrès en Amérique du Sud ou Centrale et que, jusqu'à preuve du contraire, il les considérait comme une bande de juristes bilieux. Des ampoules se formaient sur mes mains. J'imaginais tout le Congrès américain et le Présidium soviétique réunis sur une Elbe coupée du reste du monde. Je voyais Reagan et Andropov s'observer d'un air rêveur de part et d'autre de l'Atlantique, leurs culs dressés comme d'énormes scorpions roses métalliques, tandis que les autres continents attendaient dans l'angoisse le résultat de leur conférence. J'aimerais que Karl réponde à ma lettre. Je songe à cet amoureux de la forêt qui passe ses étés, ses mois de mai et d'octobre en prison.

CHAPITRE XII

J'hésite à faire un saut dans le temps, mais la nuit dernière j'ai rêvé de bateaux. Vous vous rappelez ce repas à l'Hôtel Ojibway avec Karl et Fred, pendant lequel j'ai regardé les navires passer ? Eh bien, il y a des années Marshall m'a trouvé une place sur un pétrolier géant qui transportait sa cargaison du Venezuela au New Jersey. Aussi étrange que cela paraisse, j'ai rencontré peu d'hommes travaillant dans le pétrole qui m'aient plu. Je veux bien être convaincu du contraire, mais j'ai été en contact avec ces gens dans le monde entier et il est difficile de les aimer. J'attribue cela à leur cupidité, à la vénalité intrinsèque à leur métier, et puis à une sorte de préjugé tenace, à l'image qu'on se fait du type qui bosse dans le pétrole — vous savez, le stéréotype du cow-boy-joueur-amant-bosseur genre texan, même s'il est originaire du Wisconsin. L'un de nos ingénieurs civils avait organisé un petit groupe dans un club que nous fréquentions à Caracas et qu'il avait baptisé Société pour Barrer la Route au Texas. Bref, j'ai eu un billet sur ce pétrolier, et ce qui m'a le plus excité fut le moteur du navire, un diesel MAN de construction allemande, en fait un K2 93/170, un douze cylindres de vingt-cinq mille chevaux. Le moteur seul pesait mille deux cents tonnes, l'équivalent de mille deux cents Volkswagens ou de six cents voitures ordinaires. J'ai des photos et des données techniques quelque part dans mes dossiers, je vous montrerai tout ça. J'ai passé un bon moment à examiner ce diesel sous toutes les coutures en espérant qu'il me permettrait d'oublier Allegria, mais en vain. Je vous reparlerai de ça plus tard. Ce moteur a réussi à s'incruster dans mon esprit. Quand vous êtes amateur de ce genre de chose, vous restez là complètement ahuri. Les chutes d'Iracu au Brésil m'ont fait le même effet, et puis un marsouin d'eau douce et aveugle — ils naissent ainsi — que nous avons vu dans un affluent de l'Amazone. Je suis sûr que n'importe qui connaît ce genre d'expérience. Elle vous catapulte dans une autre dimension. J'ai ressenti la même chose quand Ted m'a emmené sur les piles du pont de Mackinac avant qu'ils aient vraiment attaqué sa construction. On apercevait le détroit vide, cinq miles de large, des centaines de mètres de profondeur, puis j'ai regardé les projets d'architecte et j'ai trouvé inconcevable qu'on puisse construire un pont au-dessus de ce vide. Je me rappelle ce jour comme une expérience religieuse. En fait, je portais mon costume, le costume de prêcheur bleu clair que ma mère m'avait commandé par correspondance, mais comme j'avais beaucoup grandi, il ne m'allait plus. Ce jour-là, je n'ai pas dit grand-chose, mais j'espérais ne pas avoir laissé une mauvaise impression. Cela devait se passer en 1954, quand Ted réussit à décrocher toutes sortes de contrats pour le pont, logement des ouvriers, maintenance, transport du calcaire, etc. Ted semblait connaître tout le monde. Nous mangions dans un restaurant de St. Ignace avec une bande d'ingénieurs, et je réussissais difficilement à avaler une bouchée. Il y avait tellement

182

d'excitation dans l'air ; bien que travaillant avec Ted, je me sentais comme la cinquième roue du carrosse.

Je vais trop vite. Après le départ de Violet pour le North Dakota, je suis parti vivre avec Ted et sa jeune épouse, Rachel, à Marquette. C'était la fin du boum de la construction de l'après-guerre, et j'ai passé trois ans à aider Ted à bâtir des maisons et des immeubles. Ted était le seul membre de notre famille doué pour les affaires ; j'étais incapable d'estimer l'argent qui rentrait dans ses caisses. Je peux dire qu'il fut extraordinairement heureux pendant la construction du pont. Je l'ai vu à Miami l'an dernier, avant son installation en Alaska, et il était dans un sale état. Par-dessus le marché, il me jalousait à cause de tous les projets d'irrigation et des barrages sur lesquels j'avais travaillé. Ted avait littéralement construit des milliers de maisons mobiles et par la suite des modèles plus luxueux. Après le pont il s'installa à Lansing, puis à Detroit. Bien sûr, quand je l'ai vu, sa fille s'était fait violer quelques mois plus tôt. On ne peut pas sous-estimer l'effet d'une pareille atrocité sur un père, et encore moins sur la fille elle-même. Ted voulait parler du bon vieux temps à Marquette et à St. Ignace quand on travaillait sur le pont. J'ai une mémoire assez fidèle, parler du bon vieux temps a toujours été une de mes marottes.

Je ne suis vraiment pas fier de ces années, disons entre quatorze et vingt ans ; la plupart me semblent caractérisées par l'égoïsme et l'insensibilité. Le travail me fournissait une bonne excuse, le moyen de m'affirmer aux dépens d'Emmeline. Nous nous sommes mariés à seize ans, un âge nullement inhabituel chez les enfants des classes dites pauvres. A cette époque, je travaillais sur le pont avec Ted, qui nous acheta une modeste maison à Époufette, une adorable petite ville sur le lac Michigan, pas très loin de St. Ignace. De fait, je désirais obtenir le salaire d'un adulte. N'importe qui aurait pu faire mon boulot — construction de routes, d'entrepôts, conduire des camions-bennes. Ce fut seulement plus tard que je développai certaines capacités uniques qui donnèrent un sens à mon travail. On dit que les ouvriers qui bossent sur les ponts, les pontonniers, sont tellement frustes et mauvais qu'on ne sait jamais s'ils sont malades, ivres ou les deux ensemble. Je singeais ces hommes, y compris les Mohwaks, célèbres pour leur capacité à travailler à des hauteurs invraisemblables. Et les métallos, qui s'occupaient des parties immergées du chantier, des caissons, du battage des pieux, des coffrages, étaient encore plus cinglés. Je crois qu'avant l'Afrique je ne me suis pas débarrassé de toutes les grossièretés apprises pendant ces années. J'étais dégoûté des églises en ciment où j'avais prêché ; le pont lui-même représentait la voie qui aboutit au monde extérieur, et je participais à sa lente construction. A travers les jumelles de Ted, j'observais les ouvriers fileurs de câbles ; j'aspirais à une tâche exaltante et dangereuse que j'exécuterais à des centaines de mètres du sol. A l'époque, la section centrale constituait le plus long pont suspendu du monde, plus de mille trois cents mètres. Sur le rivage, nous étions tous un peu perplexes, et notre excitation tomba vite. Bizarrement, je me rappelle le nom de tous ceux qui sont morts : Frank Pepper, Albert Abbott, James La Sarge, Jack Baker, Robert Koppen. Nous autres les jeunes ouvriers désirions participer aux travaux les plus dangereux pour avoir une chance de mourir en héros !

Les déceptions qu'Emmeline et moi avons connues sont peut-être le lot de tous ceux qui se marient aussi jeunes. Le plus souvent, je travaillais douze heures par jour et six jours par semaine. J'étais si épuisé que je m'endormais souvent pendant le dîner. Bobby et Aurora arrivèrent rapidement, et notre principale distraction consista à jouer avec les bébés. Seulement pendant la pause du milieu de l'hiver, quand le chantier du pont fermait, nous avions l'occasion de penser à nous. Emmeline s'était liée aux jeunes femmes des autres ouvriers, qui nous considéraient comme ridiculement vieux-jeu. Je me rappelle un soir où je suis rentré à la maison pour trouver Emmeline en larmes. C'était en novembre 1955, quand la travée sud faillit être arrachée dans une tempête de cent kilomètres à l'heure.

« Ça ne va pas, ma chérie ? » je lui ai demandé. Elle avait beaucoup grossi après la naissance des enfants. Mais c'était aussi de ma faute, car mes récriminations concernant les repas — ma mère était cent fois meilleure cuisinière qu'Emmeline —, avaient développé chez elle un intérêt excessif pour la nourriture.

« J'ai bu un verre de bière aujourd'hui chez Wanda », elle a hoqueté. « J'vais sûrement aller en enfer. Sauve-moi, Corve. »

« Un Dieu plein d'amour ne va pas t'envoyer en enfer pour un verre de bière. »

« Si, Il va le faire », elle a hurlé.

« Un peu de vin pour tes douleurs d'estomac », a dit saint Paul. Connaissant les Écritures sur le bout des doigts, je les utilisais à bon escient. Quand je n'avais pas envie d'aller à l'église, je me rappelais que Jésus avait dit : « Œuvrez à votre salut dans la peur et le tremblement. »

Rachel, la femme de Ted, devina que nous avions des problèmes et prit nos mômes chez elle pour que nous puissions partir en week-end à Soo. Je peux vous dire que nous avons fait la fête. Nous avons acheté une radio et un électrophone et nous avons joué des disques dans notre chambre à l'Ojibway. Nous sommes allés manger deux fois à l'*Antlers*. Nous avons acheté de la bière et du schnapps, puis nous sommes remontés écouter de la musique dans notre chambre et nous envoyer en l'air. Nous avons vu mon premier film, avec Esther Williams, actrice célèbre et championne de natation à l'époque. Nous avons vu le film deux fois. Je bandais comme un âne en regardant nager toutes ces dames ; Emmeline me pelotait dans le noir. Nous avons même dansé dans notre chambre d'hôtel en écoutant le grand succès du moment, un morceau intitulé « *Sh-Boom* » !

Ce voyage nous fit du bien, mais cet hiver-là Emmeline jouait tellement un morceau intitulé « *Unchained Melody* » que je finis par l'autoriser une seule fois par jour. Nous reculâmes devant l'achat d'une télévision, en partie parce que nos relations bigotes du passé auraient pu voir l'antenne sur notre toit. Nous retournâmes une autre fois à Soo cet hiver-là, et nous vîmes *Rock Around the Clock* ; malgré une musique merveilleuse, nous jugeâmes que ce film donnait une image effrayante de la vie dans les grandes villes. Nous buvions très modérément, car ma sœur Lily s'était installée à St. Ignace et avait de gros problèmes avec l'alcool. Un soir, elle arriva chez Ted couverte de bleus après une dispute avec son mari. Quand je la vis, je m'effondrai en pleurant. Ted appela la police, mais les flics ne s'intéressaient pas à ce genre de problème, si bien que Ted et moi nous nous mîmes à la recherche du mari. Nous partîmes chacun de notre côté dans les rues de St. Ignace. Jusque-là, je n'avais jamais commis la moindre violence contre un homme ; aujourd'hui encore je réprouve toute forme de brutalité, à moins qu'elle ne soit inévitable, par exemple si un cinglé vous saute dessus. Bon, je trouvai le coupable dans un bar et, malgré ma jeunesse, je lui flanquai une bonne raclée avant qu'on ne me maîtrise. Par la suite, ils se remirent ensemble. En fait, ils sont toujours mariés. Je lui demandai de me pardonner, mais il me dit que j'avais eu raison de défendre ma sœur.

Le vrai problème à cette époque était que je venais de rencontrer mon premier ami homme. Un étudiant d'origine italienne qui avait trouvé un boulot pour l'été parce que son père était chef de travaux chez Merritt, Chapman et Scott, l'entrepreneur de chantiers sous-marins. Il s'appelait Val, nous avons passé des moments formidables ensemble. Il venait de Chicago et me considéra d'abord comme un crétin, mais vu qu'il était fou de pêche et de chasse, je lui rendais de sacrés services. Le dimanche, nous rapportions beaucoup de poisson à son père, et une fois nous avons même tué un cerf en l'attirant avec une lampe. Son père venait d'Italie du Nord, je n'ai jamais vu un homme aussi excité à l'idée de manger du cerf.

Le père de Val m'a proposé un travail : après Mackinac, ils allaient construire un pont plus modeste sur la Suwannee en Floride, puis un plus gros au Mexique. J'ai été fou de joie pendant quelques jours, jusqu'à ce qu'il découvre que j'étais marié et déclare qu'un jeune marié devait rester auprès de sa femme. Val a remarqué ma tristesse, essayé de convaincre son père, mais en vain. J'étais effondré. Quand Val est parti, je ne lui ai pas dit au revoir, et quand le pont fut assez avancé pour permettre à tous les ouvriers d'effectuer leur premier voyage à pied de St. Ignace à Mackinac, je me suis fait porter pâle et j'ai refusé d'accompagner mes camarades. J'ai sombré dans une longue période de silence et je suis retourné à la religion. Même Ted ne pouvait rien tirer de moi ; quant à Emmeline, elle s'est mise à sortir avec ses amies, me laissant à la maison en compagnie des bébés, dont je m'occupais en jouant les martyrs.

Cet état de morosité ombrageuse se prolongea pendant plusieurs mois ; je faisais tourner en bourrique

Emmeline, Ted et Rachel. Un jour, Ted tomba sur le père de Val, qui revenait des cérémonies d'inauguration du pont, et il apprit toute l'histoire. Le seul résultat de leur rencontre fut que mon frère se mit en colère.

« Corve, tu ne gagneras jamais bien ta vie en devenant une sorte de vagabond des chantiers. »

« Me fous de l'argent. J'veux voir le monde. »

« Arrête de déconner. Depuis que tu as quatorze ans, tu économises le moindre sou. Je compte sur toi pour devenir un jour mon associé. »

« J'ai l'impression que je vais vivre et mourir sans bouger d'ici. »

« C'est exactement ce que je te dis. Tu as plein de fric. Pourquoi ne pars-tu pas en virée avec Emmeline aux chutes du Niagara ou à Detroit ? »

J'avais en tête un projet infiniment plus grandiose ; j'ai appelé Laurel à Detroit et investi cinquante dollars dans l'achat d'un magnifique atlas du monde. Je prévoyais un voyage qui aurait demandé plusieurs années au plus forcené des globe-trotters. J'achetai également plusieurs de ces livres prisés par les rêveurs — *Un voyage à travers le monde, le Tour du monde sur un bateau à vapeur* ; mon itinéraire secret incluait le désert de Gobi, le Transvaal, la Terre de Feu, le Cachemire, l'Himalaya, le royaume interdit du Tibet, le Machu Picchu, le Kenya, le Sahara, les îles Fidji, et ainsi de suite. Je croyais avoir deux atouts dans mon jeu. D'abord, j'avais économisé près de quinze mille dollars en six ans, ce que je considérais comme une somme colossale pour un jeune homme à l'époque ; j'en laisserais treize mille à Emmeline et garderais les deux mille dollars restants, qui s'ajouteraient à ce que je pourrais gagner. L'autre point en ma faveur était que j'avais plusieurs cordes à mon arc : le bâtiment, y compris la plomberie et l'électricité, la réparation et l'entretien d'équipement lourd, la mécanique automobile ; je savais lire et utiliser un plan, creuser un puits peu profond, conduire un bulldozer ou un engin de terrassement, exécuter des finitions de ciment, et je possédais de modestes talents de mécanicien. Je pensais que cela me suffirait pour m'en tirer n'importe où ; pour une fois j'avais raison.

Il se trouva que Ted était sous contrat avec un vieil ami de la famille à qui papa avait un jour rendu service. Cet homme était devenu le directeur de missions étrangères pour une vaste organisation fondamentaliste — je préfère ne pas citer le nom de ce groupe, car, comme vous le verrez, ces types formaient une bande de crétins finis. Par une sorte d'ironie du sort, la plupart de ces gens débordants de compassion sont absolument incapables d'accomplir quoi que ce soit. Bref, cet homme envoya à Ted le plan d'une petite école de mission en suggérant que, si Ted « aimait le Seigneur », il accepterait aussitôt de partir pour quelques mois au Kenya afin de superviser sa construction. Les habitants du « continent noir » débordaient d'« amour pour Jésus ».

« Ces gars doivent être complètement marteau, Corve. Nous pourrions monter ensemble la bicoque en un mois. »

« Et sans la moindre aide extérieure », je renchéris. C'était un simple bâtiment de trois pièces — une petite salle avec deux chambres dans le fond, une pour une clinique et l'autre servant de remise.

Ted réussit à convaincre le directeur des missions que je pourrais assumer seul les travaux, avec l'aide d'une généreuse contribution. Ted pratiquait une dîme rigoureuse ; je veux dire que dix pour cent de ses revenus allaient à l'église ou aux œuvres paroissiales. A l'époque — c'est encore vrai aujourd'hui —, les groupes fondamentalistes tenaient à ce que le monde entier entende la bonne parole. Le principal argument théologique avancé pour soutenir ce point de vue est que la fin du monde ne saurait avoir lieu avant que tous les humains n'aient eu l'occasion de connaître Jésus, et ces types tenaient mordicus à œuvrer pour la fin du monde. Il est quasiment impossible d'aller dans le tiers monde sans tomber sur ces missions. Ces gens endurent des souffrances et un inconfort incroyables pour répandre la bonne parole. Ils sont méprisés par l'intelligentsia de chaque pays, mais ils se moquent de l'intelligentsia comme de l'an quarante. Tant les révolutionnaires que les réactionnaires les assassinent, mais il n'y a rien de plus exaltant que la mort d'un martyr. Franchement, ces écoles de mission sont traditionnellement une merveilleuse pépinière de révolutionnaires car, correctement compris, les Evangiles nous enseignent à détester l'injustice et à nous aimer les uns les autres.

Emmeline pleura toutes les larmes de son corps, mais son esprit avait été pétri par les saintes Ecritures. Il est dit : « Beaucoup d'appelés, peu d'élus. »

« J'ai toujours su que tu étais voué à faire quelque chose de spécial, Corve. Moi, je suis une femme ordinaire. Je ne pense jamais à rien, sauf au présent. Depuis ce jour où nous avons fait le tour du lac à pied au camp de la Bible, tu es mon héros. »

Tard, la veille de mon départ, je tremblais de tous mes membres en regardant ma valise et le costume brun neuf étalé sur une chaise. A l'aube Ted m'emmènerait à la gare routière de St. Ignace, je voyagerais vers le sud jusqu'à Grand Rapids, où je serais pris en main par le directeur des missions. Depuis une semaine, j'étais en proie à la peur et aux tremblements, mais aussi à une attente sauvage, exaspérante. Emmeline et moi avons baisé comme des malades. Elle dit qu'elle me serait fidèle, ce que je trouvai bizarre, car l'hypothèse inverse ne m'était jamais venue à l'esprit. Je lui répétais sans arrêt que je partais pour six mois tout au plus. Je compris plus tard que mon départ lui rappela sans doute le voyage fatal de son père vers les tranchées de la guerre. Au milieu de cette dernière nuit, quand j'embrassai Bobby et Aurora, mes larmes m'étouffèrent.

J'ai donc traversé le pont vers le sud, et je ne suis jamais vraiment revenu sinon maintenant, plus de vingt-cinq ans après. Plusieurs choses me troublent quand je dis cela, ou plutôt m'agacent. On peut sans doute envisager son existence comme un tableau dans le style crèche de Noël, une série de photos en trois dimensions figurant les scènes principales, les douleurs les plus amères et les réussites. Je me vois par une aube pluvieuse d'été, embrassant Ted et montant à bord du car. Je ne peux ni respirer, ni avaler ma salive, j'ai une boule dans l'estomac. Perdu dans le sifflement et le vrombissement du diesel, je regarde vers l'est la lueur du soleil levant. Je marmonne des prières, car je suis effrayé comme si moi, un enfant de Dieu, j'avais permis qu'on me ramenât en Egypte. Comme si mes aspirations m'avaient tiré d'un esclavage imaginaire pour me soumettre au joug bien réel de l'inconnu. Tout le monde ressent certainement cela lors du premier véritable envol loin du nid, mais ce sentiment universellement partagé n'en est pas moins réel ! Nous avons tous des mères et des pères ; quelle douce angoisse, quelle terreur ces noms n'éveillent-ils pas ? Quand on y pense, le squelette de l'existence est prodigieusement banal. Presque toute notre palette émotionnelle semble bien définie quand nous atteignons dix-neuf ou vingt ans, vous ne trouvez pas ? Ensuite, surtout à nos âges, nous sommes comme des murs de pierre, assemblés par du tissu cicatriciel. Le principal n'est pas d'être. Toutes les lectures que j'ai faites sur les chantiers aux quatre coins du monde m'ont appris que l'essentiel, le plus difficile, est de rester aussi conscient que possible, même si cela paraît absurde.

Il suffit que je vous parle aujourd'hui pour que ces scènes se remettent à vivre. Bon Dieu, regardez une carte. Les cartes sont comiques. Repérez Marquette, Trout Lake, Moran ou Époufette dans la péninsule nord du Michigan ; trouvez ensuite Kajiado, au sud de Nairobi, au Kenya. J'ai à peine vingt ans et les boutons de mon nouveau costume brun acheté en solde se décousent déjà. Mon passeport s'écorne à force de vérifications. J'entame une existence consacrée au travail. Je dis « existence », car il est aujourd'hui question qu'elle touche à sa fin. Au sud d'ici, dans la plaine de Kingston, quand nous campions et qu'il pleuvait, Karl et moi brûlions parfois une souche centenaire de pin blanc. J'ai le sentiment d'avoir brûlé ma vie ; mais si vous regardez une série de photos des travaux auxquels j'ai participé, ça ne vous dira pas grand-chose. La vraie vie est-elle dans les livres que vous-même écrivez ? Je l'espère pour vous. Mentalement je passe en revue toutes ces photos, les ponts, les projets d'irrigation, les barrages. Dans notre pays nous ne croyons plus vraiment beaucoup à ce genre de chose, mais ailleurs c'est différent. On oublie facilement ces triomphes de la technologie et de l'engineering quand les lumières ne s'éteignent jamais. Ils sont le plus contestés par ceux qui en bénéficient le plus, ce qui n'est même pas un paradoxe. C'était beaucoup plus simple pour moi en Afrique où le forage d'un nouveau puits d'eau pure pouvait sauver des centaines de vies du choléra, sans parler de la kyrielle des morts plus lentes causées par d'autres maladies.

L'Afrique fut de loin le cauchemar le plus splendide de mon existence. Si mon séjour avait dépassé six mois, je serais peut-être mort, à la fois émotionnellement et physiquement. Il est tout bonnement impossible de se préparer à l'impact du Kenya, en tout cas inutile de se plonger dans les cinquante dernières années de *National Geographics* que j'ai épluchés dans la bibliothèque du Comté de Chippewa. Vous avez dit que vous y étiez allé, vous devez savoir de quoi je parle. Mais vous êtes un voyageur sophistiqué, alors que j'étais un jeune homme de vingt ans qui n'avait jamais mis les pieds en dehors de la péninsule nord. Manhattan seul vu d'avion me fit l'effet d'un mirage, et je me jurai d'explorer un jour cet endroit. L'église avait organisé mon voyage avec un sadomasochisme typiquement protestant ; j'ai passé deux jours et demi dans des avions et des aéroports, sans la moindre chance de voir New York, Londres, Rome ni Addis-Abeba. Quand j'arrivai à Nairobi, je retrouvai ma valise sur le tapis roulant, mais pas mon coffre à outils, que Ted avait si soigneusement choisis et achetés. Je restai avec une boule dans la gorge jusqu'au jour, trois semaines plus tard, où mon coffre arriva mystérieusement à la mission. Le révérend X — je dois tenir secret le nom de cet imbécile˙ — soutint mordicus que le pouvoir de la prière nous avait permis de récupérer mon coffre à outils. La mission n'était pas vraiment à Kajiado, mais assez loin d'une ville fort semblable. Ceci pour dissimuler l'identité de Sharon — aujourd'hui elle a peut-être un mari, voire des enfants.

Je passai donc plus d'une heure assis sur ma valise devant l'aéroport de Nairobi, en attendant la personne qui devait venir me chercher. J'avais seulement dormi par intermittence depuis plus de deux jours, si bien que mes sens étaient à vif, exacerbés. Vingt-cinq ans plus tard, je me rappelle encore la plupart des visages que j'ai alors vus. Il y avait un groupe d'hommes manifestement très riches, originaires du Texas et du Colorado, qu'un chasseur blanc vint chercher pour un safari. L'un d'eux me regarda assis là dans mon costume brun, avec un mépris venimeux et transparent. Aux États-Unis, un regard semblable vous fait courir le risque de recevoir un bon coup de pied au cul. Plus poignantes furent deux jeunes Anglaises avec qui j'avais voyagé et qui retrouvèrent leurs parents. Je m'étais entiché d'elles pendant le vol, non qu'elles fussent particulièrement belles, mais elles étaient très vives et avaient des rires extraordinaires. Elles appartenaient à ces milieux chics que je n'avais jamais côtoyés. L'argent des mines de la péninsule nord allait exclusivement à quelques familles de la péninsule de Keewanaw et de Marquette. La plupart des mines appartenaient à des familles de Boston, et tout l'argent filait là-bas. Les vêtements de ces filles étaient surprenants mais splendides. La plus jeune agita la main pour me dire adieu, bien que nous ayons seulement échangé quelques regards dans l'avion. J'eus droit à un bref mais merveilleux aperçu de ses cuisses quand elle monta dans la voiture, la première Jaguar que je voyais autrement qu'en photo. Je me laissai aller à une rêverie où je retirais sa luxueuse petite culotte, et je désirai désespérément la revoir. Quand vous sortez pour la première fois d'un environnement aussi restreint, la principale énigme qui vous saisit est la gamme inimaginable des activités humaines.

J'avisai alors un Noir solide en uniforme sale qui se dressait devant moi et une femme à l'air sévère, âgée d'une trentaine d'années, en robe de coton et chapeau contre le soleil.

« Frère Strang ? Voici Peter et je m'appelle Sharon, je suis l'infirmière de la mission. Vous semblez fatigué. Vous avez dû faire un voyage horrible. »

« J'ai fait un voyage formidable. »

Je m'inclinai vers elle et serrai la main de Peter. Je me sentais tout excité ; même si j'avais vu quelques Noirs à Grand Rapids pendant ma période d'endoctrinement, j'avais vingt ans et n'en avais jamais vraiment connu. Certains fondamentalistes les considèrent comme les fils maudits de Ham, mais papa disait toujours que c'était stupide. Après la mort du Christ, toutes les malédictions avaient disparu de la surface de la terre, du moins selon lui.

« Je suis contente de constater votre optimisme. Vous en aurez besoin ici. » Sharon me jetait ce coup d'œil scrutateur et direct que je suis venu à considérer comme le signe d'une femme intelligente. « Excusez notre retard. J'ai attendu une éternité à la pharmacie. »

Peter partit à la recherche de mon coffre à outils, et j'eus l'occasion d'observer Sharon. Elle n'était pas loin d'être séduisante ; elle l'eût été avec un minimum d'efforts. Sa sévérité superficielle contrastait avec une poitrine plantureuse, une taille mince, des hanches généreuses. Elle avait grandi dans une ferme non loin de Stevens Point, dans le Wisconsin, et nous nous sentîmes plus à l'aise quand nous commençâmes à évoquer le nord du Middle West, car nos familles habitaient à quelques centaines de miles l'une de l'autre.

La mission était infiniment plus modeste que je ne m'y étais attendu. Je découvris, groupés autour d'un énorme baobab et eux-mêmes entourés par une clôture genre kraal, une petite maison à véranda grillagée, une modeste école de plein air, un dispensaire en stuc et un minuscule bâtiment à trois portes qui ressemblait à un motel. Ma chambre se trouvait à un bout de ce bâtiment, celle de Sharon à l'autre ; une pièce non communicante nous séparait. Il y avait aussi une cabane qui contenait tout un tas d'objets hétéroclites et d'équipement usagé. Peter dit que personne n'y était entré depuis des années parce qu'elle était pleine de serpents. Je reculai aussitôt, ce qui fit naître un sourire sur le visage du Noir. Il commençait de comprendre que je n'étais pas un complet imbécile, ce qui le soulagea.

Le révérend X devait encore rester quelques jours à Kampala pour une conférence des missions ; son absence s'avéra à la fois une chance et une malchance pour moi. Une vieille femme noire habitait une hutte derrière la maison du révérend. Elle nous prépara à dîner — ou plutôt elle réchauffa un ragoût en conserve. Sharon m'informa, avec un clin d'œil, que le révérend se méfiait de tout ce qui ne sortait pas d'une boîte de conserve ou d'un pot. Il buvait exclusivement de l'eau en bouteille et n'autorisait l'utilisation du générateur d'électricité que pendant une heure, après le coucher du soleil. Ma chambre était équipée de cabinets, mais l'unique douche du bâtiment se trouvait dans celle de Sharon.

Nous avons pris le café dehors, puis Peter est retourné dans son village à huit cents mètres en suivant la route. C'était le milieu de l'été, la nuit tombait et l'air était imprégné d'une douce odeur d'herbe sèche. Mon regard se perdait à travers la vaste plaine de Loita, où s'élevait par endroits une curieuse formation géologique, les collines de rochers connues sous le nom de kopje. En venant de Nairobi et quand je ne somnolais pas, j'avais aperçu quelques girafes, des créatures semblables à des cerfs. Alors j'entendis mon premier grondement rauque et quinteux, la voix du lion.

« Bon Dieu de merde », m'écriai-je. Mes poils se dressèrent sur mes bras.

« Ce n'est qu'un lion. Ils ne nous dérangeront pas. »

Peter m'avait montré un fusil de calibre 10 et quelques cartouches de chevrotine dans ma chambre. Il me dit qu'on s'était seulement servi une fois de ce fusil quand un buffle blessé au poumon avait pénétré dans la mission en soufflant du sang partout. Je

196

connaissais suffisamment les armes pour savoir que ce fusil n'était efficace qu'à une distance dangereusement courte.

Malgré son apparente solitude, Sharon m'envoya me coucher au crépuscule — je trahis mon épuisement en l'appelant deux fois Violet. Il y avait une similitude frappante dans leur physique, mais aussi dans leur attitude : Sharon me dit ensuite qu'elle avait été terriblement heureuse de découvrir que je n'étais pas un « fanatique religieux à cheval sur la Bible ». Je lui avais aussitôt rappelé un petit ami de lycée, joueur de football et buveur de bière qu'elle pouvait seulement voir en secret. Cette nuit-là, j'eus un de ces rêves gênants qui ravissent les analystes. Violet et moi étions au bord du lac dont je vous ai parlé — nous étions nus dans l'eau chaude peu profonde, et pour une raison inconnue entièrement enduits de beurre ; Violet ne cessait de me faire pénétrer en elle par tous les orifices possibles, et comme des animaux nous roulions l'un par-dessus l'autre dans cette eau peu profonde.

Quand je me réveillai avant l'aube, je fus terrifié car il y avait du sperme partout. J'allumai une lampe à pétrole pour étudier les plans plutôt simples du bâtiment. Je reporterais sur le terrain ses dimensions, puis je construirais les fondations, réunirais tout le matériel, et ensuite, si mes outils n'étaient toujours pas arrivés, je creuserais un nouveau puits. Le puits actuellement disponible ne fournissait plus une eau potable, selon Sharon, même si les indigènes continuaient de la boire. Moyennant quoi le travail au dispensaire consistait essentiellement en distribution d'antispasmodiques et autres médicaments contre la dysenterie et les colites avec ulcères. Mon étude des plans fut interrompue par le rugissement d'un lion, dont la puissance me fit croire que le fauve était tout près. J'essayai de charger le fusil, mais l'humidité avait fait gonfler les cartouches, si bien

197

qu'une seule accepta de se loger dans la culasse. J'entamai alors une liste de courses, où je mentionnai l'achat de cartouches neuves. Dans mon métier, la moindre négligence peut s'avérer fatale. Regardez-moi aujourd'hui. Regardez mes jambes. J'ai oublié une ordonnance de *Tagonet* à Caracas parce que je draguais des minettes, purement et simplement. Nous étions allés à un concert de Villa-Lobos et la musique m'avait mis la tête à l'envers. Du coup, j'ai oublié le *Tagonet*.

Bref, j'étais debout à l'aube, rivé à mes jumelles pour m'assurer que le lion était parti. J'arrachai un bâton à la clôture et tirai une pelle hors de la cabane soi-disant infestée de serpents. Je n'avais pas de mètre, mais le bâtiment à construire était suffisamment petit pour que je puisse en reporter les cotes approximativement en attendant mon matériel. Après quelques heures passées à creuser, j'eus envie d'une tasse de café. Aux premières heures du jour, le paysage avait tué ma faim ; immense, couleur de plaie brun foncé, le Kenya offre un spectacle incroyable pendant la saison sèche. Comment aurais-je pu deviner l'existence de ce monde ? Dans cette partie de l'Afrique, tous les processus de la vie, de la naissance à la mort, sont un livre ouvert que chacun est contraint de déchiffrer quotidiennement. Cette lecture engendre la mélancolie, mais c'est une mélancolie issue de la vie, imprégnée de sa munificence. Certains croient qu'on peut extrapoler la totalité de la vie à partir d'un seul endroit. Ce fut l'erreur de Thoreau, bien qu'une erreur très mineure. C'est tout simplement faux. La seule façon d'extrapoler l'esprit de l'Afrique, c'est d'aller en Afrique.

Vers le milieu de la matinée, Sharon arriva en robe de chambre. Elle pénétra rapidement dans le bâtiment du révérend en disant qu'elle ferait du café après avoir appelé quelqu'un par radio. J'avais tellement chaud que j'entrai dans ma chambre et mis un short kaki avant de retourner creuser mes fondations. C'était un samedi, jour de congé pour tout le monde, mais je désirais travailler ; le rythme de l'effort physique peut être très apaisant, il supprime les questions épineuses, du genre Que fais-je ici ? Je construis une école et un dispensaire pour la *United Nazarene Mission*. La robe de chambre de Sharon était bleue comme celle de Violet. Un début de bandaison pendant qu'on creuse ce sol pierreux, cuit par le soleil, engendre un certain désespoir. Elle arriva enfin derrière moi avec une tasse de café et un verre de limonade. Elle pleurait et séchait ses larmes avec la manche de sa robe de chambre.

« Faites pas attention à moi. Autant que vous sachiez que j'ai un petit ami, un médecin anglais de Nairobi. Le samedi il prend sa voiture et nous pique-niquons dans la campagne car il est marié. Je pleure parce que aujourd'hui il ne viendra pas. J'espère que vous ne me considérez pas comme une horrible pécheresse ; n'importe qui a le droit de se sentir seul. »

« Juger n'est pas mon affaire. Je suis seulement ici pour travailler. »

Nous nous accroupîmes dans la poussière près de mes fondations. Comme je voyais parfaitement ses jambes, je tournai les yeux vers l'horizon pour boire mon café et ma limonade pendant qu'elle continuait de pleurer.

« Ce fils de pute de révérend a tenté de m'empêcher de construire une tombe pour mon chien. » Elle désigna une grosse pierre au voisinage de l'école. « J'étais à Nairobi pour la nuit, et il était censé enfermer le chien dans ma chambre pendant mon absence. Un Dalmatien qu'un paléontologue de la vallée du Rift m'avait donné pour éloigner les serpents. On croit souvent que la place des Dalmatiens est dans les casernes de pompiers, mais ce sont les meilleurs chiens du monde pour vous protéger des serpents. Je reviens donc ici le lendemain pour découvrir qu'une hyène ou un léopard a dévoré mon chien, et cette misérable tête de merde m'annonce qu'il a passé toute la soirée en prières et oublié mon chien. J'adorais ce chien ! » Elle se précipita vers sa chambre en hurlant.

J'étais bien sûr vaguement choqué par son langage. Je restai là un moment à chasser les mouches en me demandant quoi faire. Ses yeux rageurs et ses cheveux hirsutes l'avaient rendue séduisante, et j'ai toujours cédé à la compassion, qu'elle soit méritée ou non. Son amant lui avait fait faux bond, et le révérend, par négligence, avait laissé mourir son chien bien-aimé. Je marchai jusqu'à la porte grillagée, écoutai ses sanglots que ponctuaient les battements du sang dans mes tempes. J'appelai son nom, et comme elle ne disait rien, j'entrai.

Elle était allongée sur le ventre en soutien-gorge et petite culotte, ce qui faisait de moi une victime ambiguë, me situait quelque part entre la pitié et la lubricité. Je posai la main sur son épaule et massai son cou. Elle se retourna, puis serra ma main contre son visage, sur lequel je lus un mélange de colère et de souffrance.

« Je voudrais empaler ce connard dans la plaine et qu'il se fasse bouffer par les lions. Je vais peut-être attraper un serpent pour le coller dans sa chambre à coucher ! Voilà une bonne idée pour vous. » Son doigt sillonnait la sueur qui couvrait mon torse nu. Pour ne pas regarder son corps, je tournai les yeux vers une étagère remplie de livres dont je ne pus lire les titres. « Nous brisons la glace plutôt vite, n'est-ce pas ? J'aimerais que le révérend nous voie en ce moment. Il peut bien m'embrasser le cul. Je parie qu'avec sa cervelle de belette, il prendrait son pied. Il adorerait se mettre à genoux pour enfouir son visage dans mon cul. Mon ami le médecin trouve que j'ai un cul superbe, mais ses appréciations ne me servent pas à grand-chose aujourd'hui. Voilà dix ans que je travaille comme infirmière dans diverses missions ; le prêcheur qui nous supervise ici est le pire petit salopard que j'aie jamais rencontré. Mon père était l'un des plus gros fermiers de Stevens Point, dans le Wisconsin ; ça lui a fait plaisir que je veuille devenir infirmière dans les missions étrangères. Il était plein aux as, je voulais faire ma médecine, mais ma mère a décidé qu'infirmière était largement suffisant pour une fille. Qu'elle aille se faire foutre, elle aussi. Je ne retournerai jamais à la maison. Papa est mort, et ma mère, dont je n'ai plus besoin, m'envoie des putains de lettres pleurnichardes. Papa lui a laissé l'héritage, mais il m'a légué un capital auquel elle ne peut pas toucher, si bien que dès que j'ai un congé, je file en France. J'adore la France, et par-dessus le marché, je parle parfaitement français. »

Elle me le prouva en se lançant dans une citation en français. J'étais maintenant assis au bord du lit, et elle agenouillée sur ses talons.

« J'ai appris par cœur ce merveilleux poème d'un Français qui voulait Noël sur terre, tu sais, tous les jours de l'année. Ce poète a vécu en Ethiopie pendant des années, mais il a attrapé la gangrène. Tes bras et ta poitrine me rappellent Louis. Tu m'as appelée Violet hier soir, mais j'ai regardé tes papiers d'identité, si bien que je sais que ta femme s'appelle Emmeline. Je parie que Violet est ton amour secret ! Louis était catholique, j'étais baptiste, nous devions donc nous planquer. Je l'ai laissé me baiser pendant notre voyage de terminale à Chicago. Il savait que j'étais très religieuse, alors il a essayé de faire ça contre moi sans me retirer mon slip, mais je l'ai retiré quand même. »

Alors elle a mis ses bras autour de moi et entonné

« Une poule sur un mur qui picorait du pain dur »...
Totalement dépassé par la situation, j'ai détourné les
yeux de l'étagère pour les poser sur elle. Je crois
aujourd'hui que personne n'est vraiment préparé pour
ce genre de chose. Mon cœur s'envolait vers elle, mais
je ne savais que dire. « Je ne veux pas que tu penses
que je n'aime pas le Seigneur. J'aime le Seigneur en
soignant les maladies de ces gens. Mais je ne supporte
plus cette mesquinerie de merde. Enfin tu me regardes.
Comme tu m'as appelée Violet, je vais t'appeler Louis.
J'adore le théâtre. Je peux t'appeler Louis ? »

« Bien sûr. Comme tu veux. »

« Okay, Louis. Maintenant appelle-moi Violet. »

« Je ne suis pas sûr de pouvoir t'appeler Violet. »

« Nous jouons tout simplement une pièce, Louis,
mon chéri. Appelle-moi Violet et je te rendrai heureux,
mon Louis que j'aime. »

« Tu es très belle, Violet. Je n'ai jamais vu une
femme aussi belle que toi. »

« Louis, tu vas découvrir dans quelques jours que
le révérend interdit le port du short à la mission. Il veut
que tu choppes une bonne mycose sur les jambes. En
tout cas, pour l'instant enlève donc ce short. »

Quand sa main s'est glissée dans mon short, je
me suis levé aussitôt. Je commençais à avoir le sens du
théâtre. Ensuite elle a retiré mon short et mon slip d'un
air professionnel pour me caresser.

« Louis, quelle coïncidence, mais tu as exactement la même queue que lui ! » Elle s'est jetée en
arrière sur le lit en éclatant de rire, puis a enlevé
adroitement son soutien-gorge et son slip. Elle s'est
assise, a fait pénétrer dans sa bouche la quasi-totalité
de ma queue, puis l'a fait ressortir. « Tu n'as probablement jamais fait l'amour avec une femme, je me
trompe ? »

« On peut dire que c'est la vérité. »

« Eh bien, la grande règle est d'y aller de tout son cœur. »

Je regardais le ventilateur qui tournait lentement au plafond, puis, par la porte grillagée, l'Afrique. J'essayais de trouver une phrase pour l'assurer que j'allais y mettre tout mon cœur, mais elle m'a attiré sur elle. Dieu, que j'ai aimé cette femme ! Je n'ai jamais rien aimé ni personne comme cette femme. Je n'ai eu qu'un mois pour l'aimer. Trente et un jours d'amour jusqu'à son départ en Angleterre avec son ami médecin. Oh, doux Jésus, comme je l'ai aimée, elle a bien failli me tuer, mais je m'en moquais. Nous avons eu trois jours à nous avant le retour du révérend, et je n'ai jamais connu trois jours d'amour comparables. Quelqu'un a demandé : « Qu'avons-nous fait du jumeau qui nous a été donné en même temps que notre âme ? » Ce fut un amour terrifiant auquel je me suis abandonné corps et âme, et qu'elle a fui.

CHAPITRE XIII

Je dus alors imposer subtilement une pause, après avoir remarqué le coup d'œil atterré d'Eulia dans la cuisine. Strang avait brusquement abandonné Sharon pour se lancer dans une étrange péroraison à propos des photos, prises par le satellite Comstat, du bassin de l'Amazone et des autres bassins fluviaux dans lesquels il avait travaillé. Il insista pour que j'étudie ce livre afin de comprendre la façon dont l'eau « bouge » sur notre planète. Vu que je possédais ces livres illustrés, je lui promis aussitôt de les regarder. Son discours quasiment incompréhensible évoquait une tirade du Vieux Marin et les rythmes d'un évangéliste. Il commença alors que je changeais à la fois la bande et les piles de mon magnétophone, mais à tous égards ses paroles présentent seulement un intérêt pathologique. Il parla de Violet qui le baignait dans un torrent comme un nouveau-né, puis ils marchaient sur le fond sablonneux du torrent par une journée brûlante de l'été et s'asseyaient dans les petits trous d'eau. Environ dix minutes après, il concluait sur la nature des grands courants océaniques, comme celui de Humboldt, le Gulf Stream et d'autres. Tout était formes, nature, volume, comportement autour des obstacles, température, quantité d'oxygène, taux en sédiments. Je reconnais que je n'avais jamais accordé à ce sujet plus qu'une attention hâtive, mais Strang le rendait tellement vivant que je ressentis un certain vertige. Il me semblait que l'eau ne s'arrête jamais : elle est toujours en mouvement dans l'air ou au sein de la terre où elle s'écoule sous forme de fleuves souterrains.

L'inquiétude d'Eulia augmenta quand Strang bondit de son fauteuil pour saisir à pleines mains le rebord du manteau de la cheminée. Il me lança un petit album de photos, puis me montra une double page où, en vis-à-vis, je découvris une photo de Violet et une de Sharon. Alors qu'il feuilletait l'album, je ne pus m'empêcher de remarquer une photo d'Eulia à douze ans environ, qui tenait ses livres scolaires. Violet et Sharon se ressemblaient étrangement. Elles étaient infiniment plus séduisantes que je ne le pensais, mais moins imposantes que Strang ne l'avait laissé entendre. Les avait-il comparées à la mince Édith ? Sharon était assise avec désinvolture sur le buffle blessé qui s'était réfugié dans l'enceinte de la mission, et qu'on avait abattu. Il y avait quelques mots sur la photo : « Pour Corve. La belle et la bête ! Avec tout l'amour du monde, ta Sharon éternellement. » Quant à Violet, elle portait une grossière robe à fleurs et était assise sur l'une de ces balançoires faites d'un pneu qu'on voit souvent dans les cours de ferme. Elle avait une expression extrêmement belle et saine, pas aussi spectaculaire, quelque part entre Gene Tierney et Grace Kelly. Malheureusement pour elle, son visage portait l'empreinte d'un autre monde.

« Où est Violet aujourd'hui ? » ne pus-je m'empêcher de demander.

« Sous terre. Morte voici quelques années. Elle a eu une vie magnifique, elle enseignait dans les réserves indiennes de l'Ouest. Elle est morte à Hardin, dans le Montana, alors qu'elle enseignait chez les Crows. Marshall m'a aussitôt payé un billet d'avion, mais elle était déjà morte quand je suis arrivé. Là-bas, les Indiens l'ont énormément regrettée. Elle s'était donné le mal d'apprendre leur langue, ce qui n'est pas si fréquent. »

« Je ne supporte plus cela. » Eulia lui arracha des mains l'album de photos. « Tous les jours ces évocations du passé. Qu'allons-nous faire ? »

Apparemment, Strang trouva cela très drôle. J'avais déjà remarqué sa capacité à répondre du tac au tac à de semblables défis. « Ce que nous allons faire ? Prendre un déjeuner léger, après quoi je nagerai pendant quelques heures tandis que tu feras tes exercices de danse. J'ai hâte de vivre l'avenir. Tu devrais peut-être aller en ville à la plage, histoire de sortir un peu et de te changer les idées. Va falloir mettre des bouchées doubles, comme on dit. »

« Tu es le plus grand baratineur que je connaisse », dit-elle en l'embrassant.

C'était la vérité. Sa voix avait parfois des intonations douces, presque somnambuliques, qui, malgré le délabrement de son corps, donnaient le sentiment qu'il maîtrisait parfaitement la situation. Je ne veux pas dire que cet homme possédait des qualités magiques ou mystiques — au diable ces foutaises —, mais plutôt le don de se rassembler à tout moment. Peut-être savait-il que le moindre comportement hystérique augmenterait aussitôt ses souffrances, mais certains indices me faisaient penser qu'il avait toujours été ainsi. Alors que je réunissais mes affaires pour partir, il me dit qu'il désirait me montrer quelque chose. Il adressa un signe de tête à Eulia, qui alla chercher deux grossières cannes de marche sur le porche. Il fit le tour de la pièce avec ses cannes, son visage à la fois rayonnant et crispé de souffrances. Sa progression était horriblement difficile ; il se contorsionnait et ahanait comme un crabe ivre.

BANDE 6 : Je regarde avec autant de plaisir les photos satellite de la terre que les toiles de John Marin, Kandinsky, Poons, Frankenthaler, Syd Solomon, Motherwell et consorts. Si la NASA envoie un écrivain dans l'espace, M. Mailer profiterait sans doute le plus de l'expérience. En attendant, je crois que les livres de Strang auront plus de sens pour moi dans quelque temps, de même que je n'ai vraiment lu Shakespeare qu'après l'université. En ce moment, j'ai envie d'anecdotique, d'éphémère. Je songe souvent aux jours de la semaine et du mois par rapport aux dates de sortie des magazines, mais aucun n'est disponible ici. Il fait une chaleur anormale dans cette région ; les vents du sud soufflent régulièrement sur les pinèdes brûlantes et clairsemées. On redoute des incendies de forêt ; il y a quelques années un incendie a détruit plus de cinquante mille acres. Au bar, un vieux a dit que sa grand-mère avait survécu au grand incendie de Peshtigo, dans le Wisconsin, qui avait tué mille deux cents personnes.

En enfilant mon short kaki, je pense au voyage de Strang en Afrique, aux souvenirs étonnamment précis qu'il en garde, une fraîcheur de la mémoire qui m'a rappelé mon premier séjour à New York, où j'étais parti pendant

mes grandes vacances d'étudiant pour m'initier à la bohème. J'ai alors découvert l'ail et les dames consentantes,
malgré ma maladresse, — deux denrées fort rares dans le
Middle West. Mais il y avait surtout ce sentiment d'aventure ineffablement tendre, quand tout ce qu'on voit, découvre, entend, est nouveau. Il y a aussi la différence
entre l'idée que je me faisais du sexe et ce qui s'est réellement passé. D'ordinaire, on représente ce hiatus sous une
lumière crue et comique. Strang et Sharon sont comiques,
mais j'ai rarement éclaté de rire en écoutant son histoire.

Je fus interrompu par l'arrivée d'Eulia, une valise à
la main et le sourire aux lèvres. Il semble qu'Allegria, la soi-disant mère ou belle-mère ou parente —
en tout cas la deuxième femme de Strang —, est
arrivée en taxi de l'aéroport de Marquette, ce qui a
dû lui coûter une jolie somme, car Marquette est à
plus de cent miles d'ici. Eulia réussit à me faire
trembler comme un vieux garçon qui serait aussi
fils unique. Nous organisons les choses une fois
pour toutes et réagissons sans souplesse aux surprises. Il y avait une chambre supplémentaire exiguë,
séparée de la mienne par une salle de bains. Elle
espérait ne pas me déranger, mais elle ne supportait
pas la perspective de passer trois nuits au motel. Je
ne sais pourquoi, je ne l'avais pas encore regardée
face à face. Pendant qu'elle défaisait sa valise, j'ai
préparé deux énormes cocktails aux fruits et au
rhum ; je ne l'avais pas encore compris clairement,
mais le rhum constituait peut-être la clef secrète qui
permettait d'entrer dans son cœur, horrible euphémisme. J'ai retrouvé une partie de mes moyens
en la voyant enfiler un short en se trémoussant, par
les quelques centimètres de la porte entrebâillée.

« L'avez-vous giflée ? Vous aviez dit que vous le feriez. »

« Bien sûr que non. J'ai été ravie de rencontrer une *latina* et de parler espagnol. C'est ma belle-mère, je l'aime beaucoup. » Elle s'est assise à la table de la cuisine, que recouvraient tous mes instruments de travail. « Je ne vous dérangerai pas. Je ferai la cuisine et vous aiderai à écrire des poèmes. »

« Je n'écris plus de poèmes. »

Je lui ai servi son verre.

« Oh, c'est beaucoup trop fort. Essayez-vous encore de me sauter ? Mon professeur en Floride disait que, lorsqu'un écrivain cesse d'écrire des poèmes, au moins en secret, il est comme mort et pétrifié. »

« On dit : mort et enterré. Videz votre verre, et tâchez de ne pas m'enquiquiner avec ces bêtises, s'il vous plaît. »

« Excusez-moi. De la cuisine, j'ai écouté l'histoire africaine. C'était très excitant. Je vous taquine seulement parce que vous démarrez au quart de tour. J'adore taquiner les gens, mais il est impossible de le taquiner, *lui*. »

« Strang est-il votre père ? »

« Oh non. Il s'est toujours occupé de moi depuis que j'ai sept ans. Ensuite, il m'a adoptée pour que je puisse aller à l'université en Floride, mais c'était totalement désintéressé. Allegria est ma tante ; ils sont tombés amoureux il y a très long-temps. Il travaillait sur un barrage au Costa Rica, et Allegria était une courtisane de luxe, ce que cer-tains appellent une call-girl. Elle en a eu marre, elle lui a écrit au Brésil pour lui dire qu'elle était enceinte, si bien qu'il lui a envoyé de l'argent tous les mois. Puis à son retour il lui a demandé : "Où

210

est donc ce fils Roberto, dont j'ai tant entendu parler ?" À l'époque, Allegria était revenue à Punta-renas, elle travaillait à l'hôpital et avait des liaisons avec les médecins. Là-dessus, elle fond en larmes et avoue son mensonge. Strang trouve ça plutôt drôle, à notre grande surprise car nous étions tous au courant. Ils vont donc faire un tour en voiture et débarquent chez nous, dans notre hutte plutôt que dans notre maison ; Allegria nous a aidés après la disparition de mon père. Il y a seulement moi, mon frère, ma mère, et ce chien dont je vous ai dit qu'il était si gentil pendant les orages. Il s'est pris d'affection pour nous et pour l'endroit où nous vivions. On est partis en balade sur le Pacifique avec le bateau de pêche de notre cousin. On faisait de grandes promenades. Ma mère était malade et toujours déprimée à cause de la disparition de mon père. Un an plus tard, elle s'est suicidée, ce qui est extrêmement rare dans mon pays. Alors Strang est revenu et il a dit à Allegria — de ma chambre je les ai entendus qui parlaient dans la cour —, il a dit : "s'il te plaît, laisse-moi aider ces enfants. Je t'aime, nous n'avons pas d'enfant, ils peuvent donc devenir nos enfants". Mon frère et moi redoutions comme la peste d'aller à l'orphelinat catholique. Dès le lendemain, nous nous sommes installés dans une jolie petite maison au bord de la mer, près d'une école. Allegria a déniché une vieille cousine ser-vante, qui s'est quasiment installée avec nous. Nous le voyions seulement une fois par an environ. Nos parents discutaient pour savoir si Strang était un crétin ou non, mais un jour un oncle porté sur la religion a dit : "Cet homme gagne beaucoup d'ar-gent et il ne prend pas le temps de le dépenser ! Il aime Allegria, et il aime les enfants." C'est peut-être vrai, ou encore vrai. Il a épousé Allegria pour qu'elle puisse s'installer facilement aux Etats-Unis et que notre vie soit plus digne. Quand j'ai eu quatorze ans, elle s'est collée avec un riche politicien de la capitale, mais Strang a continué de s'occuper de nous. Il nous a emmenés, mon frère et moi, à Los Angeles pendant les vacances, alors qu'Allegria n'était même pas là. »

Elle avait fini son verre et insista pour que je l'emmène nager à la plage de la ville. Je conservais le souvenir troublant d'Eulia et Strang au lit dans l'hôtel de Miami après sa sortie d'hôpital. Étais-je encore la proie du démon des étiquettes ? Quelques jours plus tôt, j'avais demandé à Strang s'il se considérait lui-même comme chrétien. Ma question le rendit réellement perplexe, au point que je voulus la retirer. Il finit par répondre ceci : « L'idée que j'ai de moi-même n'a pas beaucoup d'importance, vous ne croyez pas ? »

Pendant le trajet vers la ville, l'humeur d'Eulia oscilla entre la morosité et la gaieté. Elle attendait de savoir si elle était acceptée dans une troupe de danse classique et folklorique de San José, la capitale du Costa Rica.

« Bon nombre de nos parents considéraient Strang comme un ridicule cocu, tout en enviant notre bonne fortune. Allegria n'a pas pu rester avec lui parce qu'il était trop souvent absent. Certaines femmes ont besoin de ce qu'on appelle la proximité, d'autres pas. Quand il nous a emmenés à Los Angeles, mon frère lui a demandé pourquoi il dépensait tant d'argent pour nous. Ça l'a beaucoup troublé. Il a répondu qu'il nous aimait, qu'il espérait que c'était réciproque et que nous faisions partie de la même famille. Et puis il a fait une plaisanterie comme quoi nous arrivions à poil dans le monde et qu'il n'aurait certainement pas besoin d'un portefeuille le jour où il le quitterait. Nous avons trouvé cela héroïque. Etes-vous riche ? »

« Pas du tout. Je dépense tout, soit pas mal d'argent ; ou bien je le perds en investissements stupides, car je suis absolument nul en affaires. »

Je me garai devant la poste, et Eulia partit donner un coup de téléphone sans me dire à qui.

BANDE 6 : Suite : Bon Dieu, je perds les pédales. L'excursion à la plage a bien commencé : j'ai enfin eu des nouvelles de Karl ; il n'avait pas répondu aux lettres de Corve ni à la mienne parce qu'il était « passablement gêné » de se retrouver encore en prison. En tout cas, sa bonne conduite lui donnait droit à certaines faveurs, et nous pouvions lui rendre visite à notre convenance. Ces nouvelles de Karl m'excitèrent et me mirent de bonne humeur. Et puis c'était drôle de regarder les jeunes gens du coin mater les quelques centimètres carrés du maillot de bain d'Eulia. Le même petit chien qu'autrefois est arrivé, et je lui ai offert une succulente andouillette de mon réfrigérateur. Il s'est trémoussé et roulé de plaisir dans le sable. Quand nous sommes retournés au chalet, j'ai songé à un bon dîner pour Eulia et fait une prière silencieuse afin qu'elle ait suffisamment soif pour devenir consentante. Et puis son maillot de bain m'avait mis dans tous mes états. Je ne me rappelle pas avoir jamais été aussi excité. J'entamais les étapes préliminaires de la préparation d'un poisson chaud croustillant selon une recette du Hunan, quand elle m'annonça qu'elle n'avait pas faim et me demanda si elle pouvait m'emprunter ma voiture « un petit moment ». Bien sûr, dis-je, vexé et percevant les premiers signes de la déception. Et elle partit, habillée avec trop d'élégance, pensai-je, pour aller faire une brève course.

Je me suis senti tellement déprimé que je n'ai presque rien mangé. J'ai trop bu et gâché la recette, ajoutant tellement de piment que je me suis mis à suer sang et eau. Quand je me regardais dans le miroir, je croyais voir un marathonien. Puis je me suis endormi sur le divan jusqu'au crépuscule, vers dix heures. Elle était partie à quatre heures, j'ai commencé à m'inquiéter. Avait-elle eu un accident, était-elle allongée dans quelque fossé boueux dont l'eau pleine d'algues clapotait contre ses jambes ? J'ai repris un whisky avec mon café, partagé entre la colère et l'inquiétude, et soudain j'ai entendu la voiture.

Elle est entrée dans le chalet comme s'il ne s'était rien passé d'extraordinaire.

« Où étiez-vous ? » j'ai crié si fort que j'ai failli me faire peur.

J'aurais dû y réfléchir à deux fois avant de me lancer dans un pugilat émotionnel avec cette fille. On aurait dit qu'elle attendait depuis des années l'occasion de se venger de toutes les injustices subies.

« Où j'étais ? J'étais dans un motel de Seney en train de baiser avec Bobby. Je lui ai téléphoné pendant que vous étiez à la poste. Comme il n'était pas là, j'ai appelé Emmeline pour lui demander que Bobby me retrouve au motel de Seney à cinq heures cet après-midi. Nom de Dieu, elle a fait. Je savais qu'il avait sacrément envie de moi, et nous avons passé un moment formidable. C'est un gros bébé douloureux. Il n'est pas comme vous. Il n'est pas sophistiqué. Il ne porte pas de vêtements à la mode, il ne fait pas de brillants commentaires, il ne me prépare pas de boisson forte. Tous les gens de votre espèce se ressemblent. Vous faites semblant de ne désirer personne, et vous voilà hystérique parce que je suis allée avec quelqu'un qui me désire. Eh bien, va te faire foutre, gros malin. Allez tous vous faire foutre. J'étais une pauvre fille. Qu'ai-je à faire d'hommes qui croient intelligent de feindre qu'ils n'ont pas besoin de moi ? Allez vous faire foutre, vous pétez plus haut que votre cul. Baisez donc avec un miroir. Allez faire vos plaisanteries devant un miroir. »

Ma transcription est assez exacte. L'équivalent mental d'une rencontre avec un pilier de pont à cent à l'heure. Moment idéal pour appeler un hélicoptère. Je ramassai les morceaux et allai au bar. Bref, je m'enfuis.

SUITE DE LA BANDE : Réveillé en milieu de matinée avec l'impression qu'une mouche a profité de mes ronflements pour entrer dans ma bouche et traquer un secret sur ma langue. La fenêtre était fermée, le soleil brûlant tapait sur une de mes jambes. Dans le living-room, j'entendais David Bowie, le héros androgyne, chanter « *China Girl* », un morceau que ma belle-fille jouait sans cesse, au point de me rendre fou. « O Jésus, que ma joie demeure », psalmodiaient jadis les moines dans de frais monastères insonorisés. J'allais me lever en chancelant quand d'un geste de la main elle m'a arrêté, est entrée avec du café et un jus de fruit, puis a ouvert la fenêtre. Il y eut d'abord une expression de bon droit outragé. Son collant de danse était trempé de sueur, elle dit qu'elle espérait ne pas m'avoir réveillé.

« Ça vaut bien le camion des éboueurs à six heures du matin au coin de Lexington et de la Soixante quatorzième rue. »

« Voulez-vous que je parte après mon impolitesse d'hier ? Je vous ai chassé de votre chalet et à cause de moi vous vous êtes saoulé. »

« Ne partez pas tout de suite, je risquerais d'avoir une crise cardiaque. »

En fait, j'étais au bord des larmes. Un mot sincèrement gentil m'aurait fait complètement craquer. Ses critiques de la veille au soir m'avaient profondément touché, et j'aurais donné n'importe quoi pour être ailleurs. Elle s'assit au bord du lit, puis se releva et enleva son collant de danse. Elle ne dit rien, mais me rendit éternellement reconnaissant envers elle, car elle sentit que mon âme était blessée et qu'elle pouvait m'aider. Il est impossible de transformer notre passion en théorème ou en schéma simple. Rien de ce que j'ai lu sur ce sujet ne parviendrait à la décrire. À un moment vous haïssez tellement quelqu'un que vous êtes au bord des larmes, et l'instant suivant vous êtes imbriqués l'un dans l'autre, barbotant dans une colle d'abattoir, absolument heureux d'enfouir votre visage dans son arrière-train, lâchant un cri d'agonie au moment de l'orgasme, comme si vous veniez de vous casser la jambe. Je suis certain qu'Eulia s'exerçait à sauver son âme en l'abandonnant. Pendant qu'elle dormait, j'ai observé le fin duvet au-dessus de ses fesses. Nous sommes tous des singes, j'ai pensé plutôt joyeusements.

CHAPITRE XIV

Hourra pour l'ours mal léché ! Le lendemain à l'aube, je tirai Eulia du lit et la chargeai dans la voiture. Le moment était venu de se remettre au travail, après avoir vécu à un rythme convenant mieux à quelqu'un deux fois plus jeune que moi. Ou plus jeune encore. Je me demandai si j'avais passé avec succès mon examen d'entrée à l'école *latina*, mais j'en doutai.

Assise à une table sur le porche, Allegria feuilletait des catalogues de vêtements. Elle allait au *Merchandise Mart* de Chicago afin d'acheter des vêtements pour une boutique au Costa Rica ; puis elle reviendrait voir Strang au mois d'août. Son projet m'étonna, même si je n'avais aucune raison de m'attendre à autre chose. C'était une femme séduisante qui avait dépassé la quarantaine, très paisible et maîtresse d'elle-même, le genre de femme riche qu'on croise à l'aéroport de Miami, rentrant chez elle et chargée de paquets. Elle arborait un masque impénétrable fait de calme et d'affabilité. Eulia, du moins ce jour-là, s'adoucit un peu dans les parages de sa belle-mère, prit des manières enfantines et pleines de déférence. Moi qui ai souvent pâti du crédit que j'accorde toujours à l'humeur d'autrui, j'ai confié mes clefs de voiture à ces dames en étant raisonnablement convaincu qu'elles n'allaient pas s'envoyer en l'air avec un bûcheron lubrique comme Bobby.

———————————

J'espère pouvoir continuer à vous raconter des histoires. J'ai l'impression d'avoir subi un court-circuit, au point que je me réveille la nuit, convaincu d'être ailleurs, et pas nécessairement dans un lieu que je connais. Cette sensation est intéressante, plus que rassurante. Un jour, en Floride, j'ai dîné avec Marshall et quelques-uns de ses amis huppés. La plupart de ces hommes étaient à la retraite et manifestement très riches. Je revenais à peine d'Ouganda, via le Brésil, et je pris un réel plaisir à les écouter pendant un moment, mais vers le milieu de la soirée j'ai pensé : bon Dieu, nous ne vivons vraiment pas sur la même planète. C'étaient des colonialistes, qui semblaient s'apprécier mutuellement pour cette seule raison. Je remarquai soudain qu'ils étaient aussi naïfs que mon père à propos de la vie, mais infiniment moins aimables et sincères. L'un de ces types me prit en grippe et resta poli pour cette seule raison que j'étais l'invité de Marshall.

« Vous ne croyez pas à la moindre foutue chose que nous disons, n'est-ce pas ? Pourquoi ? »

« Non, c'est vrai. Vous parlez du monde tel qu'il était, ou tel que vous aimeriez qu'il soit, mais pas du monde que je vois dans mon travail. »

Marshall jugea ma réponse merveilleusement drôle, puis orienta la conversation vers les chevaux de course. Voyez-vous, je venais d'examiner un projet hydroélectrique français en Ouganda pour voir si certains équipements conçus par les ingénieurs étaient utilisables au Brésil. Le bassin de retenue d'un caisson hydraulique était plein des cadavres décapités et boursouflés des ennemis politiques d'Amin qui venait d'accéder au pouvoir. Les crocodiles ne réussissaient pas à venir à bout de ce nouvel aliment qu'on leur fournissait avec générosité. Bon Dieu, ça puait ! Impossible de ne pas vomir. Certains ingénieurs français avaient rendu leur tablier pour cette raison qu'ils ne parvenaient plus à déjeuner. Car sur un chantier de construction, exactement comme en prison, la nourriture est directement responsable du moral des hommes. Voici ce que je pensais : je suis assis ici pour vous raconter mon histoire, et cette histoire est quasiment terminée, bien que cela ne semble pas entamer l'intérêt que nous lui portons. Je ne désire évidemment pas que nous ressemblions à ces types du dîner de Marshall. Quand je fus couché, je songeai que ces hommes s'intéressaient fort peu au monde en dehors de ce qui les concernait immédiatement. Si vous prenez la peine d'y réfléchir, vous découvrirez que l'aspect le plus désespérant du comportement humain est le manque de curiosité.

C'était cette curiosité qui accordait à Sharon une grande part de son charme. Pas un insecte, pas un oiseau n'échappaient à son attention. Elle ne supportait pas de faire le mort, et le révérend lui tapait sur les nerfs. Cela me rappela Violet, la façon dont nous lisions et discutions de livres. J'étais arrivé un an seulement après les troubles avec les Mau-Mau, si bien que notre mission n'était pas très active. Le malheureux révérend manquait de dynamisme, pour des raisons compréhensibles : il était au bout du rouleau après trente ans passés sur le terrain, une épouse et l'un de ses trois enfants morts de maladie.

Quand il revint de sa conférence de Kampala, il fut content de me voir, mais il avait surtout en tête la place au conseil qu'il venait de perdre. Je consacrai d'innombrables soirées à d'assommantes et sempiternelles discussions avec lui. Sa principale préoccupation était purement théologique ; il s'agissait de la nature de la prédestination : si Dieu sait ce qui va se passer, comment pouvons-nous intervenir dans l'ordre des choses ? Ce genre de cauchemar tautologique. D'une certaine façon, cela était lié à la mort de sa fille des années auparavant, mais je n'ai jamais réussi à connaître le fin mot de l'histoire. Elle était morte à la mission à l'âge de sept ans, et je me demandais pourquoi on ne l'avait pas transportée au bon hôpital de Nairobi. Elle était sans aucun doute la victime de ses élucubrations théologiques, et maintenant son esprit le hantait, réclamait son dû.

Sharon avait des habitudes un peu spéciales qui faisaient d'elle une femme en avance sur son temps. Par exemple, elle fumait le « bangi », la marijuana locale fort prisée des indigènes, le soir après la fermeture du dispensaire. Elle prenait sa douche, dînait — elle refusait de manger avec le révérend —, puis se roulait un joint dans du papier à cigarette et le fumait en lisant, en discutant ou en faisant l'amour avec moi. Elle était très détendue, d'humeur joueuse, elle adorait me faire allonger à côté d'elle pour que je lèche son sexe, une activité qui était loin de me déplaire. Seigneur, quel plaisir nous avons pris l'un avec l'autre. Je n'ai rien découvert depuis sur l'amour qu'elle ne m'ait déjà enseigné.

Un soir, elle me raconta une merveilleuse histoire à propos d'un hôpital de brousse près de Mombassa. Un matin de bonne heure, un garçon entre chez elle en hurlant. Elle le suit sur la route jusqu'à un grand rassemblement de villageois, au bord du fossé. Là, un homme est allongé, la jambe gauche avalée jusqu'en haut de la cuisse par un énorme python. Personne ne sait que faire. Tous essaient de tirer sur le serpent, qui les envoie bouler l'un après l'autre ; de plus, ils craignent de blesser davantage l'homme. Enfin, le chef réussit à fendre le flanc du serpent et à libérer l'homme, qui se met à sautiller avec une jambe couverte d'éraflures ; on dirait qu'elle a passé quelques semaines dans un bain d'eau savonneuse. Ce type revenait d'une fête à Kaloleni, où il avait bu trop de « mnazi », une boisson à base de noix de coco fermentée. Bon Dieu, imaginez que vous vous réveillez dans un fossé avec la gueule d'un python au ras des couilles ! Sharon nettoie la jambe du blessé, puis les villageois l'invitent à un grand banquet où ils cuisent le serpent. Impossible d'arrêter cette fille, surtout le soir où elle m'a raconté cette histoire. Le générateur était coupé, mais nous avions allumé une lampe à pétrole. Elle se mit à ramper dans toute la pièce et sur le lit en s'attribuant le rôle du serpent et m'accordant celui de la victime ivre. D'abord j'ai eu un peu la trouille, puis je suis rentré dans son jeu. Comme ma jambe était une proie légèrement trop ambitieuse, elle s'est contentée de gober ma queue. Puis elle s'est retournée et a placé son ventre au-dessus de mon visage pour que moi aussi je puisse faire le serpent, et nous avons joui en poussant des cris sauvages. Wouaaaa ! Tout allait bien jusqu'au moment où le révérend est entré en trombe dans la chambre avec une lampe torche. Il a dit quelque chose comme « Bonté divine », puis s'est précipité dehors. Chose curieuse, il ne m'a jamais reparlé de cet incident. Je revois encore son visage rose couvert de coups de soleil entre les cuisses de Sharon.

Pendant la journée, je travaillais d'arrache-pied,

comme je l'ai toujours fait. Les tropiques connaissent de longues aubes et de brefs couchers de soleil ; je me levais donc toujours aux aurores. Je faisais le tour de la mission à la recherche de traces d'animaux, puis me mettais au travail. Un matin, j'ai trouvé des empreintes de léopard dans la plate-bande de pétunias devant la maison du révérend. Je ne lui ai rien dit, car il avait une peur bleue de ne pas pouvoir prendre sa retraite au Kansas. Quant à moi, je n'avais pas vraiment peur de mourir, car l'encyclopédie paraissait me vouer à une mort précoce. Quand j'y repense, je trouve que je suivais à la lettre le programme que Karl m'avait tracé des années plus tôt.

Un jour, je suis allé à Narok pour acheter quelques fournitures et voir si j'avais du courrier. C'était un lundi, je m'en souviens maintenant, car Sharon était partie le samedi avec son médecin pour revenir seulement le dimanche soir. J'étais de mauvaise humeur, si bien que j'ai bu deux bières avec un ouvrier du bâtiment anglais que j'avais rencontré par hasard. Il travaillait au Soudan et passait ses vacances à se balader au Kenya et en Tanzanie. Il fut stupéfait d'apprendre que j'avais travaillé sur le pont de Mackinac et voulut en savoir davantage. Bien sûr, aidé par la bière, j'exagérai l'importance de mes fonctions, mais c'est là monnaie courante. Quand je me levai pour partir, il me donna sa carte avec l'adresse et le numéro de téléphone du bureau de son entreprise à Nairobi. Si je voulais un boulot après mon engagement à la mission, je n'avais qu'à le contacter. Le salaire était confortable, et Martin — c'était son nom — connaissait le monde comme sa poche. J'étais plutôt estomaqué par cette proposition de travail quand je suis sorti du bar. J'étais déjà remonté dans le camion de la mission quand je remarquai un équipement de forage de puits garé dans la station-service un peu plus loin.

Ce matériel appartenait à un type, un Américain catholique d'origine irlandaise ; il travaillait avec deux ouvriers et je le suppliai de venir à la mission pour nous creuser un puits. Ils allaient à Kissi, mais quand je proposai la moitié de l'argent que j'avais apporté en Afrique, le catholique irlandais changea d'avis. En fin de compte, il refusa le moindre centime. Il me déclara que conduire son vieux camion aux quatre coins de la brousse afin de forer des puits d'eau potable pour les pauvres était sa mission dans la vie. Des années plus tard, cet homme devint célèbre pour les puits qu'il avait forés en Afrique. A l'époque, la simplicité de sa charité me stupéfia. On peut supprimer tellement de maladies et de souffrances grâce à la seule eau potable.

Quand je revins à la mission, suivi par le camion de l'Irlandais, le révérend fut tout sauf content. Il avait entendu parler de ce missionnaire de l'eau, qu'il considérait quasiment comme un émissaire du diable. Je lui répondis que je me foutais que ce type soit un communiste russe, que mon contrat stipulait que je devais fournir de l'eau potable au dispensaire, et que cela relevait par conséquent de mon autorité. Naturellement c'était un mensonge, mais cela calma assez le révérend pour qu'il retourne dans sa maison sans même serrer la main du catholique. Je m'excusai, mais le gars éclata de rire en disant qu'il creusait des puits pour Dieu, Jésus, la Vierge Marie et les indigènes. Sharon m'avait appris que, trois ans plus tôt, le révérend avait fait une demande pour un nouveau puits. Sa demande mettrait encore des mois, voire des années à traîner dans les bureaux du gouvernement ou des Nations Unies, alors que cet homme fit le boulot en vingt-quatre heures. Son attitude me frappa comme réellement chrétienne.

La journée du lendemain fut torride, si bien que je branchai un tuyau d'arrosage pour mouiller le toit de tôle de l'école provisoire. Le révérend était de meilleure humeur, car le nouveau puits attirait de nombreux Kikuyus, et lui-même en profitait pour distribuer des tracts et des bibles. La demi-douzaine d'enfants qui fréquentaient l'école apprécièrent beaucoup cette pluie artificielle sur leur toit. La chaleur était supportable dans ce bâtiment, il y faisait dix degrés de moins que dehors, et les gamins regardaient la poussière de la mission à travers la pluie. J'installai un tuyau fixe et une pompe à l'entrée de la mission. Le révérend prit l'habitude de traîner dans les parages avec son casque colonial en sola afin de parler de Jésus aux indigènes quand ils venaient chercher de l'eau. Apparemment, cela ne les dérangeait pas. L'eau était excellente, et nous ne ressemblions pas aux Britanniques détestés.

Sa passion fait d'abord ignorer à l'amoureux que la femme aimée peut choisir une autre option, ou même avoir une autre liaison. Je considérais le médecin comme le jouet du week-end de Sharon, ou son camarade de beuverie, car elle revenait toujours avec une gueule de bois carabinée. Cependant, elle reconnut peu à peu qu'elle était très attachée à lui et que leur liaison durait depuis trois ans. Il lui avait promis de divorcer de son « horrible » femme pour l'épouser, elle. Vaguement cynique, je rappelai à Sharon combien d'ouvriers qui travaillaient sur un pont s'installaient avec des filles du coin, puis filaient à l'anglaise dès la fin de leur contrat. Bien sûr, je ne me possédais plus, la passion m'enlevait tout bon sens. Chaque soir, je brossais les cheveux de Sharon après sa douche, en essayant d'être aussi brillant et spirituel que le médecin anglais, du moins tel que je me l'imaginais. En vain. Elle commença de recevoir des lettres quotidiennes, et je m'étonnai de la duplicité des femmes, car nous passions ensemble des nuits enfiévrées. Il y avait là comme un malentendu fondamental de ma part. J'aimerais savoir où le prétendu altruisme des hommes nous a conduits. Peut-être n'avait-elle pas encore pris sa décision, car moi aussi j'avais promis de divorcer afin de l'épouser et de l'emmener en France. Ne me demandez surtout pas comment je comptais faire. En revanche, je sais que je travaillais tous les jours de l'aube au crépuscule avec une boule dans la gorge.

Bien sûr, être verbeux et pompeux est contraire à l'amour. Mais il faut des années pour avoir du recul, y penser correctement, et qu'obtenez-vous alors ? Vous vous retrouvez avec votre recul et vos pensées. L'été qui précéda le départ d'Édith, nous allions en ville dans cette grande cabane que Ted louait pour entreposer son matériel lourd. Un jour où il pleuvait, Édith et moi, assis dans un vieux camion Dodge, regardions les hirondelles voler autour des poutres maîtresses.

« Papa dit que nous devons partir à l'automne », m'apprit-elle. L'idée de notre séparation était si boule-versante que nous nous sommes blottis dans les bras l'un de l'autre.

A travers la porte grillagée, je vis Sharon s'en aller avec son médecin pour la dernière fois. Il est difficile mais nécessaire d'accepter la vérité de ce que nous sommes dans nos moments les plus solitaires. Je suis resté assis là toute la journée, jusqu'à la nuit tombée, puis j'ai longé la route jusqu'aux cases des indigènes et je me suis saoulé à mort pour la première fois de ma vie. A l'aube, Peter et ses amis m'ont ramené à la mission. Je me suis couché dans la chambre vide de Sharon pour nourrir mon désespoir des restes de son odeur et de sa présence.

J'ai fini de construire l'école tambour battant avec l'aide de deux jeunes adolescents kikuyus. Je suis toujours en contact avec l'un d'eux, qui possède une entreprise de bâtiment à Nairobi. Je les ai payés de ma poche, car mon budget était complètement à sec et

225

puis j'avais le mal du pays, du moins le croyais-je, je voulais retourner en Amérique. Je l'ignorais à l'époque, mais je devenais comme ces hommes qui jugent suffisant d'envoyer presque toute leur paie à leur famille. Le jour où j'ai eu fini, j'ai fait mes valises, au grand regret du révérend, qui aurait voulu que je reste pour les cérémonies de consécration. Je suis sûr qu'il était sincèrement navré, car les indigènes m'aimaient bien, et leurs fréquentes visites à la mission lui donnaient l'impression de progresser.

Le matin où Peter me conduisit à l'aéroport, nous vîmes les premiers nuages de pluie de la saison qui stagnaient dans le ciel vers le Mont Eregero et la plaine de Lorogoti. J'étais si déprimé que j'avais oublié la beauté de l'Afrique, et pour une fois le serrement de cœur que je ressentis était dû à sa beauté, et non à Sharon. Celui qui n'est jamais allé là-bas doit essayer d'imaginer le Montana et le Dakota au dix-huitième siècle, ou bien les immenses troupeaux de bêtes décrits par l'expédition Clark et Lewis. A cette époque, le paysage était impressionnant dès la vallée du Kedong, tout près de Nairobi. Ensuite, tandis que nous approchions de l'aéroport, mon cerveau se mit à ruminer des idées pernicieuses. Allais-je laisser tout cela derrière moi pour retourner vers une fin d'automne et un hiver dans la péninsule nord, quand on passe le plus clair de son temps à boire du café ou de la bière en attendant le printemps ? L'événement le plus marquant de la prochaine saison serait peut-être une nuit de janvier où le thermomètre descendrait en dessous de moins vingt. Emmeline et les enfants me manquaient, mais brusquement je vis mon existence consacrée à construire des maisons mobiles avec Ted, à essayer de finir le gros œuvre avant la fin de l'automne pour peaufiner les intérieurs pendant l'hiver. On construit exactement le même modèle de maison quarante ou cinquante fois de suite, c'est à pleurer d'ennui. Mon bref séjour en Afrique serait-il la seule aventure de mon existence ?

Bon, j'avais quelques heures devant moi avant le décollage, que je comptais utiliser pour acheter des souvenirs. Je cherchai dans mon portefeuille la carte de Martin, le type du bâtiment rencontré à Narok. Nous avons trouvé l'immeuble sans difficulté, je suis resté dans la Rover avec Peter en essayant de rassembler assez de courage pour entrer et demander un emploi. Peter était à cent pour cent d'accord, car il considérait avec beaucoup d'humour les lubies de l'homme blanc qui, sur un coup de tête, joue son destin. J'entrai, et après m'être composé un visage dans ce bureau so-phistiqué et feutré, je tendis la carte de Martin au directeur du personnel. A ma grande surprise, il me répondit que Martin lui avait parlé de moi et qu'il aurait « grand plaisir » à m'embaucher dans son équipe au Soudan. Le directeur du personnel essaya ensuite de dissimuler sa gêne en brassant des papiers quand je dus reconnaître que je n'avais fait aucune étude. Il appela alors un ingénieur dans son bureau pour que je prouve que je connaissais la trigonométrie, que je savais lire des plans et des données techniques, et me servir de toutes sortes d'équipements. On me fit passer dans une agréable salle d'attente dotée de ventilateurs au plafond et de fauteuils en rotin. Un secrétaire me servit même une tasse de thé. Maintenant, j'étais complètement écœuré par mon audace. Je faisais semblant de lire un vieux numéro du *Times* de Londres quand le directeur du personnel et l'ingénieur entrè-rent dans la pièce avec cet air typiquement britannique qui vous laisse pantois si vous n'y êtes pas habitué. Tout allait bien. Je pouvais me reposer, puis prendre l'avion du matin pour Khartoum, où quelqu'un vien-drait me chercher. Ils s'occupaient de me réserver une

227

chambre d'hôtel pour la nuit. Bienvenue à bord, ce genre de discours. Je bavardai encore un peu avec l'ingénieur à propos du pont de Mackinac. Il existe seulement quelques projets de cette ampleur de par le monde à un moment donné, et tous les gens du métier débordent de curiosité à leur égard. Quand je ressortis au soleil, j'avais quasiment joué ma vie.

Peter était enthousiaste ; il s'arrêta devant l'entrée du New Stanley Hotel comme s'il amenait une personnalité de haut rang. Nous nous embrassâmes, et machinalement je lui donnai ma montre. Même les gens de l'hôtel étaient polis, sans doute parce que cette compagnie anglaise faisait beaucoup d'affaires avec eux. Avant de monter à ma chambre, j'achetai une veste de sport en popeline et un pantalon, car j'avais senti à la réception que mon costume brun ne collait pas avec ma nouvelle image de vagabond du bâtiment. L'employé de la boutique me proposa de donner mon ancien costume au pressing, puis de le faire monter à ma chambre, ce qui me fit réfléchir, car je soupçonnai une arnaque quelconque. Le seul hôtel où j'avais mis les pieds était l'Ojibway de Sault Ste. Marie, avec Emmeline. Ma chambre était somptueuse, je ne savais pas très bien quelle contenance y adopter. Dans la salle de bain, les serviettes étaient immenses. Sans aucune raison, j'eus une érection. Je me mis à paniquer, si bien que je m'agenouillai et priai, ce qui me parut un peu stupide, surtout avec cette érection aussi violente qu'une rage de dents, mais je priai néanmoins. Quelques coups sonores résonnèrent soudain à la porte : c'était mon costume qui sortait du pressing. L'employé de l'hôtel me demanda si je désirais quelque chose, et je lui répondis : un gin tonic Plymouth, la boisson préférée de Sharon. Je ne peux pas vous dire à quel point j'étais tendu, je n'avais même pas vingt et un ans, j'étais dans un hôtel de luxe, en route pour Khartoum.

Je me suis assis avec mon gin, en regrettant que Karl ne soit pas là pour partager mon plaisir. Ou Sharon, mais sa seule pensée me fit fondre en larmes.

Ce soir-là, pendant le dîner dans l'élégante salle de restaurant de l'hôtel, j'établis un précédent qui faillit bien me tuer sept ans plus tard. Je me suis mis à boire, tout simplement. Vous savez que mon corps n'était déjà plus tout à fait intact. Le serveur me demanda si je désirais un cocktail et je pensai : pourquoi pas ? Puis il me demanda si je désirais une bouteille de vin pour dîner, et je pensai : pourquoi pas ? Voilà plus de trois mois que je n'avais pas mangé un repas décent, sauf un soir où Sharon et moi avions grillé quelques steaks de zèbre sur le feu — cela ressemblait beaucoup au chevreuil. J'étais hypnotisé, le plaisir m'étouffait : crevettes de l'océan Indien, poisson tilapia du lac Victoria qui rappelle le poisson soleil, plus une grosse côte de bœuf saignante. L'alcool atténua, engourdit mon anxiété, ma nervosité, ma gêne. Je levai les yeux avec stupéfaction quand tout fut terminé ; dans un verre de brandy je noyai la peur que j'avais d'être observé et de paraître ridicule. Le bien-être revint quand le brandy frappa mon estomac. Une femme séduisante m'adressa un sourire sur le chemin des toilettes. J'avais le sentiment de pénétrer dans un monde d'où toute solitude avait été bannie, où tout était devenu possible, où je pouvais parfaitement rencontrer l'une des jeunes Anglaises d'il y avait trois mois — nous monterions dans ma chambre, baiserions jusqu'à plus soif, parlerions de choses sophistiquées. L'addition me causa un certain choc, mais j'avais dépensé fort peu de ma cagnotte initiale, seulement entamée par l'argent donné à mes aides kikuyus. Tandis que je remontais en chancelant vers ma chambre, je faillis faire un faux pas en songeant au gros pourboire que j'avais laissé. Mon seul vague remords tenait au fait que mon père et ma mère, au ciel, savaient sans doute combien j'avais dépensé pour ce repas.

Tous les buveurs se rappellent le revers de la médaille de ces premières expériences. Je me réveillai à l'aube avec une bouche pâteuse et une migraine qui battait dans mes oreilles. J'avais dormi dans mes beaux vêtements neufs, qui étaient trempés de sueur. Je vomis, pleurai, pris un bain, vomis encore, allongé sur le sol frais de la salle de bain, absorbé dans la contemplation des entrailles de la baignoire. Je lus la Bible, priai, bandai, me masturbai en pensant à Sharon, pleurai de nouveau, commandai des céréales, du jus de fruit et du café. Je pris un taxi jusqu'à l'aéroport, montai dans mon avion pour Khartoum, et quand, vers le milieu de la matinée, une charmante hôtesse de l'air me demanda si je désirais boire quelque chose, je pensai : pourquoi pas ? J'avais retrouvé toute mon énergie et je regardais par le hublot le paysage incroyable du Nil Blanc. Qui se démène comme moi, pensais-je, ne doit pas se reprocher trop durement quelques verres.

Le lendemain de votre arrivée ici, vous avez cité cette phrase : « La seule véritable aristocratie est celle de la conscience. » Cela me plaît. Que pourrait-elle être d'autre ? Je ne vais pas me lancer dans une diatribe contre l'alcool. C'était en partie dû à mon âge, en partie à Sharon, dont j'avais déjà écorné les angles de la photo. Vous prenez un jeune homme plein de vitalité, d'énergie, d'hormones, d'amertume, et vous l'envoyez soit à la guerre, soit au boulot — plus c'est dur, mieux ça vaut. Je pense souvent avec plaisir aux légions de César partant en Islande, où il n'y avait pas âme qui vive à tuer. Ce comportement est trop facilement prévisible ; les résultats obtenus sont presque toujours les mêmes. Vous amputez la partie de l'existence qui vous irrite le plus, mais du même coup vous avez coupé les jambes du cheval pour le faire entrer dans son box. Je ne parle pas des buveurs occasionnels, mais de ceux qui picolent régulièrement et sans restriction, pour qui l'alcool est le substitut d'une chose que souvent ils ignorent ; d'une expérience qu'ils n'ont pas vécue, ou au contraire d'une expérience qui les a marqués. Les Britanniques avec qui je travaillais au Soudan et en Inde appartenaient à une catégorie bien spéciale de buveurs : leur but était d'absorber le maximum d'alcool avec le minimum d'effets visibles. La vraie ébriété, sauf en des occasions très particulières, était mal vue. Les bières, le gin ou le rhum quotidiens apaisaient après le travail. Puis il y avait le dîner, une partie de cartes, un peu de lecture, et ensuite le sommeil.

Je passai moins d'un an au sud de Khartoum, au Soudan. Nous restructurions un système d'irrigation géant entre le barrage de Sennar et celui de Rozieres dans la plaine de Gezira, entre le Nil Blanc et le Nil Bleu. C'était à l'époque la deuxième région du monde pour la production du coton. Aujourd'hui encore, j'aime porter uniquement du lin ou du coton ; les autres textiles me paraissent déplacés. Chaque fois que je mets de la laine, il me semble que je risque d'être au mauvais endroit.

Le plus souvent, je dirigeais une pelleteuse ou une grue, ou bien j'installais des portillons hydrauliques sur le canal. Cette région du Soudan n'a aucun des charmes du Kenya : il s'agit d'une méga-agriculture, dont seuls les propriétaires peuvent aimer le spectacle. Cela rappelle le maïs dans l'Iowa ou certains champs de blé du Dakota, l'absence d'horizon, le paysage ennuyeux de la monoculture, l'élimination impitoyable des choses et des êtres qui risqueraient de gêner la croissance du coton. Quand nous avions quelques jours de congé, nous montions à Khartoum, où les distractions étaient rares ; quand nous avions un peu plus de temps, nous allions en avion à Addis-Abeba ou à Nairobi, le meilleur endroit pour le R & R, comme on appelait ça[1]. Quant aux prostituées dont nous avions grand besoin, je préférais les filles gallas et amharics d'Addis aux Anglaises miteuses que certains appréciaient à Nairobi.

C'est difficile à croire, mais nous avons perdu l'un de nos meilleurs ouvriers, un soudeur originaire de Liverpool, un jour sur le Nil Blanc. Nous pique-niquions et rôtissions une chèvre. Les indigènes nous avaient dit de ne pas nager au milieu du fleuve, mais nous étions tous pintés, et un crocodile l'a dévoré sous nos yeux.

« Ça donne sacrément envie de rentrer chez soi, n'est-ce pas ? » dit Martin, notre contremaître. Nous avons passé tout l'après-midi dans des bateaux à tuer puis éventrer des crocodiles pour essayer de retrouver quelques restes à rapatrier pour l'enterrement. Il faisait facilement trente-cinq degrés ; éventrer des crocodiles nous dégrisa. Bien sûr, nous ne trouvâmes rien à renvoyer à sa femme et à ses gosses. C'était horriblement primitif, mais au fond compréhensible ; une fois le choc initial surmonté, nous ressentîmes le besoin de faire quelque chose, car la faute incombait à la bande d'imprudents imbibés d'alcool que nous formions.

Martin devint mon mentor. Il mourut plus tard près d'Hyderabad de dysenterie amibienne, la maladie que j'attrapai en Inde. Je le connaissais depuis plus de six mois quand je découvris qu'il était homosexuel. Il y avait un autre homosexuel qui travaillait pour la compagnie dans la région, un ingénieur scandinave nommé Sorensen. Curieusement, Sorensen et Martin ne s'aimaient pas. Sorensen s'attira des ennuis avec les indigènes, car il s'amusait avec des jeunes hommes inter-

---

(1) R & R : *Rest and Recuperation*, Repos et Récupération. (N.d.T.)

dits à ses semblables. Chaque culture que j'ai côtoyée dispose d'une façon spécifique de ses homosexuels, mais la place qu'elle leur accorde est souvent extrêmement limitée. Une semaine où nous attendions l'arrivée de matériel, j'accompagnai Martin pour une virée de trois jours à Alexandrie, en Égypte. Nous allâmes d'abord au port pour vérifier l'état de notre matériel sur le cargo qui venait d'arriver, puis je partis faire un tour en ville pendant que Martin allait remplir des papiers chez un transporteur. Tandis que je buvais un café épais mais délicieux dans les quartiers bourgeois, je rencontrai une fille adorable. Nous retournâmes à ma chambre d'hôtel, elle ferma les volets, puis m'offrit un numéro proprement affolant. Elle plaça ma queue en elle, et je réussis difficilement à la faire sortir. Avant son départ, je lui donnai rendez-vous au même café un peu plus tard. Pendant le dîner, je décrivis d'une voix haletante cette fille à Martin, qui parut d'abord gêné ; puis le vin lui délia la langue.

« Espèce de petit crétin, ce n'était pas une fille », me dit-il.

« Je ne vois pas ce que vous voulez dire. »

« Je parie que tu n'as pas touché sa chatte ni ses seins. »

« Elle était timide, elle a refusé que je la touche. » Je fouillai frénétiquement mes souvenirs récents à la recherche d'une preuve incontestable de sa féminité.

« Ils sont partout. Mais ne t'inquiète pas. Il ne t'a pas demandé beaucoup d'argent parce qu'il a vraiment réussi à te séduire. Oui, il t'a eu sur toute la ligne. »

Pour être franc, j'étais furieux. Je tins à ce que nous allions au rendez-vous et pariai dix livres avec Martin, une assez grosse somme à l'époque. Eh bien, le garçon-fille et Martin se repérèrent pronto, et la situation devint plutôt comique. Martin commanda une bouteille de champagne, et nous bûmes à ma naïveté.

Dans le taxi qui nous ramenait à l'hôtel, je demandai à Martin de ne rien dire aux gars du chantier. Bien entendu, me répondit-il. Nous restâmes à boire du café et du brandy, et il me raconta l'histoire de sa vie. Je ne peux pas dire que je compris tout à l'époque, mais Martin était un véritable ami et je l'écoutai avec toute l'attention qu'on accorde aux angoisses les plus intimes d'un ami. Martin venait de Grassmere, dans la région des Lacs ; son premier amour de jeunesse avait trouvé la mort pendant la guerre sur les côtes normandes. L'aube pointait quand il acheva son histoire et que nous vidâmes les dernières gouttes de la bouteille de brandy. D'une étrange manière, son premier amour me rappela Édith, malgré la différence des sexes. Naturellement, j'avais entendu de nombreuses histoires, mais Martin était le premier véritable homosexuel dont je me faisais un ami. Quand il est mort en Inde, les membres de son équipe et moi, qui l'aimions tous, dressâmes une stèle portant ces mots : « Ici repose le plus noble de tous les Anglais. » C'était sentimental, mais cela traduisait parfaitement ce que nous ressentions envers Martin.

Hier soir j'ai eu un problème en parlant avec Allegria, qui a eu une trouille bleue. Je ne disais pas ce que je croyais dire : un torrent de mots incohérents sortait de ma bouche. La même chose arrive souvent aux gens qui ont des attaques. D'abord j'ai refusé de la croire, mais elle a enregistré ce que je disais sur un magnétophone, puis me l'a fait écouter. J'ai trouvé ça davantage comique qu'effrayant, car j'ai reconnu l'influence souterraine de cette herbe. Je devrais remercier le Seigneur, ou qui de droit, de ne pas avoir absorbé une dose encore plus forte, laquelle, paraît-il, entraîne souvent la paralysie totale ou la mort. Ensuite, mon incohérence a disparu aussi brusquement qu'elle avait commencé.

Vous devriez probablement renoncer à essayer de lire ce livre sur l'engineering des barrages. Je viens de comprendre qu'un barrage ressemble davantage à un film qu'il faut voir, car les mots sont impuissants à le décrire. Quand vous redescendrez vers le sud, faites un détour par Elberton, en Géorgie, et jetez un coup d'œil au Projet Russell sur la Savannah. Ce n'est pas un monstre, simplement une construction de taille respectable. L'un de mes amis travaille sur le chantier comme ingénieur, il vous fera visiter. Ou alors, si vous allez dans la région, venez me voir cet hiver en Nouvelle-Guinée. Du début à la fin, la construction d'un gros barrage peut prendre plus de dix ans. L'un de nos principaux problèmes en Inde était que nous travaillions trop vite. Nous étions au début du deuxième plan quinquennal de Nehru, et pendant tout notre séjour nous n'avons pas eu une minute de répit.

La vraie raison pour laquelle certains d'entre nous travaillaient d'arrache-pied en Inde tenait à leur désir de voir l'ouvrage terminé. Certains barrages construits pendant le deuxième plan quinquennal devaient servir à l'irrigation, afin d'augmenter la surface des terres cultivables et de nourrir les paysans. D'autres avaient surtout pour but de fournir de l'énergie hydroélectrique afin de développer l'industrie et de diminuer la dépendance quasi totale de l'Inde envers l'étranger dans la construction des machines. Le mot famine reste une abstraction, une chose qu'on peut ignorer ou écarter d'un haussement d'épaules. On lit aujourd'hui ceci dans nos journaux : les nantis refusent tout bonnement de reconnaître la malnutrition dans notre propre pays. Ils nient le phénomène en bloc, car ils ne se sont jamais donné la peine d'entrer en contact avec des gens différents d'eux-mêmes. D'un point de vue historique, leurs dirigeants sont bien sûr des ordures parfaitement méprisables. On nourrirait facilement tous les gens qui ont faim dans ce pays avec le seul fric que les entrepreneurs travaillant pour la défense piquent au Pentagone. J'ai lu qu'un mineur habitant à l'ouest d'ici, dans une région où le taux de chômage atteint quarante pour cent, essayait de nourrir ses gosses avec du bouillon-cube. Un instituteur a eu la puce à l'oreille quand les gosses ont commencé à s'évanouir dans la cour de récréation. Je peux vous dire que j'ai envoyé un chèque à ce mineur par l'intermédiaire du journal. Aucun de ces gros enculés de Washington ou de Lansing ne devra jamais servir une tasse de bouillon-cube à ses mômes en guise de dîner pendant tous les jours de la semaine. C'est couru d'avance, car tous sont avocats, et les avocats pensent que tout est affaire de langage. Soixante pour cent des dommages et intérêts versés aux victimes des empoisonnements par l'amiante sont passés en frais de justice. Les journalistes ne valent guère mieux, sauf pour les problèmes urbains ; ils sont trop paresseux pour s'occuper des campagnes, où de toute façon le nombre de lecteurs est faible. La plupart ont décidé d'écrire sur eux-mêmes.

Excusez ma colère, mais je ne supporte pas qu'une totale insensibilité passe pour de la sagesse. Je vous ai parlé de l'Amérique Centrale où j'ai passé tant d'années ? Et s'ils coupaient les couilles de nos fils et torturaient nos filles ? Je crois pouvoir dire que nous consacrerions le restant de nos jours à nous venger. Mais ils font seulement subir ce traitement aux paysans, que depuis belle lurette ils ont transformés en bêtes de somme. Dans notre nation républicaine et démocrate, les quelques millions d'affamés ne peuvent pas faire basculer un vote. L'argent des politiciens rusés va plutôt aux dames et aux homosexuels. J'espère que ces communautés sont prêtes pour le bain de boue.

Excusez-moi encore. Bon, nous étions près d'Amritsar, au Pendjab, toute une bande de travailleurs étrangers, très bien payés, quoique probablement pas assez compte tenu de la détérioration ultra-rapide de notre organisme. Le plaisir qu'on tire de ces projets colossaux, c'est de les avoir vus se réaliser sous ses yeux, de savoir qu'on y a participé. Nehru est même venu un jour visiter le chantier. Nous étions tous alignés en kakis impeccables pour serrer la main du grand homme. J'avais hâte de raconter cette expérience à Violet, car à l'époque nous nous écrivions une lettre par semaine — moi au Pendjab, elle dans le Dakota. Ce n'est pas une chose très connue, mais les efforts de Nehru amenèrent l'électricité à onze mille communautés, et permirent d'irriguer dix millions d'acres jusque-là incultes. Aujourd'hui, certains contestent ce type de progrès, probablement avec raison. Je me range plutôt dans leur camp, sinon je ne vivrais pas ici dans ce chalet perdu au fond des bois. Mais en Inde c'était différent. Il est facile de renoncer au monde quand on a déjà goûté au meilleur de ce qu'il peut vous offrir. Nous avons toujours un billet de retour. Nous sommes les meilleurs observateurs et expérimentateurs du monde, même si ces qualificatifs semblent maladroits.

Une fois la structure du réseau d'irrigation mise en place à Amritsar, nous descendîmes au sud d'Hyderabad, où ils avaient des problèmes. Notre équipe était constituée d'une centaine d'ouvriers triés sur le volet, capables de maîtriser toutes les sophistications du matériel lourd et l'installation de générateurs de fabrication allemande ou suisse. Il y avait aussi un grand patron, une douzaine d'ingénieurs qualifiés, et Martin, qui faisait le lien entre les ingénieurs et nous. Les rapports étaient assez démocratiques, même si les responsables avaient tendance à rester ensemble, à cause de leur éducation et de leur appartenance à la même classe sociale. La même chose est vraie dans le monde entier.

A Hyderabad, nous dûmes affronter la mousson et la nourriture particulière à cette région. Le climat du Pendjab nous était moins étranger, et les indigènes semblaient moins exotiques que dans le Sud. Après notre arrivée, nous nous mîmes tous à boire davantage, et les pluies estivales nous rendirent dingues. Au bout d'un an, Martin tomba malade. Il attribua sa maladie à un repas pris dans un restaurant « occidental » d'Hyderabad ; son régime habituel consistait en cuisine indigène bien préparée, eau minérale et d'énormes quantités de bière. Il devint fatalement son propre médecin, ce qui n'a rien d'étonnant car il avait passé presque toute son existence loin de toute aide médicale. Ce printemps-là, nous faisions des quarts extrêmement longs pour essayer de réparer un canal de dérivation avant que la mousson ne noie nos coffrages. Je tentai de le convaincre de travailler moins dès que je remarquai qu'il était malade, car la dysenterie amibienne vous dévore parfois à petit feu. Il se maintenait avec des pilules d'excitants ainsi que des boulettes d'opium pour ses intestins. Il répétait qu'il prendrait une semaine de congé quand la mousson arriverait. Un après-midi brûlant, il fut terrassé par une crise cardiaque due à une déshydratation aiguë.

Je faillis plaquer le chantier pour rentrer aux Etats-Unis. D'autres, qui avaient longtemps travaillé sous les ordres de Martin, s'embarquèrent aussitôt après le service funèbre, dont un Américain du New Jersey, qui dit : « Si le meilleur d'entre nous y a laissé sa peau, j'vais sûrement pas tarder à y laisser la mienne. » Quelques jours plus tard, on me transmit un message du grand patron, un ancien fonctionnaire des services coloniaux nommé Enright, qui me demandait de déjeuner avec lui et les ingénieurs. J'étais nommé chef d'équipe en remplacement de Martin. Stupéfait, j'objectai que les autres ouvriers n'accepteraient sans doute pas ma nomination, car à vingt-quatre ans j'étais l'un des plus jeunes du groupe. Enright me répondit que c'étaient des balivernes, le choix des ingénieurs avait été unanime, car je ne perdais jamais de vue l'image d'ensemble, je ne me limitais jamais à mon travail spécifique. Quand je l'avais rencontré au Soudan, Martin avait noté sur ma fiche personnelle que je ferais un bon chef d'équipe quand j'aurais acquis un peu d'expérience. Je fus étonné de recevoir les félicitations chaleureuses des autres membres de l'équipe. Je trouvai étrange de m'installer dans le bureau de Martin, de mettre au point des plannings, bien qu'une plaque portant mon nom ait été fixée sur la porte. Le montant de mes chèques à Emmeline augmenta si brusquement qu'elle prit peur : elle me crut impliqué dans quelque activité criminelle, bien que je lui aie écrit que j'avais eu une promotion. Ted m'avoua ensuite qu'il avait procédé à une vérification auprès du bureau new-yorkais de la compagnie. Il me dit qu'il s'était senti fier d'avoir participé à ma formation.

Quel plaisir de revivre ces modestes triomphes de l'existence, à condition de ne pas le faire trop souvent. Le mien était assez ordinaire, mais en tant que lecteur je peux imaginer ce que vous avez dû ressentir en voyant votre premier livre publié. Ted avait pour ami un juge de Marquette qui a écrit quelques livres à succès. D'une certaine façon cela permet d'associer cette ville à autre chose qu'à la pulpe de bois et aux gisements de minerais de fer.

Trois ans plus tard, la maladie qui avait tué Martin m'obligea à quitter l'Inde. Il fallut littéralement m'arracher au chantier. A l'apparition des premiers symptômes, je me mis à surveiller la salle de mess. Comme de juste, l'un des plongeurs se contentait de nettoyer un seul côté des assiettes qu'on rangeait ensuite sur des étagères sales, et par-dessus le marché l'eau de rinçage était tiède. L'inattention et la paresse des gens finit parfois par les tuer. La compagnie me donna le choix entre un hôpital de Londres et le Jackson Memorial de Miami, où travaillent de bons spécialistes de médecine tropicale. J'étais alors si faible qu'ils firent venir une infirmière anglaise pour m'accompagner jusqu'à Miami.

Des années plus tard, quand je commençai à fréquenter Evelyn, j'eus le temps de parler, de lire, de réfléchir à l'idée de maladie. Les découvertes que j'ai faites sont à mon seul usage. Il m'a semblé que, plusieurs fois, un désir insupportable a été à l'origine de ma maladie. Ça a été le cas après le départ d'Édith ; après Sharon, j'ai souffert de la maladie longue mais cependant temporaire de l'alcoolisme qui a favorisé la dysenterie amibienne. Après Allegria, ce fut la filariose et le kala-azar. Après Evelyn, ce fut mon accident, dû à une imprudence exceptionnelle de ma part. La vie nous tue. Trop de vie nous tue ! Quelle idée splendide.

Evelyn me fit lire quelques romans de l'auteur russe Dostoïevski parce qu'il était épileptique, mais ses crises étaient beaucoup plus graves que les miennes. J'adorais ces livres qui contenaient les conversations les plus brillantes que j'aie jamais lues. Eh bien, cet écrivain soutient qu'avoir une conscience trop aiguë est une sorte de maladie. Ça m'a fait réfléchir, mais Evelyn me répétait que sa maladie modifiait énormément son point de vue. Et alors, répliquais-je, il nous a malgré tout offert un superbe cadeau. Tout ceci est probablement évident pour une personne cultivée comme vous. Pendant que je construisais cette école de mission, je n'ai pas pris mes médicaments pendant quelques jours en espérant que mon état s'était amélioré au fil des ans. Peter, mon ami kikuyu, assista à ma crise et me parla de l'esprit de « badimo » — je crois qu'il l'appelait ainsi. Pour les indigènes, tout homme sujet à des crises possède une certaine quantité de magie, car il est capable de se glisser dans une fissure de la réalité pour voir le monde différemment : je ne suis pas sûr d'être d'accord. On ne découvre pas un autre univers ; simplement, on voit avec plus d'acuité l'univers que voit tout un chacun. Le problème est de savoir s'il s'agit de la vision d'un malade regardant un monde sain, ou bien, dans l'après-coup de la convalescence, celle d'un homme bien portant qui contemple un monde malade. Qui sait ? Evelyn, qui pourrait être une parfaite WASP[1], prétendait que de nombreux artistes se rendaient volontairement malades. Conneries, lui répondais-je, tu te trompes complètement à cause de l'étroitesse de ton esprit scientifique. Dotée d'un esprit de géométrie incroyablement brillant, elle pense que la moindre chose sur terre réclame une décision de sa part. La baise est la seule échappée dans l'irrationnel qu'elle s'autorise, mais je dois reconnaître qu'au lit elle était inoubliable. Dans la mesure où son conscient négligeait ce domaine, la sexualité était devenue pour elle une sorte de condensateur d'énergie. Cela me fait penser que je n'ai jamais compris l'intérêt des piles de magazines pornos que nous avions sur les chantiers. Selon moi, c'est une faiblesse naïve. Car après deux mois passés dans la jungle, vous alliez à Panama, et une seule paire de cuisses vous faisait sauter la cervelle.

Il y a un mois, vous avez dit quelque chose qui m'a fait réfléchir, à savoir qu'une métaphore sert à mesurer des choses de mêmes résonance et volume,

---

[1] *White Anglo Saxon Protestant.* (N.d.T.)

mais de formes différentes. Essayez donc de transformer cette phrase en schéma ! Nous parlions de la beauté, nous disions que si une personne, un animal, un objet possédait intégrité, harmonie, et surtout une aura, alors il était beau. Apparemment, notre appétit de beauté n'est que partiellement assouvi. Peut-être devrions-nous ajouter la surprise à la liste de nos critères. Je crois que l'habitude nous aveugle, et que parfois la beauté nous tire de notre sottise, nous arrache à nos habitudes. Un dimanche, un ouvrier indien d'Hyderabad m'a emmené près d'une petite caverne dans les collines. Nous étions à une trentaine de mètres de la caverne quand il a lancé une pierre en direction de l'entrée. Bon Dieu, quel choc ! Le roi des serpents est alors sorti à toute vitesse de la caverne, un cobra royal de huit mètres, qui a dressé son énorme tête palmée à hauteur de nos yeux. Il nous a observés, ce « naga » ainsi que les Indiens l'appellent, en émettant des sifflements sonores et nous défiant d'approcher. Comme souvent, on se demande ce que Dieu avait en tête lorsqu'il a créé cet animal. Oui, ce serpent était beau. Il y a des années, sur la demande de Marshall, j'ai écrit toutes mes pensées relatives à l'eau sous le titre pour moi légèrement facétieux de « Théorie et Pratique des Fleuves ». Parmi toutes les choses belles, les fleuves sont pour moi les plus émouvantes. Ils créent en moi cette incroyable sensation de douceur que m'apportait autrefois la religion. Pour les catholiques, la question de savoir si cette fillette a réellement vu quelque chose à Lourdes ne devrait pas se poser. Vous voyez votre pied tous les jours, mais ce n'est pas cela qui vous donne la force de continuer. Toute métaphore qui nous assimile à un fleuve sous-entend que nous ne pouvons pas davantage nous arrêter.

CHAPITRE XV

Le matin de notre départ pour Marquette, Strang m'emmena en promenade vers l'amont afin de me donner un « aperçu » des applications pratiques de l'hydrologie. En quelques semaines, il avait abandonné ses premières lourdes cannes pour d'autres, plus légères, et sa démarche était au mieux comparable à celle d'une mante religieuse enivrée, ce gros insecte parfois appelé bâton de pèlerin. Mes trois nuits passées avec Eulia m'avaient éreinté, aigri et parfois ravi, au point que mon attention était totalement émoussée. Mon sexe surmené était douloureux et mes entrailles grondaient, réclamant les restes d'un curry compliqué du sud de l'Inde que Strang avait préparé la veille au soir. Cuisinant avec une concentration et une intensité orientales, il incarnait l'esprit de la modestie, et à l'inverse de tant de chefs néophytes, ne se permettait pas la moindre fantaisie. Je n'avais jamais mangé un plat indien aussi succulent, et maintenant, pour être franc, j'en voulais encore. J'essayais de hocher la tête avec une expression attentive tandis que Strang parlait de la dynamique et de la morphologie des fleuves, de mécanique des fluides, taux de sédiments, des processus fluviaux d'érosion et de dépôt de pente et de morphologie des canaux.

« Qu'est-ce qui vous préoccupe tant, la bouffe ou la baise ? » Il s'arrêta net sur le sentier, je le heurtai et faillis tomber.

« Pardon... en fait, les deux à la fois. »

Il était inutile de me vexer. Mon absolu manque de disposition pour les sciences l'amusa t. Nous nous assîmes sur un rondin, et il ajusta les broches de ses jambes. La chienne enfouit son nez dans la poche de ma veste afin de chercher les biscuits que j'avais emportés pour elle.

« Je parie qu'Eulia vous a fait promettre de vous occuper d'elle au cas où il m'arriverait quelque chose. » Comme il savait que c'était la vérité, il n'attendit pas ma réponse. « Elle m'a dit que son père la giflait souvent quand elle était petite. Aussi incroyable que cela paraisse, c'est très fréquent. Fin mai, j'étais ici dans cette clairière avec la chienne. Nous avons remarqué un corbeau qui agonisait là-bas. Il y avait une nombreuse bande de corbeaux qui tourbillonnaient autour de lui dans l'arbre où il se tenait perché tant bien que mal, comme pour l'encourager. Ils firent encore plus de vacarme quand il tomba entre les branches, mais il réussit à se rattraper in extremis sur une branche de pin. Je retenais la chienne pour éviter à l'oiseau des tourments supplémentaires. Enfin, le corbeau tomba à travers les branches inférieures, rebondit sur le sol, puis resta immobile. Son agonie avait duré deux heures. Je n'avais jamais vu un oiseau mourir ainsi. Je n'en ai pas parlé à Eulia, car elle croit aux présages, et puis j'ai pensé qu'un corbeau devait avoir le droit de mourir sans être comparé à moi. »

Le trajet en voiture jusqu'à Marquette se passa magnifiquement. Strang conduisit pendant les dix premiers miles, puis renonça quand son pied droit se mit à trembler de façon incontrôlable. L'incident n'entama nullement sa bonne humeur, et quand je pris le volant, il se joignit au chœur d'Eulia et d'Allegria qui chantaient des chansons populaires du Costa Rica. Vu que je ne comprenais pas un traître mot, je me demandais si, oui ou non, j'aurais la chance de parler à Karl en tête à tête. J'avais fait jouer un piston en appelant un cousin de ma mère qui occupait une fonction importante dans le gouvernement du Michigan. J'avais toujours considéré ce type comme un crétin fini, mais je voulais être certain de bénéficier de certaines facilités à la prison.

Allegria insista pour que je m'arrête plusieurs fois au bord de la route afin de cueillir des fleurs sauvages, qui abondent dans la région. Elle aimait dessiner des tissus et était convaincue de pouvoir utiliser ces couleurs, inexistantes sous les tropiques. Je restais dans la voiture à griffonner des notes durant ces expéditions florales auxquelles Strang participait. Il attira mon attention sur un grand serpent noir qu'il avait capturé et qu'il calmait en caressant son ventre tandis que la bête s'enroulait autour de son bras. Je refusai d'imiter son exemple, prétextant mes notes. Allegria était si belle avec ses fleurs que je voulus troquer Eulia contre ce modèle plus mûr et moins fantasque. Je ne parvenais pas à l'imaginer en « courtisane », même dans un passé très lointain.

Quand nous traversâmes Munising et aperçûmes le lac Supérieur, Strang fut troublé par un front orageux qui menaçait au nord. Il dit qu'ici les vents ont sale caractère, que, lorsqu'ils se mettent à

245

tourner du sud à l'ouest, puis au nord-ouest, cela peut poser quelques problèmes. Pourtant, l'avion d'Allegria décollerait sans doute comme prévu, plusieurs heures avant l'arrivée du front orageux.

BANDE 7 : De retour au chalet au coucher du soleil, avec une température qui a chuté de trente degrés à quinze degrés en ce premier août. Le vent était encore plus violent que le soir de mon arrivée, l'eau du lac frissonnait, comme en proie à une souffrance verte. Une sueur froide due à l'épuisement consécutif aux émotions. J'ai changé de vêtements, préparé du café, me suis servi un whisky. Les affaires d'Eulia sont toujours ici, bien qu'elle soit retournée chez Strang. J'ai regardé ses valises ouvertes en écoutant le chuintement de la cafetière, puis décidé de ne pas les fouiller car j'avais déjà eu assez de surprises pendant la journée.

Tel un scout un peu niais, je me suis occupé du feu dans ma petite cheminée. Elle irradiait un cercle de chaleur qui excluait mon dos. Je ressentais une partie de l'inconfort, mais peu du réel plaisir du savant qui vient de découvrir une nouvelle espèce. Voici quelques-uns des moments forts de la journée :

1.Les paroles de Strang devinrent vaguement incohérentes après qu'il eut fait ses adieux à Allegria à l'aéroport. Depuis notre entrée à Marquette, j'avais perpétuellement une sensation de déjà-vu. Je n'étais pas revenu ici depuis trente ans, mais des souvenirs que je ne m'étais jamais rappelés ne cessaient de remonter à ma conscience bouleversée, et je n'ai toujours pas retrouvé mon équilibre émotionnel. Après la tristesse inévitable de Strang et d'Allegria, même d'Eulia, à l'aéroport, je les ai emmenés dans un parc en bordure du quai des minéraliers. D'une cabine publique, j'ai appelé la prison pour m'assurer qu'ils n'avaient pas oublié notre rendez-vous. De la cabine, je regardais Strang et Eulia qui me tournaient le dos pour observer un énorme cargo qu'on chargeait de minerais de fer à faible teneur. L'espace d'un instant, ils devinrent mon père et ma mère. Au cours des années quarante, nous allions souvent pique-niquer dans ce parc et assister au chargement des cargos. Vers le nord-ouest, au-dessus du lac Supérieur, on voyait le front nuageux gris noirâtre qui approchait derrière une avant-garde électrique et tumultueuse de nuages qui roulaient et tourbillonnaient sur eux-mêmes. Strang tourna vers moi un visage fou et ravi. « Je sens le baromètre chuter », hurla-t-il. Je regardai les pique-niqueurs remballer leurs couvertures, rassembler paniers et enfants, puis se hâter vers leurs voitures. Une bourrasque fouetta la robe d'été d'Eulia et la fit remonter sur ses cuisses. Alors les premiers nuages masquèrent le soleil de l'après-midi, et nous nous dirigeâmes vers la prison.

2. Quand nous franchîmes la grille, on nous aiguilla vers le bâtiment administratif, et non vers la zone réservée aux visiteurs. Il s'agit d'une prison à haute sécurité, et non d'un de ces confortables camps où l'on accueille les trafiquants de drogue haut placés et les politiciens véreux qui ont détourné les deniers publics. Ma voiture croisa deux femmes noires éplorées, misérables, et je vis le visage de Strang se crisper : Eulia dit : « J'ai peur » d'une voix pincée. Le directeur de la prison en personne, qui s'avéra être un ami de Ted, nous fit entrer dans une salle sinistre. Il dit à Strang qu'il y avait de grandes chances pour que Karl soit libéré au printemps prochain s'il acceptait la tutelle de Ted en Alaska, lequel Ted avait tiré pas mal de ficelles pour conclure cet arrangement. Mais jusqu'ici, Karl n'avait rien accepté. « Il n'a jamais rien accepté », dit Strang. Nous accusions tous l'étranglement insipide et feutré de l'institution en attendant Karl.

Je tripotais mon magnétophone quand la porte s'ouvrit à l'instant précis où l'orage éclata. Les lumières s'éteignirent presque et je vis les silhouettes de Strang et d'Eulia qui regardaient la pluie diluvienne et les arbres malmenés au-dehors. Je me retournai vers la porte ouverte, et l'instant suivant l'électricité revint. J'étais debout à une trentaine de centimètres de Karl ; malgré moi, je fis un pas en arrière en levant la main comme pour protéger mon visage. Gêné, je détournai les yeux vers le gardien qui se retirait, puis vers son ombre visible à travers le verre embué de la cloison.

Sans m'accorder la moindre attention, Karl se dirigea aussitôt vers Strang. Ils s'étreignirent chaleureusement et s'embrassèrent. Quand ils se séparèrent, Eulia tendit une main que Karl saisit en s'inclinant. « Bon Dieu, quelle belle nièce », dit-il, puis il se tourna vers moi. « Détendez-vous, je ne suis qu'un gros matou sur le retour. N'oubliez pas que je suis quasiment réhabilité. »

Je me sentais prêt à tout, sauf à la présence de cet homme. Strang m'avait dit que Karl avait été plongeur, soudeur sous-marin, manœuvre de base sur les forages offshore, et plus récemment, docker à Mobile et à La Nouvelle-Orléans. Certes, il portait la trace de tous ces métiers, bien que je sois mauvais juge en la matière. Il me rappela surtout ces ouvriers qui travaillent dans les souterrains du métro de New York, et qu'on surnomme les taupes. Il m'adressa un large sourire édenté qui plissa une vieille cicatrice qui suivait l'os de sa mâchoire avant d'aboutir à la lèvre supérieure. Quand il me tendit la main, j'aperçus le cobra de rigueur tatoué sur un avant-bras musculeux. Malgré ses cinquante ans passés et le scintillement de ses yeux, Karl conservait un aspect menaçant. Il était de la même taille que Strang, environ un mètre quatre-vingt-dix, mais plus épais, presque massif, et la main qu'il me tendit était celle d'un athlète. Contrairement à ses visiteurs, il était chaleureux, presque rayonnant.

D'une voix apaisante mais jamais implorante,

Strang énuméra toutes les raisons pour lesquelles Karl devrait accepter la tutelle de Ted. Karl fumait l'une de mes cigarettes et lançait des ronds de fumée enfantins en direction d'Eulia, qui ne put s'empêcher d'enfiler un doigt dans l'un d'eux.

« Eh bien, Corve », dit Karl, « il me suffit d'être assis ici avec toi et de te regarder pour constater que cette putain de vie t'en a fait voir de toutes les couleurs. Tu te rappelles quand on s'est retrouvés à La Nouvelle-Orléans et que tu n'as pas vraiment été impressionné par mes copains ? Il y a trois ans. Ça me fait presque pleurer de voir ce qui t'est arrivé. D'accord. J'irai rejoindre Ted. Je vais peut-être me remettre à chasser, quarante ans après. Ni toi ni moi n'aimons les climats froids, mais ça me permet de me barrer d'ici. J'espère seulement que tu auras assez de santé pour venir me rendre visite. Amène donc Eulia », il prononçait « you-li » comme Bobby, « nous lui trouverons peut-être un crâne gros comme une voiture. »

Ils s'abandonnèrent à une longue rêverie fraternelle, suivie par une discussion de l'état physique de Strang et du diagnostic des médecins. Ils me surprirent en train de regarder nerveusement ma montre. Nous avions seulement droit à une heure, et quarante-cinq minutes s'étaient déjà écoulées.

« Que voulez-vous savoir ? » Comme la voix de Karl était légèrement tendue, je décidai d'aller droit au but et de réduire le nombre de mes questions à deux

« Pourquoi êtes-vous en prison. ? »

« Pour des dizaines de raisons. J'ai eu une enfance très heureuse — Corve pourra vous en parler. Mes parents, mes frères et sœurs étaient merveilleux. J'ai vécu la guerre comme une longue et merveilleuse expérience ; je suis entré dans l'armée à quatorze ans et j'y suis resté jusqu'en 1948. Ils ont voulu m'envoyer en Corée, mais je leur ai répondu pas question, si bien que j'ai passé six mois au trou. Un officier de mes amis est intervenu et j'ai été démobilisé sans le moindre blâme. »

« Pourquoi avez-vous refusé d'aller en Corée ? »

« La situation ne me disait rien qui vaille. Les Coréens n'essayaient pas de s'emparer du monde comme les Japonais ou les Allemands. Le Pentagone et tous les fonctionnaires voulaient tout simplement une autre guerre. C'est leur boulot. »

« Je ne suis pas sûr de comprendre. Pouvez-vous expliquer davantage ? »

« Pas de problème. Vous avez l'âge de Corve. Quand, depuis la Seconde Guerre mondiale, n'ont-ils pas essayé de nous embringuer dans une guerre quelconque sur la planète ? A cette époque, je ne me sentais pas obligé d'y participer. Vous allez dire qu'il y a beaucoup de choses auxquelles je ne me sens pas obligé. J'ai été en prison un peu partout, c'est vrai, mais on doit payer pour la vie qu'on a choisie. Voici ce qui s'est passé : il y a deux ans, je suis allé voir une amie à Detroit. A la sortie d'une boîte, j'ai été attaqué par quatre flics en civil. Moi, un homme plus âgé qu'eux. J'ai eu pas mal de blessures, un peu trop en fait, si bien qu'ils ont dû me faire passer pour un mauvais coucheur afin d'éviter de se faire sacquer. J'ai donc écopé de trois à cinq ans dans la prison de Jackson. Pendant que j'étais derrière les barreaux, j'ai appris ce que cette bande de voyous avait fait subir à ma nièce, la fille de Ted, ma petite chérie, Esther. Comme de juste, les trois voyous en question se sont retrouvés à Jackson, où je leur ai réglé leur compte, si bien que j'ai atterri ici. »

« Je ne comprends pas. Que leur avez-vous fait ? C'étaient des Noirs ? »

« Non, c'étaient pas des Noirs », dit Karl en éclatant de rire. « Quelle question conne. Quelle importance ça a quand ils ont violé votre nièce, quand ils l'ont brûlée avec des cigarettes et enfoncé une bouteille de soda dans son cul ? L'un après l'autre, je leur ai serré la vis avec cette main droite ici présente. Je veux dire que je leur ai fait péter les couilles. L'un d'eux a bien failli crever, et les autres membres du gang qui étaient en prison ont voulu me faire la peau. De sorte que l'État m'a envoyé ici pour assurer ma propre protection. »

« Seigneur, Karl, c'est une chose terrible que tu as faite là. » Debout, Strang secouait la tête. « J'ai honte. »

« Bien sûr que tu as honte. Tu es un bon chrétien. Moi pas. A mon avis, dix-huit mois de repas copieux et de logement gratuit, c'était pas une punition adéquate pour ces salopards. Le visiteur de prison m'a demandé si je ne pensais pas que le monde serait un lieu horrible au cas où tous les humains se comportaient comme moi. Évidemment, je lui ai répondu, et puis j'ai ajouté que tout le monde n'était pas comme moi. Je l'ai taquiné en lui disant que j'avais lu trop de romans de Zane Grey. Et puis, ils savent bien qu'il se passe des choses pires en prison. J'avais sérieusement envisagé de les tuer. "Si ton œil t'offusque, arrache-le", disait souvent papa. Je me suis contenté d'accélérer le processus. »

« Accepteriez-vous de sortir de la pièce une minute ? » ai-je dit à Strang.

« Pas de problème. Je sais ce que vous allez lui demander. Violet était-elle ma mère ? »

J'ai acquiescé. Pour la première fois, Karl semblait très grave. Il prit une autre cigarette, posa un long regard attentif sur Strang, puis sur moi. Je voulais retirer ma question quand il se mit à parler.

« J'ai promis à Violet de ne rien dire, même après sa mort. Tu te rappelles à La Nouvelle-Orléans quand tu m'as posé la question et que nous étions saouls ? Enfin, moi je l'étais. Je ne t'ai rien dit parce qu'elle vivait encore. » Il eut alors un étrange sourire qui me rappela les histoires de Corve relatives à leur jeunesse.

Karl se redressa de toute sa taille, ferma les yeux, hocha la tête d'avant en arrière. « O chère Violet, O belle

251

Violet, où que tu sois dans le monde des esprits, mais tu es probablement ici même, je sens ton âme dans cette pièce, pardonne-moi maintenant car je vais rompre mon vœu. Oui, Violet est ta mère. » Alors il ouvrit les yeux et sourit largement. « A quatorze ans, elle a travaillé dans un camp, de l'autre côté du lac de Kingston, où des étudiants venaient l'été pour étudier la flore et la faune de la région. Elle travaillait aux cuisines et était très fière d'avoir cet emploi. J'avais seulement cinq ou six ans à l'époque. Elle est tombée amoureuse d'un étudiant. Beaucoup plus tard, j'ai découvert que leur liaison a duré tout l'été. Quand l'étudiant est parti, elle était enceinte. Maman et papa nous ont fait déménager à Moran pour que maman puisse prétendre que c'était son bébé et ne pas gâcher la vie de Violet simplement parce qu'elle était tombée amoureuse. Aujourd'hui, je suis le seul qui connaisse le nom du type, car, avant de partir à la guerre, j'ai trouvé le journal intime de Violet sous son matelas. L'intérêt mystérieux qu'elle portait au courrier me rendait fou de rage parce qu'elle n'a jamais obtenu la moindre réponse aux quelques lettres qu'elle a envoyées. Au début des années cinquante, j'ai retrouvé la trace de ce type à East Lansing, où il était professeur de botanique ou d'horticulture, un truc dans ce genre. Je buvais beaucoup à l'époque. Je me suis installé en face de la maison de ce type. Je serrais un démonte-pneu dans ma main quand il est sorti pour promener son gamin sur le trottoir. Quelque chose m'a retenu, probablement le gosse.

« Des années plus tard, quand j'ai rendu visite à Violet dans l'Ouest, je lui ai avoué tout ça, et elle m'a fait promettre sur la Bible de ne jamais faire de mal à cet homme. Il y a moins de dix ans, je suis retourné à East Lansing, bien décidé à le tuer, parce que, primo je ne crois pas à la Bible, et secundo Violet habitait le Montana et n'entendrait jamais parler du meurtre. Mais il était déjà mort, si bien que je vendis le fusil, la lunette, et me saoulai. Elle a vraiment été une bonne mère pour toi, Corve, une mère formidable. Je regrette qu'elle ne t'ait pas élevé comme son fils, mais dans le temps les gens pouvaient pas faire autrement. »

« Laissez-moi vous demander une chose. Mon père enseignait la botanique. Qui était cet homme ? Ce ne pouvait être qu'un ami de notre famille. »

« Rien à faire. J'ai déjà trahi une promesse, je ne peux pas en trahir une deuxième. Et puis cet homme est mort. » Karl était impassible.

Sur le parking, après les adieux, j'eus l'insupportable sensation d'avoir avalé un morceau de glace. Bien sûr, il n'y avait pas de trottoir devant notre maison de Bircham Woods à East Lansing. Mais je savais que mon père avait séjourné dans ce camp alors qu'il était étudiant, car il essaya de m'y inscrire mais je m'intéressais à James Joyce, pas aux plantes ni aux arbres. Je calculai rapidement que les dates collaient, puis chassai l'idée de mon esprit comme une terrifiante aberration. Qui connaît la vraie vie de ses parents ? Je passai en revue les souvenirs des collègues de mon père en me demandant lequel avait pu être l'amant de Violet et le père de Strang. Dans les moments passablement hystériques qui avaient suivi l'enterrement, ma mère m'avait assuré être la seule femme que mon père eût jamais « connue » au sens biblique.

Le bras de Strang était posé sur mes épaules quand je revins sur terre. Je marmonnais en regardant les feuilles d'érables arrachées par la tempête et collées au ciment à mes pieds. « Ça ne va pas ? » me demanda-t-il. Nous retournâmes au chalet dans un silence presque complet, et maintenant, assis devant le feu, je me demande dans quelle mesure cette histoire me concerne directement. Je revois Karl debout, impassible comme un Précolombien ou une figurine orientale : ni l'un ni l'autre ne sont réputés pour leurs réponses.

CHAPITRE XVI

Je me réveillai à midi par une froide journée venteuse, enveloppé avec un plaisir fœtal dans toutes les couvertures du chalet. Je venais de faire l'un de ces rêves délicieusement immérités que notre cerveau concocte parfois pour nous empêcher de mettre un terme à l'aventure. Comme j'avais déjà cinq heures de retard, je décidai de ne pas aller chez Strang. J'entendis d'horribles coups frappés à ma porte et je trottinai à travers le chalet glacé en me demandant pourquoi les pionniers l'avaient bâti en un lieu où l'on ne pouvait pas faire pousser de bonnes tomates. C'était seulement le propriétaire qui voulait savoir si mon chauffage au gaz fonctionnait. J'avais beau louer ce chalet depuis deux mois, je n'avais toujours pas remarqué l'existence de cet appareil. Le propriétaire l'alluma, partit, et bientôt une agréable chaleur envahit le chalet. Je devais remonter des années en arrière jusqu'à une grippe carabinée pour me rappeler un jour où j'avais moins mangé que la veille. Je décidai de me préparer une sauce « putanesca » pour des pâtes, une sorte de version italienne de cette nourriture spirituelle qui redonne le moral aux putains fatiguées — métaphore assez exacte du journalisme : cette sauce inclut de la chair à saucisse, du vin, des câpres, des anchois, du concentré de tomate et une généreuse poignée de piments. Quand elle fut prête et les pâtes quasiment cuites, j'ouvris ma dernière bouteille de Barbaresco. Comment vous convaincre de la splendeur de ce petit déjeuner, que je pris seul avant de me recoucher ?

Mon deuxième somme fut interrompu en milieu d'après-midi par une Eulia débordant d'excitation qui se mit à tourbillonner dans la pièce. Elle apportait une bouteille de champagne bon marché, le seul disponible dans la région, enfermée dans un sac de glace. Elle me repoussa dans le lit, puis m'y rejoignit avec deux verres. La bouteille secouée émit un jet freudien qui éclaboussa le mur opposé. Rien ne vaut douze heures de sommeil pour vous préparer à l'amour. Au diable la stupide demi-érection hébétée, le corps-à-corps flou et maladroit qui suivent les multiples apéros, le dîner, les verres, les pousse-café et le reste. Je devais le champagne au fait qu'Eulia venait d'apprendre que la troupe de danse du Costa Rica avait accepté sa candidature. Je m'interrogeai par la suite sur l'aspect artificiel de tout son numéro cet après-midi-là. Mais pour l'instant, j'étais un marathonien au sommet de sa forme, du moins compte tenu de mon âge. Dans la première figure, j'étais en robe de chambre et Eulia penchée au-dessus d'un fauteuil devant le miroir de la porte, les jeans aux genoux. C'était son idée ; mais dès que nos regards se croisèrent dans le miroir, elle m'envoya valser comme un poulpe en direction du lit. Pas de doute, les danseuses sont différentes. Une heure plus tard, quand elle me laissa fumant comme un bœuf fraîchement équarri, je pus redormir.

Assez naturellement, j'essayais d'éviter le doute et la faille dus aux informations de la veille. Je n'ai jamais été tenté d'écrire un roman policier, mais j'en ai lu des centaines. Le genre anglais ne m'intéresse pas, car la somnolence qui précède le sommeil m'a toujours empêché de résoudre ses énigmes. Je préfère les couleurs plus violentes du mal, du sexe, des bagarres sanglantes : je veux que les personnages me rappellent des gens que j'ai connus ou vus. Personne ne peut avoir lu John D. MacDonald sans regarder d'un œil plus méfiant les citoyens de la Floride. Mais ce genre me paraît limité et, en définitive, voué à susciter une excitation vaguement teintée de métaphysique. Au contraire, l'histoire de Strang baignait dans l'amour, le travail et la mort ; son manque de couleur locale était compensé par la présence des ingrédients classiques sus-mentionnés — intégrité, harmonie, et même, du moins à mes yeux, une sorte d'aura. Bref, le mystère de la personnalité, de la vie elle-même.

Mes soupçons s'éveillèrent à cause du comportement d'Eulia, celui d'une actrice pas vraiment douée, capable de vous parler de ses problèmes avec conviction, mais incapable de vous dire sincèrement : « Bonjour, comment allez-vous ? » Je passai la fin de l'après-midi et la soirée à tenter d'identifier tous les éléments de la situation. Eulia, qui partait dans deux jours, me dit qu'elle serait remplacée par Evelyn, fille de Marshall et troisième femme de Strang, qui avait pris un mois de congé. Allegria allait revenir, et Emmeline était à Manistique. Et puis il y avait moi, du moins pour un

257

certain temps encore. Chacun sait que les grands malades n'apprécient guère autant les visiteurs que ceux-ci aimeraient le croire, et qu'un chien malade recherche la solitude de sa cachette sous le porche, ou dans un taillis de bardanes derrière l'étable. S'il possédait tous ses esprits, Strang n'envisagerait jamais de s'intégrer à une équipe en Nouvelle-Guinée cet hiver. Comment et quand posséda-t-il vraiment ce qu'on appelle « tous ses esprits » ? Où est le point d'équilibre ? En existe-t-il un pour chacun de nous ? Il était manifestement coincé au fond d'un cul-de-sac : tous ses amis se massaient à l'entrée, mais du même coup lui interdisaient le chemin de la sortie. J'étais là, je notais tout ; mais mon aide aussi était sujette à caution, même si mon activité était assimilable à ce travail qu'il admirait tant. Rien dans sa vie n'évoquait pourtant la victime sédentaire. Qu'adviendrait-il de lui quand l'histoire, contrairement au fleuve, aboutirait au présent ? Que pense-t-il ce soir dans son chalet, maintenant qu'il sait que sa défunte sœur bien-aimée est sa mère ?

Toutes ces considérations amenèrent naturellement une question : avais-je abouti à la moindre conclusion ? Voilà ma tâche, pensai-je ; mais il était prématuré d'essayer de tracer à grands traits l'image de l'avenir. Je cédai alors à un vertige : des années plus tôt, Karl attendait en face d'une maison d'East Lansing. Il y avait seulement une chance sur mille pour que sa cible eût été mon père — pour mon confort intellectuel j'avais essayé d'écarter cette éventualité. Non, mon vertige tenait à une sensation de proximité absolue, au frisson qu'on éprouve quand la vie perd son morne anonymat, quand tous les visages deviennent identifiables, et qu'on comprend que la vie, qui coule d'ordinaire devant nous dans sa banalité, peut nous entraîner dans son flot.

CHAPITRE XVII

Jamais matin n'avait été aussi froid ; renonçant à utiliser mes ongles, j'allai chercher une spatule dans le chalet pour gratter le givre sur le pare-brise. Comme un ami l'avait dit autrefois à l'université, « tout était neuf, telle une averse tiède à la sortie d'un cinéma. » Je ne fus pas autrement surpris quand Strang rechigna à poursuivre son histoire ; il ne refusa pas carrément, son passé semblait simplement ne plus l'intéresser. Des années plus tôt, j'avais interviewé un célèbre politicien français qui évoqua avec plaisir et animation sa jeunesse à Castelnaudary, mais considéra comme une tranche de vie assommante ses cinq années passées en Indochine à un poste clé, puis nia par des sarcasmes grossiers sa conduite héroïque pendant la crise algérienne.

Assis devant le feu avec Strang, j'attendais patiemment que le café fort fît son effet. Maintenant qu'il savait que Violet était bel et bien sa mère, le ressort essentiel de son récit était peut-être cassé. En attendant, il me parla de M. Freyssinet, un

261

Français qui était « le père du béton pré-con-
traint », et qui avait donc permis la réalisation de
ponts, terminaux d'aéroports, rampes de parking,
etc. ; le genre de chose que, vu ma formation
littéraire, je regarde avec stupéfaction et dégoût.
L'anecdote de Strang m'apprit au moins que les
attitudes comme la mienne avaient pour seul intérêt
de produire parfois quelques bons mots. Sautant du
coq-à-l'âne, il passa à une sorte de version tols-
toïenne du comportement chrétien : le traitement
infligé par Karl à ces trois jeunes était horrible ; et
ses propres convictions à propos de la vengeance en
Amérique Centrale, chez les Noirs ou les Indiens,
étaient erronées, car elles entraînaient de plus belle
la roue du Karma en ajoutant un nouveau tribut de
viscères humains. A son insu, il me présentait une
apologie sincère mais classique de la non-violence.
    « Voilà, maintenant je me sens mieux. »
    « Pourquoi ? D'habitude on considère la ven-
geance comme une source de satisfaction, alors que
le pardon résulte d'un effort intellectuel. »

———————————

Je me sens mieux parce que j'ai changé d'avis. Chaque
fois c'est pareil. Un caillot se résorbe dans le cerveau
et l'oxygène afflue. Hier, quand vous n'êtes pas venu —
je ne vous le reproche pas —, j'ai découvert avec
stupéfaction combien la maladie ou l'infirmité limitent
notre liberté. La nuit précédente, j'ai eu une curieuse
insomnie où toutes mes pensées s'illustraient en images violemment colorées. Je suis certain que cela est dû
à la révélation de la vérité à propos de Violet, je la
soupçonnais d'ailleurs depuis longtemps. La liberté
était cette journée de pêche avec Edith au bord de la
source. Je voyais son ventre à quelques centimètres de

mon visage. Et le contraire de la liberté, c'était de creuser un puits en souffrant d'une pneumonie après le départ d'Édith. Je posais mon front contre les fraîches striations de la terre au fond du trou en me demandant pourquoi toute force m'avait abandonné. Je réussissais à peine à me hisser hors du puits.

C'était la même chose à l'hôpital de Miami, vous savez, quand on m'a soigné pour une grave dysenterie amibienne et une demi-douzaine d'autres parasites qu'on attrape sous les tropiques. Mon problème était que je ne parvenais pas à adapter mes émotions à la vie en hôpital, car mon corps était trop faible pour sécréter le moindre espoir. Un jour, Marshall, qui était sur le point de faire de sa compagnie la meilleure du monde, entra dans ma chambre et se présenta comme l'ami d'un des propriétaires de la compagnie britannique. Cet ami avait demandé comme un service à Marshall de passer me voir. Deux de ses assistants attendaient dans le couloir devant ma porte, mais il se trouve que Marshall et moi sommes très vite devenus amis. Il me donna sa carte et me dit de l'appeler dès que je serais prêt à travailler. « Le moment est venu pour vous de changer de continent », ajouta-t-il. Je découvrais donc une lueur d'espoir malgré l'épuisement dû aux médicaments que je prenais. Le lendemain ou le surlendemain, plusieurs cartons de livres neufs arrivèrent avec ses compliments. Mon état s'améliorait rapidement. Je reçus ensuite plusieurs dossiers concernant différents projets au Mexique, en Amérique Centrale et du Sud. Je compris qu'il désirait l'opinion d'un chef d'équipe, plutôt que les commentaires aisément disponibles des ingénieurs. Marshall commença de me payer un bon mois avant ma sortie d'hôpital, puis m'installa dans un appartement de Coconut Grove pour ma convalescence. Je fis tourner en bourrique quelques plaisanciers de la marina en essayant de comprendre pourquoi, techniquement, tel voilier était meilleur et plus rapide que tel autre. Je fis de nombreuses sorties en mer et devins très demandé à cause de mes compétences pour réparer les moteurs diesel, surtout gratuitement.

Me voilà de nouveau lancé, mais je ne suis pas sûr que le cœur y soit. Je n'ai jamais mieux marché qu'hier et ce matin, et j'ignore pourquoi. La poule qui a pondu son œuf d'or ne devrait pas passer son temps à scruter son cul. Je sais que vous avez pensé : « Il ne pourra jamais aller en Nouvelle-Guinée. » Eh bien, je crois que je pourrai. Peut-être pas tout de suite. J'ai une petite ferme près de Nicoya, au nord de Puntarenas, dont s'occupe un parent d'Allegria. Si nécessaire, j'irai là-bas et je réinventerai la noria égyptienne. Ne vous inquiétez pas, je ne suis pas encore mort, bien que cela soit préférable à une maladie qui m'empêcherait totalement de vivre. Mais je ne voudrais pas vous laisser en plan, alors que deux épouses et cinq barrages restent à venir.

Marshall me fit donc repartir pour un nouveau tour. J'allai d'abord à La Paz, en Californie, étudier un bassin de retenue pendant quelques mois. Puis il m'envoya au Costa Rica pour les travaux préliminaires sur un grand projet hydroélectrique.

Je m'étonne de ne m'être jamais vraiment remis à boire comme avant. Peut-être avais-je exorcisé le démon de Sharon en épuisant mon corps et, du même coup, mon désir pour elle. J'aimerais la retrouver aujourd'hui et tout recommencer. Je n'ai jamais beaucoup apprécié les femmes plus jeunes qui d'ordinaire sont trop imbues d'elles-mêmes pour pouvoir parler de quoi que ce soit. Je trouve très drôle que tous les habitants de la ville, y compris Emmeline à Manistique, croient que je couche avec Eulia ! Même Allegria m'a posé la question. Eulia et moi nous gardons mutuellement en vie, voilà ce que nous faisons ensemble. Elle est venue me voir à l'hôpital après qu'on m'eut envoyé du Venezuela à Miami, et elle m'a dit : « Si tu te laisses mourir, je vais mourir aussi, et je ne veux pas. » C'est sans doute un rapport que les paysans connaissent dans les montagnes du Sud. Je ne me suis jamais renseigné, mais renoncer est pour moi impensable. Il est bien connu que l'amitié d'un chien peut garder quelqu'un en vie. Cela me rappelle une femme terriblement triste que j'ai remarquée à la réception de mon hôtel à La Paz. Le premier jour où j'ai repéré cette femme, qui frisait la quarantaine, elle discutait avec deux amies, puis je ne les ai plus revues. Un soir, au dîner, incapable de supporter son désespoir, je me suis approché de sa table.

« Vous ne devriez pas être si triste. Vous êtes dans un endroit magnifique », je lui ai dit.

« Mêlez-vous donc de vos oignons. »

« Votre cas me concerne. J'habite Miami, où je suis conseiller psychologique. »

« C'est faux. J'habite Chicago, je suis psychiatre, et vous êtes chef d'équipe sur un chantier. J'ai demandé au garçon. Asseyez-vous, je vous prie. »

« Vous me prenez en flagrant délit de mensonge. Pourtant, rien de tel qu'une petite blague pour maintenir le moral. »

Elle était descendue à La Paz avec deux autres récentes divorcées de Chicago, mais ces dames n'avaient pas trouvé l'endroit suffisamment intéressant. J'ai pris une journée de congé, et nous avons passé ensemble trois agréables soirées. Elle a d'abord refusé de me laisser lui faire l'amour, parce que, selon elle, c'était pure gentillesse de ma part, et qu'elle avait un léger embonpoint. Comme je n'avais jamais été confronté à ce genre de subtilité, j'ai posé sa main sur mon sexe en érection et je lui ai dit d'essayer d'être gentille avec lui. Nous rentrions de la plage en Volkswagen, et nous avons réussi à faire l'amour dans la voiture. Vu que ni elle ni moi n'avions eu de rapports sexuels depuis plusieurs mois, nous avons passé un bon moment. C'était il y a quinze ans, nous ne nous sommes jamais revus, mais nous restons en contact.

Les années passées au Costa Rica furent les meilleures de toute ma vie professionnelle. Je suis stupéfait que vous n'ayez jamais mis les pieds là-bas, car je crois que c'est mon pays préféré. J'ai travaillé pendant quasiment trois ans d'affilée sur un barrage dans les montagnes, c'était formidable, rien à voir avec le cauchemar tropical des insectes, de la chaleur et de la vermine. Peu de gens savent qu'on peut faire d'excellentes pêches à la truite dans ces montagnes. La viande de bœuf et les fruits de mer sont succulents, et il y a des douzaines de fruits différents. Ça a été le seul chantier de toute ma carrière où nous n'avons pas perdu un seul homme. Quand vous aviez un ou deux jours devant vous, vous descendiez à Puntarenas pour vous balader au nord ou au sud sur le fabuleux littoral du Pacifique. Ou vous alliez à Limon dans les Caraïbes, une ancienne ville bananière, où Marshall pratiquait la pêche au tarpon quand il venait nous voir. Bizarrement, les riches de ce monde n'ont pas découvert ce pays ; il est vrai que d'habitude ils font confiance à leur agence de voyages plutôt que de s'aventurer hors des sentiers battus. A quoi bon savoir où l'on va dormir un mois à l'avance ? Quand on est poli, on se débrouillle toujours pour trouver un lit et de quoi manger.

Je me souviens parfaitement du jour où j'ai rencontré Allegria. C'était l'été, le chantier avançait superbement, et j'étais descendu à Limon afin de surveiller l'embarquement de nos hélicoptères à bord d'un navire en partance pour le Brésil, ma prochaine destination. J'étais comme ivre de fatigue, déchiré à l'idée

266

de quitter ce pays, mais mes sens étaient si aiguisés que tout me fascinait sans la moindre intervention de mon esprit critique. Je connaissais le même état juste avant une crise, enfin avant que je prenne des médicaments. Alors que les deux hommes et les chiens de chasse approchaient dans les fourrés et m'effrayaient, j'étais bouleversé par la beauté et la netteté des fleurs sauvages fanées, des feuilles mortes et des chiens qui couraient la queue en l'air. Ce jour-là, à Limon, il faisait si chaud que l'océan lui-même dégageait une odeur de sécheresse. Au-delà de la jetée le ciel tombait directement dans l'océan, l'horizon semblait gommé. La saison des ouragans approchait. La mer descendait ; je vis une méduse déliquescente piégée dans un trou d'eau, ou peut-être un fœtus. J'optai pour la méduse, car je sortais de table. Je songeai soudain qu'il devait faire très exactement trente-sept degrés, car quand j'agitais la main je ne remarquais aucune différence de température avec l'air. L'homme avec lequel je venais de déjeuner, un ingénieur civil local, m'apprit que selon une croyance indigène, les fantômes des chiens fous errent dans les rues à la recherche de leur corps quand il fait cette chaleur. Je lui demandai pourquoi, comment les gens pouvaient croire à une chose pareille ; il me rétorqua que c'était un peu moins invraisemblable que le dogme chrétien de l'Immaculée Conception. J'avais à peine trente-cinq ans, je ne m'étais jamais interrogé sur la Vierge Marie. C'est vrai que c'est une idée bizarre. Mais pour moi, le mystère entre les mystères est que la vie existe, vous ne croyez pas ?

Le pilote d'hélicoptère m'a ramené à San José. Marshall m'avait retenu une chambre de luxe au Grand Hôtel du Costa Rica, et invité à un dîner raffiné qu'il offrait à des politiciens et aux responsables de son équipe. Mon secrétaire avait pris mes mesures afin de commander un smoking : c'était pour moi une grande première. Pour être franc, je me moquais complètement de ce dîner quand je suis monté dans ma chambre d'hôtel, qui était en fait une suite. J'avais demandé au pilote de voler bas à travers les montagnes qui séparent Limon de San José, et de suivre la voie de chemin de fer tout du long. On oublie toujours les prouesses techniques des époques passées, et cette voie de chemin de fer était une pure merveille. Comme j'avais absorbé un cocktail de rhum et de jus de fruits, je me suis endormi. D'abord j'ai cru poursuivre un rêve quand j'ai répondu aux coups frappés à ma porte, puis découvert une femme éblouissante en robe du soir. J'étais si hébété que je n'ai même pas remarqué que j'étais nu comme un ver. Bon, elle est entrée, elle a commandé à boire et m'a dit de me préparer pour le dîner. Elle devait m'accompagner, elle s'appelait Allegria. J'ai été un peu étonné quand elle est venue à l'entrée de la salle de bains pendant que je me rasais, et quand elle m'a aidé à enfiler mon smoking. Je la prenais pour une amie raffinée de Marshall ; pas un instant je n'ai pensé qu'il s'agissait d'une call-girl. Elle a découvert avec plaisir que je parlais couramment espagnol, puis elle a essayé son anglais avec moi. Comme il était un peu hésitant, je lui ai dit que j'avais quelques jours de libre avant de m'envoler pour Belem et que je pourrais l'aider à l'améliorer. Sa voix avait un timbre merveilleux qui rappelait l'éclat mat de l'ambre. A la réception de l'hôtel, j'ai pensé que nous formions un couple remarquable.

Allegria semblait connaître tout le monde au dîner. En ce genre d'occasion, j'étais fier d'avoir à mon bras la plus belle femme. Elle se montrait pleine d'attentions envers moi et insista pour que nous partions de bonne heure. Je demandai au chauffeur de la société de nous ramener chez elle, mais elle refusa, ajoutant que nous désirions retourner à l'hôtel. Puis elle me donna un baiser qui me mit dans tous mes états. Pour le soir suivant, je voulus l'emmener écouter un concert à l'opéra ; elle me répondit qu'elle n'aurait sans doute pas le temps, ce qui me dérouta. De retour dans ma chambre, je fus passablement amusé et stupéfait quand elle m'expliqua toute l'affaire : Marshall lui avait donné une grosse somme d'argent pour s'occuper de moi, et elle comptait bien remplir son contrat. Nous avons passé une nuit fantastique. Alors que nous baisions fiévreusement, je lui ai soudain demandé son opinion sur la Vierge Marie. Elle est restée éberluée pendant quelques secondes, car elle est croyante, puis elle a compris que j'étais sérieux. La générosité n'a jamais été le fort d'Allegria, si bien que j'ai dû louer ses services pendant des années — jusqu'au jour où, à force de persévérance, j'ai réussi à ce qu'elle éprouve pour moi une fraction minime de l'amour que j'avais pour elle. Vous connaissez la suite. Elle doit revenir en début de semaine prochaine, du moins je l'espère. J'espère aussi qu'elle s'entendra bien avec Evelyn, qui tient à venir demain, sans doute avec une idée bien précise à mon propos.

Le Brésil me fit amèrement regretter mon séjour au Costa Rica ; je conserve seulement un bon souvenir de mes rares passages à Rio. Quand un type travaillant à un poste clé commençait à perdre la boule dans le bassin de l'Amazone, ou à souffrir de ce qu'on appelle aujourd'hui dépression clinique, nous l'envoyions passer quelques semaines à Rio. Je n'ai jamais découvert la raison des pouvoirs curatifs de Rio ; les grandes villes ne m'intéressent guère, mais j'ai été fasciné par Rio. Voilà des années que je me plonge épisodiquement dans une grammaire et un dictionnaire de portugais, au cas où je voudrais y retourner. Comme j'ai quelques amis parmi les ingénieurs d'Életronorte, je pourrais toujours y trouver du travail.

L'entreprise de Marshall avait signé un gros contrat de consultant et d'intervention d'urgence au Brésil. Parce que ce pays ne possède aucune réserve en pétrole, ses dirigeants avaient logiquement décidé d'exploiter le potentiel hydroélectrique du bassin de l'Amazone afin de réduire les dettes dues à l'approvisionnement en pétrole étranger. Il y a un très bon article là-dessus par une certaine Caulfield dans *Natural History*. Évidemment, on aurait pu économiser des milliards de dollars si nous avions connu ces problèmes quinze ans plus tôt, mais ce système hydroélectrique géant en pleine forêt tropicale était sans précédent. Il est sans doute impossible de construire un barrage dans des conditions plus difficiles. Il n'avait pas semblé nécessaire d'abattre les arbres de la forêt sur une grande surface ; mais quand l'eau s'est mise à monter, elle dégageait une puanteur sulfureuse sur cinquante miles autour du Tucurui et du Curua Una. L'eau était saturée de matières en décomposition qui favorisaient la croissance de la jacinthe d'eau redoutée, laquelle obstrue aujourd'hui les cours d'eau en Floride, et de la *ceratopteris*, une fougère sous-marine. L'emploi de défoliants fut à juste titre écarté, car ils auraient empoisonné tout le bassin fluvial, comme au Vietnam. On se demande d'ailleurs si ce pays se remettra jamais de l'assassinat chimique de l'« agent orange ». En tout cas, la décomposition des arbres était ralentie par l'épaisseur de la végétation. L'eau, privée d'oxygène, devint acide et commença d'attaquer les générateurs, qui tombèrent en panne. Les énormes bassins de retenue étaient infestés de moustiques porteurs de malaria, au point qu'à Tucurui un travailleur sur cinq souffrait de cette maladie. Sur certains barrages, les eaux croupies favorisaient la croissance de l'escargot porteur de la schistosomiase, également appelée bilharziose.

J'ai passé plus de sept ans au Brésil avant d'attraper cette maladie. En un sens, ce fut la même chose qu'en Inde. Assez bizarrement, après le Costa Rica, Marshall m'avait donné le choix entre le Brésil et un énorme projet au Québec. J'ai peut-être choisi le Brésil parce que j'avais failli tuer Violet et ma mère lors de la tempête de neige. Evelyn m'a fait lire ce poème de Frost sur « Le feu et la glace » pendant qu'elle soignait ma schistosomiase. En tout cas, dix ans après, j'étais de retour à Jackson Memorial. Comme toujours, le traitement est aussi douloureux que la maladie, que ce soit les piqûres de tartrate d'antimoine et de sodium, ou le lucanthone et le niridazole par voie orale. Les effets secondaires incluent de terribles douleurs abdominales, des nausées et des crises de folie temporaires. Le pire n'était pas la folie, car, exactement comme aujourd'hui, je supporte les déficiences de mon cerveau, simplement parce que le cerveau est capable de s'adapter à la folie mieux que le corps à la maladie. Dans une lettre d'une merveilleuse absurdité, Marshall m'a écrit qu'à Tucurui ils avaient récemment obtenu d'excellents résultats avec les lamantins. Ce gros mammifère aquatique qui adore se nourrir de jacinthes d'eau. Naturellement, Marshall s'intéresse maintenant à l'élevage des lamantins.

Je crois vous avoir déjà dit que ce fut à l'occasion de ma schistosomiase que j'ai rencontré Evelyn. Elle était interne à Jackson dans le département de médecine tropicale. Le dernier des nigauds aurait tout de suite compris que nous n'étions pas faits l'un pour l'autre. L'attraction des contraires, dont on nous rebat les oreilles, convient mieux à une brève passion qu'au mariage. C'est un lieu commun, mais aussi une vérité. Ni Evelyn ni moi ne pouvons nous empêcher d'être

271

nous-mêmes. Il n'existe probablement aucune créature sur terre moins susceptible de changer qu'un enfant unique à la fois riche et intelligent. Nous avons eu notre lot de discussions, de livres partagés, d'amour physique. Marshall n'était pas tant opposé à notre liaison qu'amusé de voir deux êtres d'ordinaire intelligents s'y essayer. D'entrée de jeu, ni elle ni moi n'avions la moindre intention de suivre l'autre à travers le monde, si bien que chacun partit immédiatement de son côté, comme si c'était la chose la plus naturelle. Durant notre bref mariage, nous avons seulement vécu ensemble en Hollande, où elle travaillait pour sa thèse, et où je devais participer à un contrat pour le Projet Delta.

Le Projet Delta est la seule et unique merveille technologique à laquelle j'ai eu la chance de collaborer. L'idée était assez simple : barrer l'estuaire de la Scheldt orientale au sud de Rotterdam pour empêcher que ne se reproduise la tempête de 1953, qui avait fait mille huit cents morts. A mi-chemin des travaux, les Hollandais ont osé ce que nous ne faisons jamais : ils ont changé d'avis en découvrant que les deux premiers barrages avaient détruit les nombreuses espèces marines de l'estuaire, les moules, les coques et les huîtres. Ils ont dépensé près d'un milliard de dollars supplémentaires afin de protéger les onze millions de dollars de revenu annuel de l'industrie des fruits de mer de la Scheldt. Cela paraît délirant quand on a la mentalité d'un comptable. Les ingénieurs bâtirent une soixantaine de digues de vingt-cinq mille tonnes avec des portes capables de s'ouvrir et de se fermer. C'était une sorte d'acte visionnaire, d'autant qu'il fallut inventer la quasi-totalité de l'équipement. Où allez-vous trouver une grue flottante capable de mettre en place une de ces digues, ou plutôt la moitié de son poids, vu que la digue est en partie immergée ? Nous sommes devenus amis, n'est-ce pas ? Vous m'avez dit que vous comptiez écumer les restaurants européens en novembre ? Eh bien, promettez-moi d'aller voir ce Projet Delta. Autre chose : s'il m'arrive quoi que ce soit, promettez-moi de vous occuper de la chienne.

CHAPITRE XVIII

Naturellement j'acceptai et je dois porter à mon modeste crédit d'avoir tenu les deux promesses. La conviction que l'histoire touchait à sa fin m'emplissait de ce que d'aucuns, sauf ses victimes, qualifient par euphémisme d'angoisse généralisée. Elle ne peut pas finir ! Que faire quand nous arrivons au présent ? Strang parlait de plusieurs choix possibles sans en préciser aucun, sinon la perspective de construire une noria égyptienne dans une ferme du Costa Rica. Mon Dieu. Nous avons interrompu notre séance de travail pour que je puisse emmener Eulia à Engadine où elle devait prendre son bus. Strang resterait seul pendant un bref moment, mais Eulia voulait éviter à tout prix une confrontation avec Evelyn, qu'elle méprisait en tant que manipulatrice sans âme. J'ai fait une courte promenade avec la chienne pour leur permettre de se dire au revoir. Après un quart d'heure de marche, j'étais complètement perdu ; plongé dans mes pensées, j'avais oublié de prendre le moindre repère. Je me suis assis avec la chienne et, d'un bâton pointu, j'ai tracé diverses possibilités dans la poussière. C'était sans espoir. Brusquement, je me suis rappelé que la chienne savait que je gardais toujours des biscuits pour elle dans ma voiture. J'ai dit « biscuit » d'une voix hésitante, elle a bondi et m'a couvert de bave. Quand je lui ai demandé : « Où sont les biscuits ? » elle s'est mise en route au trot, je l'ai suivie et nous avons atteint le chalet en moins de cinq minutes. J'ai serré vigoureusement la chienne contre moi en la caressant, puis je lui ai donné un demi-carton de biscuits en la félicitant, ainsi que moi-même, pour notre ingéniosité.

———————

BANDE 8 : Eulia est partie, probablement pour toujours. Il est extraordinaire qu'à mon âge, quarante-six ans, aimer quelqu'un puisse paraître littéralement trop fatigant. Non, ce n'est pas extraordinaire — rien de plus banal. Malgré la bouteille de whisky, je m'en tiendrai aux faits. Alors que je revenais d'Engadine, j'ai aperçu le taxi d'Evelyn qui entrait en ville, mais elle regardait de l'autre côté. Elle paraît aussi déplacée que les autres visiteurs qui viennent au chalet, excepté Emmeline. Un après-midi, au bar, les clients se sont inquiétés parce qu'un taxi était arrivé en ville puis reparti sans que personne ne sache qui il avait déposé. Je lançai l'hypothèse d'un tueur en service commandé, cela éveilla l'intérêt général, surtout quand j'ajoutai que j'en avais interviewé un certain nombre des années auparavant, et que tous semblaient aussi calmes et pondérés que le premier avocat venu.

Pendant l'heure que dure le trajet jusqu'à Engadine, Eulia semblait absente, presque abattue. J'avais commis l'erreur classique de l'écrivain qui entre dans la peau de ses personnages au point d'y laisser la sienne au moment de la séparation. Je sentais la fin approcher, qui ne susciterait probablement pas le plaisir mélancolique que Strang connaissait chaque fois qu'il terminait un barrage. Je subissais le vertige de la séparation, l'insupportable sentiment que chacun de nous allait dériver presque sans but vers le futur. C'est d'ailleurs le lot de la plupart d'entre nous.

L'insistance d'Eulia à prendre un car me paraît toujours étrange. Elle a prétendu désirer voir la campagne, puis s'arrêter à Madison, dans le Wisconsin, pour rendre visite à une ancienne camarade d'université. De là, elle comptait prendre un avion à Chicago pour La Nouvelle-Orléans, puis San José. Elle ne fait certainement pas partie des fanatiques du car. Elle portait la jupe d'été, lavée, qu'elle avait salie contre le grumier de Bobby. J'avais une envie folle de bifurquer vers un chemin de traverse pour lui dire que j'avais besoin d'elle et lui faire l'amour. J'ignore pourquoi je me suis dégonflé. Gardons la tête froide, j'ai pensé.

« Êtes-vous l'amante de Strang ? Je ne sais toujours pas à quoi m'en tenir », croassai-je.

« Vous êtes dégueulasse. Vous êtes un porc », elle a crié.

« Mais vous m'avez dit que dans cet hôtel de Miami... »

« Dieu ferme les yeux sur les écarts exceptionnels dus à la passion. Je m'en vais. N'essayez pas de me rendre malheureuse. »

Elle s'est penchée vers moi pour m'embrasser sur l'oreille. J'ai posé la main sur son genou, puis je l'ai fait remonter le long de sa cuisse, mais elle a secoué la tête et détourné le regard vers la vitre. Pourtant, elle n'a pas rabattu sa jupe sur ses genoux. J'ai respiré une odeur de lavande, son parfum, et je me suis senti oppressé, au bord des larmes. J'ai attendu le départ du car en direction de l'ouest sur la Route 2 ; j'ai adressé un baiser à Eulia en signe d'adieu.

Pour la première fois de ma vie, je viens de frire un hamburger. Peu convaincu du résultat, j'ai cuit un œuf sur le plat, que j'ai posé sur la viande avec une tranche d'oignon. J'ai épuisé mes réserves de vin. J'avais très envie de rognons de veau, mais cela signifiait que j'en profiterais pour descendre un verre de whisky.

Soudain, bien qu'il fût plus de minuit, j'ai entendu le bruit du camion de Strang dans l'allée. Les rognons de veau m'avaient fait penser à la promesse d'Eulia de me rendre visite à New York, où je ne la présenterais certainement pas à mes amis. J'ai parié que c'était Evelyn et je ne me suis pas trompé. Elle a ouvert brusquement la porte sans se donner la peine de frapper, puis m'a décoché un sourire ostensiblement faux.

« Encore en train de manger, à ce que je vois. » Toujours aussi charmante !

« Exactement. Strang ne vous a donc rien dit ? Je suis devenu bûcheron à mi-temps. »

« N'essayez pas de me raconter d'histoire. Vous êtes en train de le tuer. »

« Pourquoi raconterais-je des histoires à une emmerdeuse comme vous ? Personne ne parle de vous depuis une éternité. Et je ne me suis pas rappelé votre existence plus d'une fois ou deux. »

Si elle cherchait la bagarre, elle allait trouver à qui parler.

« Je l'emmène loin d'ici dès que possible. Vous ne le reverrez plus. Un point, c'est tout. »

« Allez vous faire foutre, Evelyn, je ne suis pas le majordome ou la bonne de l'étage. Je me fous de votre existence comme de l'an quarante, et je crois que je ne suis pas le seul. Vous savez parfaitement qu'il ne partira pas sans me revoir. »

Elle changea alors son fusil d'épaule et tenta de m'amadouer par les larmes. Mais elle n'était pas très convaincante car, pour des raisons évidentes, elle ne pleurait que rarement ; je lui ai servi un verre pendant qu'elle me faisait le coup des larmes. Par la porte grillagée, j'ai regardé la nuit et les draperies vertes palpitantes des aurores boréales. Elles me manqueraient. Je me suis permis un sourire pendant que cette rabat-joie d'Evelyn continuait de pleurnicher. Elle a parlé d'une voix dure et sonore, qu'en même temps elle voulait charmeuse.

« Je vous donne un jour de plus. Ensuite je l'emmène en Suisse. De retour d'Afrique, j'y ai passé une semaine, et nous avons décidé d'un traitement. »

« De quoi s'agit-il ? »

« Eh bien, dit simplement... » Elle retrouvait son aplomb. « En termes prosaïques, il faut qu'il ait au moins un an de repos absolu, sous sédatifs. Les tentatives qu'il a faites pour marcher sont monstrueuses. Nous avons besoin d'affaiblir les faisceaux de muscles puis de les restructurer pour qu'il ait une petite chance de marcher un jour normalement. »

« Vous lui en avez parlé ? » je l'ai interrompue.

« Bien sûr que non. Il n'a pas tous ses esprits, et il n'est pas médecin. En tout cas, il est incapable de déterminer seul le traitement qui lui convient le mieux. »

« Voilà une belle enfilade de phrases négatives. Ça vaudrait peut-être le coup s'il y avait une chance réelle de se débarrasser des effets de cette herbe. »

« C'est, bien entendu, le fond du problème. » On aurait dit que nous avions tous deux décidé de souffler et, du moins pour l'instant, de respecter un cessez-le-feu. « Son dossier médical est un véritable film d'horreur, et je pèse mes mots. La présence simultanée des maladies tropicales et de l'épilepsie complique encore la situation. Vous savez sans doute que l'épilepsie ne se soigne pas ; simplement, on peut en atténuer les symptômes au point de les effacer totalement. Parfois, elle disparaît bel et bien. Cette société suisse a effectué tous les travaux préliminaires sur l'*Aristolochia medicinalis*, je veux dire que ses

279

chimistes ont réussi à réduire l'herbe à sa forme élémentaire, et ils ont déterminé toute la batterie d'écrans biologiques. Mais cette analyse n'aboutit à aucune piste, et nous nous demandons si un alcaloïde important n'aurait pas été perdu pendant la phase de purification. Ils viennent de commencer les expérimentations sur les animaux, mais pour l'instant ça ne donne rien. Cette herbe n'a jamais été considérée comme utile par les spécialistes de la flore qui travaillent sur le terrain, en particulier dans les cultures tribales, de sorte que nous ne possédons pas la moindre étude sur ce sujet. »

« Que fait-elle aux animaux ? »

« En termes profanes là encore, soit ils meurent paralysés, soit ils deviennent fous. Nous essayons de déterminer les effets spécifiques, de définir des dosages. En tout cas, tous les chercheurs sont d'accord : une longue période de repos sous sédatifs et une réduction maximum des stimuli extérieurs, voilà pour lui la meilleure préparation à l'éventuelle administration d'antidotes. »

« Et il ne se doute pas de ce qui l'attend ? »

« J'aimerais que vous arrêtiez ça, pour l'amour du ciel. Je lui ai dit l'essentiel, et il semble d'accord. Cessez de me parler comme si j'étais venue pour emmener un prisonnier. Tout simplement, je l'aime et je veux qu'il guérisse. »

« Franchement, il ne me semble pas aller si mal que ça. Il y a eu quelques mauvais moments, mais il paraît relativement heureux, plus heureux en fait que tous les gens que je connais, y compris vous et moi. »

« Je suis sûre que vous avez de charmantes relations. Je sais aussi ce que les gens de votre acabit appellent "aller bien". Tâchez de ne pas vous mêler de ça. » Et elle a continué de pérorer.

CHAPITRE XIX

La brave doctoresse Evelyn faisait sans doute
beaucoup de bien aux pays du tiers monde, j'ai
pensé le lendemain matin. L'un des effets curieux
d'une mauvaise gueule de bois est que vous vous
croyez toujours dans votre tort, que vous le soyez
ou pas. Vous n'avez pas tort sur un point précis,
mais tort en général, tort sur toute la ligne. Si la
veille au soir vous avez sauvé un bébé des griffes
d'un molosse ou d'un taureau furieux, eh bien vous
avez eu tort. Ma gueule de bois avait commencé de
bonne heure, si bien que je me suis considéré dans
mon tort avant même le départ d'Evelyn. L'alcool
engendre parfois une raideur terrible. Tout le
monde a entendu un ami saoul répéter inlassablement la même histoire au point qu'on voudrait le
piquer avec un aiguillon à bestiaux dont le voltage
serait poussé au maximum. Quand Evelyn a franchi
la porte, j'étais complètement « ensuqué », comme
on dit à Los Angeles. J'avais même consenti à l'aider
si Strang s'avérait récalcitrant. Marshall devait lui
envoyer un avion dans deux jours : accepterais-je

de les emmener à Manistique ? Ensuite je pourrais laisser la chienne chez Emmeline ou la mettre à la fourrière. Evelyn avait quelques verres dans le nez, et à un moment j'ai bien cru que nous allions finir au lit, par terre ou sur la table en formica, mais maintenant je pensais que son entreprise de séduction était froidement calculée. Nous avons un tel respect pour l'arrogance des médecins que n'importe quelle mère resterait tranquillement assise sans broncher dans une salle d'examen pendant qu'on couperait bras et jambes à son gosse. Cette exagération est un autre symptôme de la gueule de bois. Je voulais dire qu'au Nouveau-Mexique on avait enfin arrêté un médecin fou qui prescrivait à ses cancéreux de manger des crottes de chien. Des centaines de ses malades souffraient de douleurs abdominales, mais le médecin possédait un jet privé.

Comme vous le constatez, mon trajet jusqu'à chez Strang n'a pas été très gai. Je me suis arrêté et j'ai ouvert toutes les vitres pour avoir davantage d'air. Rien à faire. Ce n'était pas seulement la gueule de bois. Je me suis surpris à souhaiter que Strang fût mon frère pour que l'histoire ne se termine pas et que je bénéficie des prérogatives absolues et légales qui sont l'apanage du frère.

Au chalet, j'ai constaté avec stupéfaction qu'Evelyn avait déjà chargé plusieurs cartons à l'arrière de la camionnette. Extrêmement gaie, elle me traitait comme son complice. Le beau temps nous a permis de nous installer au bord du fleuve pour notre ultime séance. La chienne m'a apporté un bâton afin que je le jette dans l'eau. Elle a ensuite exécuté l'un de ces bonds fantastiques et absurdement puissants qui me mettaient du baume au cœur. Strang ne donnait pas la moindre preuve tangible d'être emmené de force en Suisse. J'en ai déduit qu'elle l'avait préparé à l'inévitable par lettre.

————————

Une journée plutôt mélancolique, vous ne trouvez pas ? Présage de malheur, comme disait papa. Mes souvenirs de l'accident ne sont pas très nets ; l'événement qui aurait pu mettre fin à ma carrière demeure dans ma mémoire comme une succession d'images fractionnées.

Je dirigeais une petite équipe sur le Rio Kuduyari ; nous mettions les touches finales à un barrage — certaines indispensables, d'autres d'ordre esthétique —, en vue d'une inspection et d'une cérémonie gouvernementales. Je me rappelle avoir parlé à un électricien du Wyoming occupé à installer un câble et un bouton, sur lequel l'inévitable général debout sur l'inévitable estrade devrait appuyer. Nous approchions de la fin de la saison des pluies, et j'avais un certain nombre de soucis. L'ingénieur en chef était horriblement vexé, car le volume des eaux drainées par le bassin fluvial avait dépassé toutes ses prévisions. Partout au voisinage du barrage il fallait crier pour se faire entendre, car le rugissement du trop-plein et du fleuve était assourdissant. Les barrages n'arrêtent pas les fleuves, ils se contentent de contrôler leur débit pendant quelque temps, et dans le cas présent cette maîtrise du débit semblait pour le moins douteuse. Mon principal souci, je crois vous en avoir parlé, tenait au fait que depuis trois jours je ne prenais plus mes médicaments contre les crises, à cause d'un oubli à Caracas. J'avais essayé d'en faire venir par hélico, mais le vent, la pluie et le brouillard interdisaient tout vol. Ce que j'ai fait peut sembler incroyablement stupide, mais j'étais prêt à tout pour ne pas rester cloué au lit alors qu'il y avait du travail. J'avais recouru au même expédient en Inde lorsque je m'étais retrouvé à court de pilules, et tout s'était bien passé. Aujourd'hui, je suis atterré par ma présomption, mais je suppose que c'est dans mon tempérament.

Voici ce qui s'est passé. Je dînais tous les soirs avec un ingénieur vénézuélien qui était aussi anthropologue amateur. Il restait souvent sur la touche, en partie parce que personne ne partageait son intérêt pour les Indiens Kubeo de la région. La veille, je lui avais demandé de se renseigner pour savoir ce que le *medecine man* de la tribu prescrivait en cas de crise épileptique. Il m'a apporté un petit paquet de racines ; ce jour-là, après avoir parlé avec l'électricien, je suis allé dans mon bureau et j'ai pris une dose infime. L'ingénieur n'avait aucune idée du dosage adéquat, mais m'avait prévenu qu'absorber tout le contenu du paquet serait de la folie pure. Un jour, il avait mangé un champignon que le *medecine man* lui avait donné pour soigner la dépression ; ledit champignon avait radicalement modifié sa conscience durant plusieurs mois. Il avait alors vécu un état insupportablement étrange, me dit-il, et regretté pendant un certain temps la simplicité de la dépression.

J'ai donc avalé une quantité infime de poudre amère, puis j'ai pris ma jeep pour retourner au barrage. J'ignore pourquoi les gens croient que les barrages forment un seul bloc de béton compact, alors qu'ils sont truffés de tunnels et de passages divers destinés à l'entretien. Je suis entré dans le tunnel principal, où, pour des raisons évidentes, règne une sécurité maximum : un groupe de guérilla pourrait seulement endommager gravement un grand barrage de l'intérieur. J'ai marché sur une centaine de mètres dans l'étroit tunnel à la base du barrage. La lumière y était faible et encore atténuée par le brouillard dû à la condensation. J'avais de légères crispations d'estomac, que j'ai attribuées à une sauce locale au piment que j'aimais beaucoup. Malgré l'immensité de la structure en béton, on sentait la vibration du fleuve et du trop-plein. J'ai pris l'ascenseur, je suis monté de douze étages, soit soixante-dix mètres, jusqu'au sommet du barrage.

En haut, le barrage faisait seulement une trentaine de mètres de large ; c'était suffisant pour y faire circuler des voitures ou des camions, mais à peine. Avec un treuil, mon équipe hissait les garde-fous qui étaient arrivés par barge sur le bassin de retenue. C'était un endroit déconseillé pour les gens sujets au vertige, car rien ne vous séparait du vide. Une surface lisse de béton avec le lac de retenue en amont, une quarantaine de mètres plus bas, et le fleuve de l'autre côté, à au moins soixante-dix mètres en contrebas. Pas très loin à nos pieds, le trop-plein auquel les pluies donnaient une puissance terrible décrivait une énorme gerbe écumante. Ce trop-plein tombait, puis frappait ce que nous appelons la poche d'amortissement, une lèvre inversée, un dissipateur d'énergie, car l'impact de tonnes d'eau à cet endroit précis risque de miner les fondations du barrage.

Debout au bord du barrage, sans garde-fou, je regardais l'immense jet du trop-plein. A côté de moi, il y avait un ouvrier espagnol qui chantait toujours des chansons d'amour. Je le taquinais parfois en chantant l'air favori d'Emmeline, « *Sh-Boom* », la seule chanson populaire dont je me souvenais, ou bien un cantique. Comme il ne parlait pas anglais, je lui avais dit que la Doxologie était une célèbre chanson d'amour, si bien que nous braillions souvent ensemble : « Louons Dieu pour tous les biens qu'Il nous prodigue... » Nous chantions de concert en riant, les yeux fixés sur le trop-plein dont le vacarme engloutissait nos voix. Alors j'ai juré, car un orage remontait le fleuve vers nous en venant de l'ouest. Je me suis tourné vers cet ouvrier espagnol — il s'appelait Luis — et je lui ai dit de faire évacuer le sommet du barrage, car la foudre le frapperait certainement. De toute façon, c'était le crépuscule et les hommes de mon équipe n'allaient pas tarder à dîner. Je me suis donc retrouvé seul, et bien que je ne me souvienne pas de mon immobilité, je suis resté là à regarder les éclairs magnifiques qui se détachaient contre les nuages noirs. Même le bruit du tonnerre semblait absorbé par le rugissement de l'eau.

Alors le médicament a sans doute fait son effet sur mon organisme, car je me suis senti violemment aspiré par l'orage comme si j'avais de nouveau sept ans, je me suis envolé, je suis tombé comme une pierre dans la poche d'amortissement, l'eau allait si vite que je n'y ai même pas pénétré, puis j'ai été catapulté au milieu d'une tornade liquide. La vitesse de l'eau, due à la saison des pluies, était telle que je suis retombé très loin dans les turbulences du fleuve. A n'importe quelle autre époque de l'année, j'aurais été immédiatement broyé. Je me rappelle, dans le fleuve, que je ne sentais plus mes jambes, mais que mes bras fonctionnaient normalement, si bien que j'ai longtemps nagé dans le courant tumultueux ; puis il s'est calmé, j'ai buté contre un obstacle et me suis évanoui. Je crois que j'ai eu la chance d'avoir souvent nagé de nuit, car d'instinct je me suis dirigé vers la partie la plus calme du fleuve avant d'atteindre sa rive. A l'aube un Indien Kubeo m'a découvert onze kilomètres plus bas.

Il n'y a rien à ajouter. Maintenant je suis ici. Cinq mois d'hôpital et quatre mois ici. Tâchez d'imaginer l'incroyable plaisir que j'ai eu à m'installer dans ce chalet, dans la région de ma jeunesse, après un aussi long séjour à l'hôpital, lequel est si souvent — je croyais d'ailleurs que ce serait le cas pour moi — la maison de la mort. Voilà pourquoi au bout d'un moment j'ai refusé tous ces médicaments. Je devais rester conscient. C'est tout. Comment aurais-je pu supporter de ne pas être conscient ? La nuit dernière j'ai nagé en rêve dans les ténèbres, et c'était merveilleux.

———————

Docteur Evelyn nous a interrompus pour le déjeuner, mais nous savions tous que l'histoire était terminée, surtout la souriante Evelyn qui, tout en restant polie, ne voyait manifestement pas pourquoi je m'attardais au chalet. Sa cuisine était tout ce qu'il y a de plus WASP — soupe froide au concombre, quelques brocolis, une minuscule côte de veau sans garniture. Elle m'a rappelé que j'avais accepté de venir les chercher à dix heures le lendemain matin pour qu'ils prennent un charter à l'aéroport de Manistique. Je m'étais montré si conciliant qu'elle m'a octroyé quelques minutes seul avec Strang quand il m'a accompagné à ma voiture.

« Nous n'aurons sans doute pas l'occasion de parler demain. Je vous donnerai de mes nouvelles. En attendant passez une année agréable dans cet hôpital suisse. »

J'ai marmonné cette dernière phrase avec une douleur qui me vrillait les tempes. Strang m'a embrassé, puis tenu à bout de bras en souriant. C'est tout. Même pas un sourire énigmatique, juste un sourire.

CHAPITRE XX

Je suis rentré chez moi et j'ai commencé à ranger mes affaires. Après un séjour de presque trois mois, je laissais le chalet le lendemain à un couple âgé qui, depuis quarante ans, l'occupait pendant une semaine à date fixe. Étant moi-même très sentimental en ce genre d'affaire, comment aurais-je pu compromettre leur rituel ? J'ai repensé au commentaire de ma mère, quand elle m'avait si défavorablement comparé à la bécasse danseuse. A défaut d'autre chose, l'été m'aura fait perdre quinze livres et rapproché d'autant du vol de la bécasse. Comme il faisait de nouveau chaud, j'ai relu *le Héros aux mille visages* de Joseph Campbell pour la énième fois. La mythologie est un passe-temps apaisant. Il n'y a pas de vieux mythes, seulement des êtres nouveaux.

Le soir, j'ai pêché un moment sans succès, puis je suis allé au bar pour mon dernier dîner d'aiglefin à volonté. J'avais pris la précaution d'emporter une bouteille de sauce Pickapepper et j'ai réussi à avaler cinq poissons, qui me serviraient aussi de somnifère. Retour au chalet, puis un seul verre en guise de pousse-café pendant que je lisais un entretien avec une star du porno nommée Rhonda dans l'un des magazines achetés le soir de mon arrivée en ville. Je me suis endormi en louchant sur une paire de fesses grosses comme le Ritz.

A l'aube, j'ai découvert Evelyn debout à côté de mon lit ; sa voix d'abord sifflante s'est muée en cri. « Il est parti. Où est-il, espèce de con ? Il est parti. »

Je l'ai suivie jusqu'au chalet de Strang, en espérant à demi que la vieille camionnette qu'elle poussait à cent explose dans une série de tonneaux spectaculaires. Comme je m'y attendais, les vêtements de Strang et les broches de ses jambes gisaient sur la berge.

« Il est parti », j'ai dit sur le ton de la vengeance.

« O Seigneur, il est mort. C'est de votre faute. Il m'a préparé le cocktail au rhum que nous buvons toujours, puis il m'a fait l'amour. Il a mis quelque chose dans mon verre. Quand je me suis enfin réveillée, avant l'aube, il avait disparu. »

Elle s'est mise à pleurer et je n'ai pu m'empêcher d'enlacer ses épaules. Alors elle a repris le dessus, couru jusqu'à ma voiture, et elle est sortie de la cour sur les chapeaux de roue. Je me suis accroupi à côté des vêtements de Strang et j'ai caressé la chienne couchée à proximité, apparemment mécontente de ne pas avoir été conviée à l'aventure. J'ai jeté un coup d'œil à l'intérieur de la cabane qui abritait la pompe, et remarqué que la combinaison de plongée était toujours accrochée au mur. Un moment, cela m'a déprimé, mais j'ai alors vu que le pot de graisse que Strang utilisait avant l'arrivée de la combinaison semblait avoir été récemment ouvert. Je ne sais pourquoi, j'ai bien refermé le pot, puis je l'ai caché sur l'étagère derrière des pots de peinture. Ensuite, avec la chienne, j'ai traversé le marais jusqu'au barrage de rondins. La chienne a avancé sur les rondins à demi submergés ; elle remuait la queue avec excitation en sentant l'odeur de son maître. Elle m'a regardé pour voir si je comprenais. Je suis retourné vers le chalet, me suis servi un verre et j'ai examiné une carte de la région à grande échelle que Strang m'avait montrée. Cette portion du fleuve était extrêmement accidentée, mais nullement hors de portée d'un homme aussi expérimenté que lui.

BANDE 9 : Je suis maintenant dans une chambre du motel ; j'ai allumé la télévision en coupant le son. Je la vois pour la première fois depuis presque trois mois. J'avais quasiment oublié l'existence de la télévision, qui a désormais tout le charme d'une décharge publique, les couleurs criardes en moins.

Evelyn est revenue, suivie de deux voitures de police, l'une conduite par un shérif du comté, l'autre par des policiers de l'Etat du Michigan, appellation invraisemblable quand on y réfléchit, mais malgré tout un groupe de professionnels efficaces. Il m'ont interrogé pendant une heure, puis congédié.

Les jours suivants, la ville a été en proie à une excitation rarissime. Les noyades n'ont rien d'exceptionnel dans la région, mais personne n'avait jamais assisté à ce genre de recherches à grande échelle. Moi non plus d'ailleurs. En fin d'après-midi, un jet privé a survolé plusieurs fois la ville et l'aval du fleuve. J'ai deviné que c'était Marshall, qui avait abandonné une vente de chevaux à Saratoga, dans l'Etat de New York, pour venir jusqu'ici. Au crépuscule, Marshall avait réussi à réquisitionner trois hélicoptères qui ont fait la navette au-dessus du fleuve avec des projecteurs, avant de se poser sur la plage pour la nuit. Il y avait aussi des hommes-grenouilles de la police du Michigan et d'un club de plongée de Marquette. Les efforts de Marshall me firent penser à Nelson Rockefeller qui avait affrété un Boeing 707 pour passer au peigne fin les plages de Nouvelle-Guinée à la recherche de son fils disparu.

Comme je m'y attendais, ils m'ont fait porter le chapeau. Je pensais qu'ils me convoqueraient pour m'interroger à nouveau, mais comme ils semblaient se désintéresser de moi, je suis retourné au chalet de Strang au milieu de l'après-midi du lendemain. Evelyn m'a accueilli avec ce qu'on appelle « une hostilité non déguisée ». Même réaction de la part d'Emmeline et de Bobby, mais j'ai remarqué que l'attitude de Bobby à mon égard n'était pas très convaincante. Il faisait des efforts presque comiques pour me manifester sa colère.

J'ai marché vers la table de pique-nique, où Marshall tenait un pow-pow avec les policiers et un détective venu de Lansing. Marshall réussissait à porter un incroyable ensemble Orvis — chemise en laine et coton, pantalon kaki impeccablement repassé. Son assistant était vêtu d'un costume de banquier légèrement défraîchi. Le détective disait avoir repéré des traces de pneus sur le chemin carrossable qui rejoignait le fleuve à huit ou neuf kilomètres en aval : il s'agissait du seul accès au fleuve après le chalet. Néanmoins, on ne pouvait tirer aucune conclusion de ces traces de pneus, car le véhicule appartenait peut-être à un pêcheur de truites. De nouveau, j'ai été surpris qu'on ne me posât pas d'autres questions, mais j'ai aussitôt soupçonné Evelyn d'avoir empoisonné mon puits. Les policiers m'accordaient le respect mitigé dû à un journaliste néophyte et indésirable, mais Marshall m'a adressé un signe de tête apparemment amical.

J'ai pris ma voiture pour aller au bar, mais suis ressorti aussitôt en découvrant la salle pleine de pilotes, d'hommes-grenouilles et de spectateurs, dont l'un m'a dit : « Putain, j'y pige vraiment que dalle. »

De retour au motel, j'ai savouré en privé ma veillée victorieuse. Bien sûr, je ne pouvais être absolument certain que le courant n'avait pas entraîné le corps de Strang jusqu'au lac Supérieur, où il reposait peut-être, intact, sous soixante-dix mètres d'eau glacée. Mais j'en doutais. J'ai imaginé un scénario dans lequel Eulia montait dans le bus à Engadine pour en descendre à Manistique, où Bobby l'attendait. Je voyais Bobby debout dans la lueur des phares au bout du chemin carrossable, attendant que son père arrive au fil de l'eau. Je me moquais totalement d'endosser le rôle du méchant. En fait, je me sentais plutôt calme. C'est monnaie courante : vous écrivez à propos d'un événement, et pour diverses raisons les gens sont si stupides qu'ils vous prennent pour la cause de l'événement en question.

Le lendemain matin, après que j'ai graissé la patte de l'adorable réceptionniste pour qu'elle aille me chercher du café, Marshall est passé. Il m'amenait la chienne et voulait me dire au revoir. La chienne a paru apprécier son nouveau cadre : elle a sauté sur le lit pour faire un somme.

« Vous ne croyez pas à sa mort, n'est-ce pas ? »

« Non, pas vraiment. »

« Pouvez-vous me dire pourquoi ? »

« Non. Vous êtes trop puissant et cela vous mettrait la puce à l'oreille. Il voulait évidemment nous fausser compagnie ; il a choisi la seule solution possible. »

Par la fenêtre, je regardais une voiture de police occupée par la chère doctoresse Evelyn, assise au volant, et le fringant assistant.

« C'est vrai. Vous le connaissez maintenant aussi bien que n'importe qui. Si vous recevez de ses nouvelles, nous pourrons lui envoyer ses chèques par votre intermédiaire. Hier soir, j'ai examiné ses livres de comptes : il a tout donné à ses épouses, ses enfants, des étudiants, diverses organisations. Il ne s'intéressait pas aux choses de ce monde. »

« Bien au contraire. »

Marshall a ri, puis s'est préparé à partir.

« Je suis le seul à ne pas croire que ce soit de votre faute. Passez-moi donc un coup de fil en Floride. »

« D'accord. »

Ce même soir, alors que je quitte la ville en voiture pour me diriger vers le sud, j'essaie d'imaginer ce que je ressentirais en descendant un grand fleuve à la nage et de nuit, mais je ne réussis pas vraiment. Il faut voir le barrage ou travailler à sa construction pour le comprendre réellement. La lune est à moitié pleine, il y a de la rosée sur l'herbe. Tu tremblerais malgré toi en te déshabillant. L'eau serait froide, mais pas aussi glacée qu'en juin ; la graisse isolerait ton corps pendant les premiers kilomètres. Puis il te faudrait escalader le barrage de rondins, et de l'autre côté te remettre à l'eau. Comme tu ne pourrais voir les berges, tu chercherais les endroits où le courant est le plus fort afin de gagner du temps, te guidant avec tes bras ; tes jambes, gouvernails jumeaux. Tu te dirigerais au jugé dans des zones de noir plus ou moins dense. Tu longerais la rive intérieure des virages, puis tu rejoindrais le milieu du fleuve, où la puissance du courant fait s'inverser les tourbillons. Peut-être entendrais-tu les loups qui, selon un trappeur, habitent le delta. Tu verrais des truites bondir, tu dérangerais peut-être une famille de loutres, tu entendrais l'appel du

294

hibou par-dessus le rugissement des eaux. Ta fatigue serait douce quand tu apercevrais devant toi la
lumière diffusée vers le ciel en un brouillard irisé.
Ton fils et Eulia t'aideraient à sortir de l'eau.

ACHEVÉ D'IMPRIMER SUR LES PRESSES
DE COX & WYMAN LTD. (ANGLETERRE)

Nº d'édition : 1861
Dépôt légal : septembre 1988